令和6年
10月改訂

法人税申告書

別表4・5

ゼミナール

公認会計士・税理士 鈴木基史【著】

JN212289

清文社

　私は、平成4年に『法人税申告書作成ゼミナール』という対話式の本を出版しました。幸いこの本は読者の支持を得て、30年以上にわたり版を重ねています。その間、この本でご勉強いただいた読者の方を中心に、「その続編を読みたい」というご要望が寄せられるようになりました。そこで、私としては大いに気をよくして、この「応用編」を執筆したしだいです。

　前作の「法人税申告書作成ゼミナール」は、新入社員の新米君に各種別表の書き方をコーチする内容でした。その際、対話式のため全編を通し読みしていただく必要があり、時代の変遷とともにそうした書籍は時代遅れとなりました。今は必要な箇所だけを拾い読みできる本が求められています。そこで、令和4年2月に大幅なリニューアルを行い、通常の記述式に改めました。

　それにあわせて本書も、令和4年改訂版で別冊スタイルを改め、申告書記入例などを本文に挿入することとしました。これにより、別冊を横に開いて本文を読むという煩わしさが解消されたはずです。

　本書では、法人税申告書の別表4・5に的を絞って、いろんなケースの書き方を詳しく解説しています。前置きとして登場するプロローグは、前作の復習です。法人税の知識を充分にお持ちの方は、読み飛ばしていただいて結構です。

　第1章から第4章にかけて、別表4・5の役割、記入方法、相互関連、決算書とのつながりについて述べています。資本金5億円、年商が180億円で、前作と違って別表4の加減算項目がたくさん出てくる会社をモデルにして、別表4・5の原理原則を詳しく説明しています。

　以下、応用編として、まず第5章は還付申告、第6章では修正申告の際の別表4・5の書き方を、いろんなケースごとに事例を設けて述べています。さらに近年、貸借

対照表の資本（純資産）の部に関して、税務と会計で食い違いが目立ってきています。別表4の所得計算には影響しないことが多いのですが、別表5(1)において"資本金等"と"利益積立金"の入り繰り問題が生じます。そこで第7章において、増資、減資、自己株式、DES、企業組織再編成に関する申告調整について述べています。

　第8章では、グループ法人税制に関する申告調整を取り上げています。さらに、第9章は各種会計基準に関する申告調整の解説です。税効果会計、退職給付会計、減損会計、リース会計、金融商品会計、ストック・オプション会計、資産除去債務会計、過年度遡及会計など会計基準の内容を手短に説明し、それらを適用したとき別表4・5の記入がどうなるかを述べています。なお、税効果会計に関しては、第2章でモデルとした資本金5億円の会社を再登場させ、その会社が税効果会計を適用した際の決算書と申告書を示して、その作成過程を説明しています。

　以上により、別表4・5に関して問題となる論点はほぼ網羅したつもりです。本書で原理原則をマスターしていただけば、どのようなケースでも正しく申告調整ができるはずです。

　本年版は令和6年度の税制改正に則して、前年版を手直ししました。

　また、新たに［一口ゼミ］のコーナーを設け、基本用語の解説や実務的な話題を提供することとしました。読者の皆様のご研鑽を祈念します。

　最後に、本書の出版にあたって、清文社編集第二部の皆様に大変お世話になりました。心よりお礼申し上げます。

　　令和6年9月

　　　　　　　　　　　　　　　　　　　　鈴木　基史

第8章　グループ法人税制と別表4・5 291

1 グループ法人税制の概要 …………………………………………… 292

直接・間接支配による100％企業グループに適用／譲渡損益の繰延べ等の取扱いが適用

2 譲渡損益の繰延べ ………………………………………………… 294

譲受側が譲渡等をするまで譲渡側の損益は繰延べ

3 繰延損益の実現 …………………………………………………… 296

譲受側で譲渡等を行ったとき譲渡側の繰延損益が実現

4 減価償却資産の譲渡 ……………………………………………… 298

譲受側の償却により譲渡側の繰延損益が実現

5 寄附金 ……………………………………………………………… 300

支出側で全額損金不算入、受領側は全額益金不算入／寄附に伴い親会社株式の簿価を修正／譲渡損益の計上洩れ→寄附金の認容→譲渡損益の繰延べ→寄附金の損金不算入／受贈益を加算したうえで減算

6 自己株式の譲渡 …………………………………………………… 306

100％グループ内での自己株式の譲渡損益は計上しない／100％グループ内の受取配当は負債利子の控除を行わず全額が益金不算入

3　減損会計を適用した場合　360

─〔凡例〕─

法 ─── 法人税法

令 ─── 法人税法施行令

規 ─── 法人税法施行規則

基通 ─── 法人税基本通達

通法 ─── 国税通則法

通令 ─── 国税通則法施行令

通規 ─── 国税通則法施行規則

地法 ─── 地方税法

所基通 ── 所得税基本通達

措法 ─── 租税特別措置法

措令 ─── 租税特別措置法施行令

計規 ─── 会社計算規則

（例）

法22③三 ─────── 法人税法22条3項3号

基通1－2－3 ── 法人税基本通達第1章第2節の1－2－3

本書の内容は、令和6年8月1日現在の法令・通達等によっています。

装丁・デザイン　江竜 陽子

プロローグ

1 決算利益と申告所得

◉損益計算と所得計算

企業会計の損益計算は"収益－費用＝利益"の算式で行いますが、法人税の課税標準（課税対象）たる所得金額は、必ずしもこの利益金額とイコールではありません。所得計算の算式は"益金－損金＝所得"です。

両計算における収益と益金、費用と損金はほぼ同じ概念ですが、一部食い違っているものがあります。法人税法は、当期純利益がそのまま所得金額になるような決算を要求しているわけではなく、両者に食い違いがあれば、その調整を申告書（別表4）で行うことになります。

◉決算調整事項は申告書で調整できない

ただし、あらゆる項目に関して申告書での調整が認められているわけではありません。決算で計上した金額を、申告書で増減できない場合もあります。

たとえば固定資産の減価償却費は、会社が償却費として損金経理（費用処理）した金額のうち、税務上の償却限度額までの金額が損金として認められます。つまり、減価償却費を損金に算入するためには、税務上の限度額以下の金額であることと、それを損益計算書に費用として計上（決算調整）していることが必要です。企業会計で計上せず、申告書上の調整（減算）のみで償却費を損金に算入することはできません。

主な「決算調整事項」は次のとおりです。

① 減価償却資産および繰延資産の償却費の損金算入

② 少額の減価償却資産および繰延資産の損金算入

③ 引当金繰入額および準備金積立額の損金算入

④ 資産の評価損の損金算入

⑤ 圧縮記帳に関する損金算入 etc.

●申告調整事項には2種類ある

　決算調整事項に対して、申告書上の調整だけで片が付くのが「申告調整事項」です。申告調整事項は、大きく2つに分類されます。法人の意思にかかわらず必ず調整しなければならないもの（必須調整事項）と、調整するかしないか法人の自由であるもの（任意調整事項）の2つで、主な項目は次のとおりです。

〈必須申告調整事項〉

① 　資産の評価益の益金不算入
② 　法人税・罰科金などの損金不算入
③ 　法人税額から控除する所得税額や外国税額の損金不算入
④ 　還付金などの益金不算入
⑤ 　前期分および中間申告分事業税の損金算入
⑥ 　償却費の限度超過額の損金不算入
⑦ 　資本的支出の損金不算入
⑧ 　引当金の繰入限度超過額および準備金の積立限度超過額の損金不算入
⑨ 　引当金および準備金の取崩額の益金算入
⑩ 　定期同額給与等に該当しない役員給与の損金不算入
⑪ 　不正計算で支給する役員給与の損金不算入
⑫ 　役員親族の使用人への過大給与の損金不算入
⑬ 　交際費の損金不算入
⑭ 　寄附金の限度超過額の損金不算入
⑮ 　青色申告法人の繰越欠損金の損金算入 etc.

〈任意申告調整事項〉

① 　受取配当金の益金不算入
② 　所得税額および外国税額の法人税額からの控除
③ 　特別償却不足額の繰越し
④ 　収用などによる資産譲渡に対する特別控除 etc.

　必須調整事項については、もし法人がその申告調整をしなければ、税務署により職権で更正されます。一方、任意調整事項は確定申告書に記載があるときだけ、その調整が認められます。したがって、後者は法人が申告調整をしなければ更正が行われず、

通常は節税面で権利放棄の状態となってしまいます。

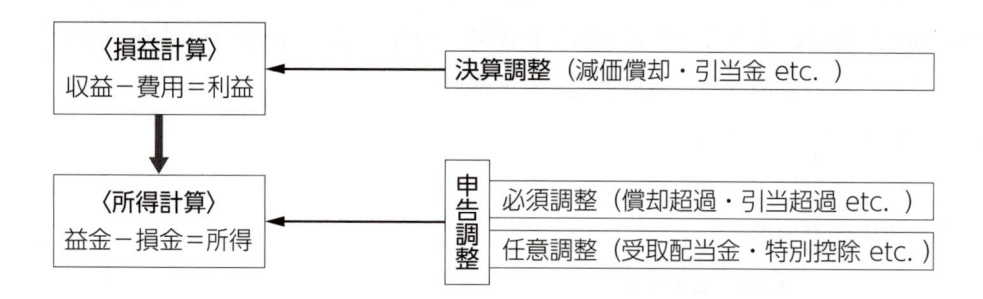

［一口ゼミ①］　損金経理とは

　法人税法では、損金経理を「確定した決算において費用又は損金として経理すること」（法2二十五）と規定しています。会計用語の「費用処理」と言い換えてもいいのですが、初心者の中には"経理"という言葉にとらわれて、これを仕訳上の話と誤解している人がいます。

　正確には、仕訳段階でどのように処理していようが関係ありません。決算で最終的にどこに計上したのか、つまり損益計算書の借方に計上するのが「損金経理」です。そういう意味では、法人税法の規定を「費用又は損金として計上すること」とした方が、誤解がなくていいのかもしれません。

　損金経理に対して「仮払経理」という言葉がありますが、これも仕訳の話ではありません。たとえば、中間分の税金を予定納税の時点で仮払金に計上したとしても、最終的に費用に振り替えたのであれば、損金経理したことになります。予定納税額が仮払経理となるのは、それを未収入金などの科目で貸借対照表の借方に残した場合です。

> ・損金経理とは、損益計算書に"費用"として計上すること
> ・仮払経理とは、貸借対照表に"資産"として計上すること

2 所得計算のしくみ

●税理論や税政策上の理由で食い違う

損益計算と所得計算の食い違い項目にはいろいろありますが、代表例は次のとおりです。

(a) 受取配当金………「収益であるが益金ではない」

企業会計上、受取配当金は収益（一般に営業外収益）です。ところが税理論上、これは益金になりません。なぜなら、配当は税引き後の利益からなされるものであり、投資先ですでに課税されている利益を、配当として受け入れた側で益金扱いすると、再度これに課税され二重課税となってしまうからです。

一つの所得に対する課税は一回限り、というのが所得課税の税金（法人税や所得税）の大原則です。そこで申告調整により、食い違いを解消することになります。

(b) 交際費…………「費用であるが損金ではない」

交際費は、主として得意先との取引関係を密にし、売上げを伸ばすために支出されます。企業会計上、費用は収益を得るため犠牲になるもの、つまり売上げを上げるのに要するコストですから、その意味では、交際費は典型的な費用項目といえます。

ところが税務では、「冗費の節約」（無駄遣いはやめよう）と「資本の蓄積」（そのお金を会社に貯めよう）というお題目で、交際費を損金と認めない扱いをしています。これは受取配当金のような税理論上の話ではなく、政策的な扱いによる食い違い項目です。

(c) 減価償却費の限度超過額………「費用であるが損金ではない」

企業会計上、正確な期間損益計算を行うため適正な費用配分の観点から、所要の減価償却が実施されます。ところが、税務上は課税の公平化の観点から、支出を伴わない計算上の費用項目については画一的な処理を要求し、個別事情を考慮した企業会計の計算結果を、そのまま損金とは認めません。

したがって、たとえば損益計算で1,000万円の減価償却費を計上しても、税務上認

められる償却限度が800万円だとすれば、限度超過部分の200万円については費用であるが損金にはなりません。同様のことが、引当金繰入額についてもいえます。

●当期純利益からスタートして所得金額を計算

さて、所得とは益金から損金を控除した金額ですが、現実には、損益計算から全く離れたところで再度所得計算を行う、というようなことはしません。益金と損金は、大部分が収益や費用と合致しているので、損益計算で求められた当期純利益の金額を受けて、これに食い違い項目（申告調整事項）をプラス・マイナス（加算・減算）するかたちで行われます。

●4種類の申告調整項目

申告調整事項には、次の4種類のものがあります。

① 益金算入項目…………収益ではないが益金であるもの

② 益金不算入項目………収益であるが益金ではないもの

③ 損金算入項目…………費用ではないが損金であるもの

④ 損金不算入項目………費用であるが損金ではないもの

当期純利益からスタートして所得金額を計算する際、①と④は加算し、②と③は減算します。

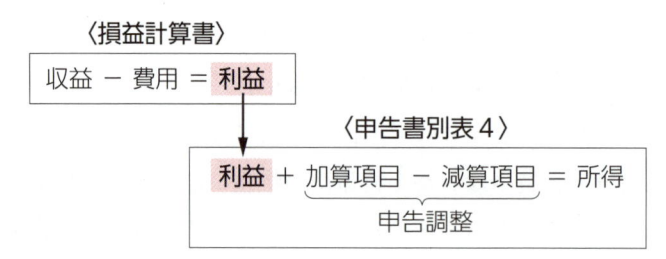

上記の調整項目の分類を図示すれば、次のとおりです。

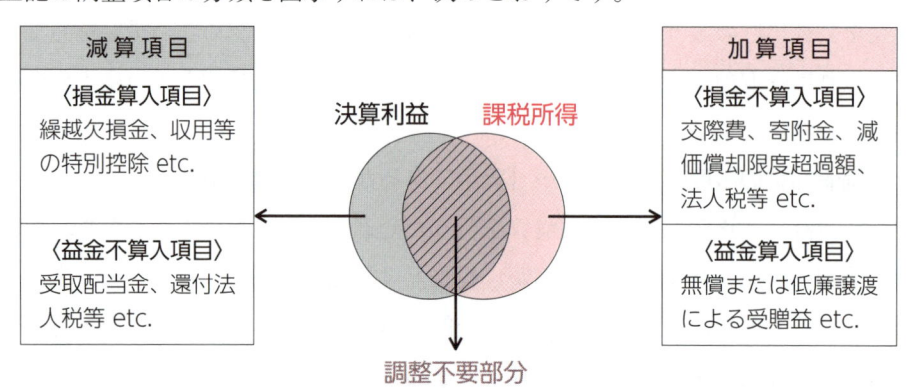

3 益金と損金

◉法人税法22条で規定

所得計算に関して、法人税法22条では次のように規定しています。

1　内国法人の各事業年度の所得の金額は、当該事業年度の益金の額から当該事業年度の損金の額を控除した金額とする。

2　内国法人の各事業年度の所得の金額の計算上、当該事業年度の益金の額に算入すべき金額は、別段の定めがあるものを除き、資産の販売、有償又は無償による資産の譲渡又は役務の提供、無償による資産の譲受けその他の取引で資本等取引以外のものに係る当該事業年度の収益の額とする。

3　内国法人の各事業年度の所得の金額の計算上、当該事業年度の損金の額に算入すべき金額は、別段の定めがあるものを除き、次に掲げる額とする。

一　当該事業年度の収益に係る売上原価、完成工事原価その他これらに準ずる原価の額

二　前号に掲げるもののほか、当該事業年度の販売費、一般管理費その他の費用（償却費以外の費用で当該事業年度終了の日までに債務の確定しないものを除く。）の額

三　当該事業年度の損失の額で資本等取引以外の取引に係るもの

◉別段の定めがある

この条文は、第1項で"益金－損金＝所得"の基本算式を示し、さらに第2項と第3項でそれぞれ"益金"と"損金"の概念を定義する構成となっています。

まず、益金を「別段の定めがあるものを除き、資産の販売……に係る収益」と規定しています。

ここで"別段の定め"とは、たとえば受取配当金の益金不算入（法23）、資産の評価益の益金不算入（法25）、還付金等の益金不算入（法26）などの規定のことです。つまり、さきに述べた申告調整事項を除いて、損益計算上の収益を益金とするのが原則的な扱いです。

また、第3項では損金の内容を、損益計算書の項目に従って、売上原価・販売費・

一般管理費……と規定しており、減価償却限度超過額の損金不算入（法31）や繰越欠損金の損金算入（法57）など別段の定めを除いて、損益計算上の費用項目は、原則として損金となります。

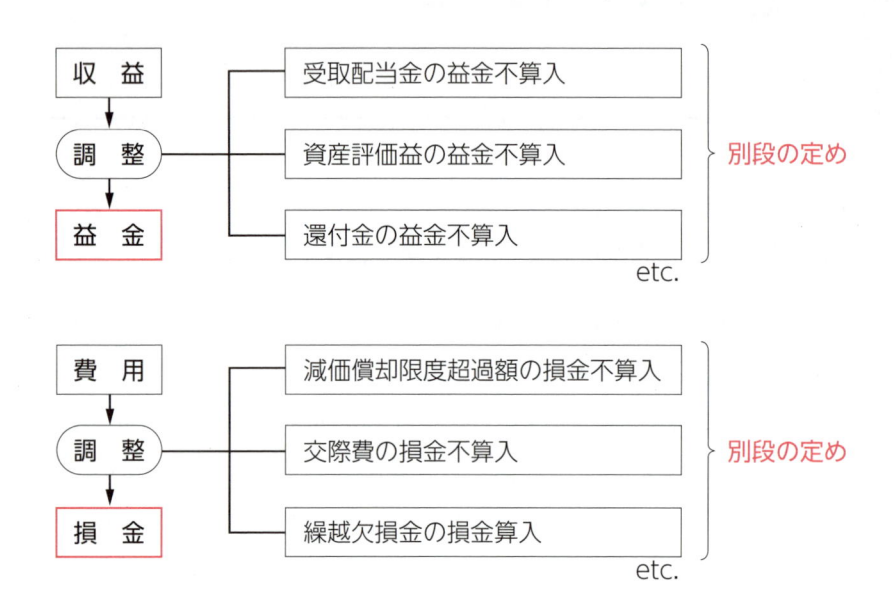

［一口ゼミ②］　税法条文の読み方(1)

　税法の条文は非常に読みづらく、その原因はかっこ書きの多用、「その」「当該」「等」の頻出、「内国法人である……」「各事業年度の所得の金額の計算上……」といった回りくどい言い回し等にあります。

　前頁の法人税法22条の原文から、次のように余分な言葉（□□□□部分）を外してみてください。うんと読みやすくなるはずです。

第22条（各事業年度の所得の金額の計算）

1　内国法人の各事業年度の所得の金額は、当該事業年度の益金の額から当該事業年度の損金の額を控除した金額とする。

2　内国法人の各事業年度の所得の金額の計算上当該事業年度の益金の額に算入すべき金額は、別段の定めがあるものを除き、資産の販売、有償又は無償による資産の譲渡又は役務の提供、無償による資産の譲受けその他の取引で資本等取引以外のものに係る当該事業年度の収益の額とする。

3　内国法人の各事業年度の所得の金額の計算上当該事業年度の損金の額に算入すべき金額は、別段の定めがあるものを除き、次に掲げる額とする。

一　当該事業年度の収益に係る売上原価、完成工事原価その他これらに準ずる原価の額

二　前号に掲げるもののほか、当該事業年度の販売費、一般管理費その他の費用（償却費以外の費用で当該事業年度終了の日までに債務の確定しないものを除く。）の額

三　当該事業年度の損失の額で資本等取引以外の取引に係るもの

　法人税法はあくまで"法律"ですから、受験勉強はもとより実務を行う際も、手引書や問答集だけに頼らず、できるだけ条文そのものを参照すべきです。自分なりに余分な言葉をそぎ落としてトライしてみてください。

4 資本取引と損益取引

●資本金等には課税しない

　法人税法22条では、益金と損金を「資本等取引以外の取引に係る収益（費用）の額」と規定しています。ここで資本等取引とは、"資本金等"の額の増加または減少を生ずる取引と、利益または剰余金の分配のことです。

　資本金等の「等」は、貸借対照表の純資産の部で「資本剰余金」として表示されている項目がおおむね該当します。正確には、法人税法施行令8条で列挙される項目をいいますが、たとえば、時価発行増資を行う際、株主からの払込み額のうち資本金組入れ額を上回る部分の金額（株式払込剰余金）、あるいは、他社を吸収合併する際、純資産の受入額が株主に交付する資本金額を上回る部分の金額（合併差益）などがあります。

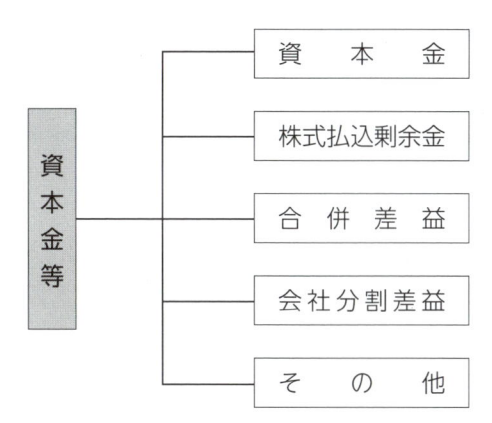

●資本取引と損益取引を明確に区分

　資本金等はいずれも、「資本取引」から生ずるもので非課税の項目です。資本取引とは、株主から払い込まれた投下資本自体の増減に関する取引をいい、これに対し資本の利用によって生ずる取引を「損益取引」といって、両者は明確に区別されねばなりません。

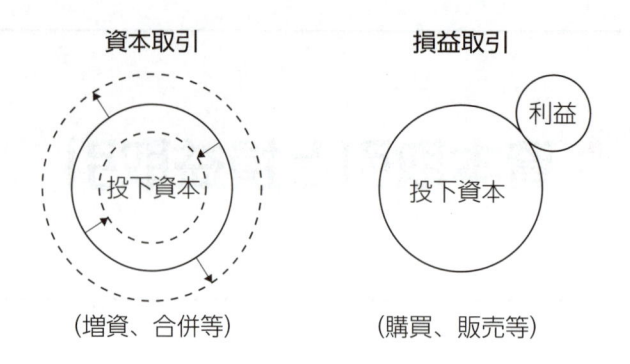

企業活動は、まず資本の払込みを受けることからスタートし、これを元手として営業活動を行って、毎期利益を獲得していきます。当初の投下資本自体がその後に増減するケースとして、増資、合併、会社分割などがあり、これらの取引から生ずる項目は資本金等に該当します。

一方、投下資本を元手として利益追求のために行う購買、販売、財務などの取引は損益取引です。企業会計上、資本自体の増減から利益は生じません。それは購買や販売のような、財貨または用役の増減によってのみ実現するとされています。

◉損益取引が課税対象

税務上もこの考え方は尊重されます。すなわち、法人税は利益（正確には所得）に対して課税するものであり、資本課税つまり元手に対する課税はしません。損益取引から生ずる利益（所得）で、課税を受けた後に内部留保した金額を「利益積立金」といい、同じく純資産の項目ですが、法人税の課税上、資本金等と利益積立金はその性格を異にしています。

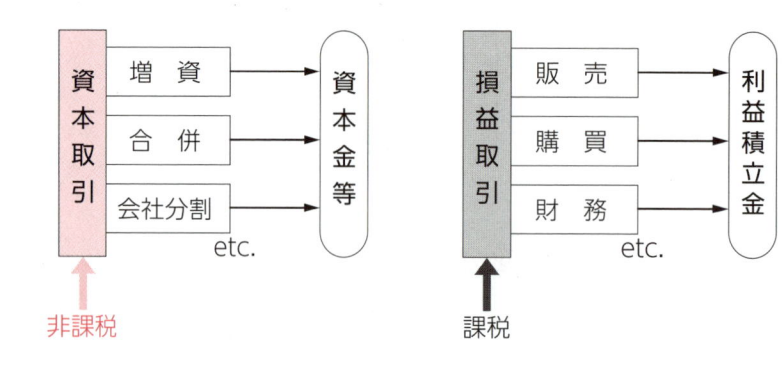

5 申告所得の計算例

設 例

　阪神商事株式会社の第○期（自令和6年4月1日 至令和7年3月31日）事業年度について、次の資料により所得金額を計算します。

〈資料〉

1　当期の株主資本等変動計算書

	株　　主　　資　　本					純資産合計
	資本金	利　益　剰　余　金			株主資本合計	
		利益準備金	別途積立金	繰越利益剰余金		
前期末残高	10,000,000	1,200,000	5,000,000	9,250,000	25,450,000	25,450,000
当期変動額						
剰余金の配当		200,000		△ 2,200,000	△ 2,000,000	△ 2,000,000
剰余金の積立			5,500,000	△ 5,500,000		
当期純利益				8,620,000	8,620,000	8,620,000
当期変動額合計		200,000	5,500,000	920,000	6,620,000	6,620,000
当期末残高	10,000,000	1,400,000	10,500,000	10,170,000	32,070,000	32,070,000

2　前期分の未納税金は納税充当金（未払法人税等）より支出しました。

　　① 法　人　税　　　　　　　　　　　　1,300,000円

　　② 住　民　税　　　　　　　　　　　　　140,000円

　　③ 事　業　税　　　　　　　　　　　　　320,000円

3　税務調整事項

　　① 損金経理をした中間納付の法人税　　1,200,000円

　　② 損金経理をした中間納付の住民税　　　130,000円

　　③ 損金経理をした中間納付の事業税　　　280,000円

　　④ 損金経理をした納税充当金　　　　　1,520,000円

　　⑤ 役員給与の損金不算入額　　　　　　　520,000円

⑥	貸倒引当金繰入超過額		220,000円
⑦	減価償却超過額の当期認容額		315,000円
⑧	寄附金の損金不算入額		425,000円

4 当期確定分の税金は次のとおりです。

①	法 人 税		1,030,000円
②	住 民 税		150,000円
③	事 業 税		340,000円

計 算

当 期 利 益		8,620,000
加算	損 金 経 理 を し た 法 人 税	1,200,000
	損 金 経 理 を し た 住 民 税	130,000
	損 金 経 理 を し た 納 税 充 当 金	1,520,000
	役 員 給 与 の 損 金 不 算 入 額	520,000
	貸 倒 引 当 金 繰 入 超 過 額	220,000
	寄 附 金 の 損 金 不 算 入 額	425,000
	小 計	4,015,000
減算	減 価 償 却 超 過 額 認 容	315,000
	納税充当金より支出した事業税	320,000
	小 計	635,000
所 得 金 額		12,000,000

●当期純利益からスタートして食い違い項目を加減算

　株主資本等変動計算書において、当期純利益が8,620,000円計上されています。そこで、この金額からスタートして、税務と会計の食い違い項目を加減算することになります。

　設例 において、まず、税金がらみ以外の項目（⑤〜⑧）の加減算を考えます。

⑤	役員給与の損金不算入額	⇒	損金不算入項目なので加算
⑥	貸倒引当金繰入超過額	⇒	損金不算入項目なので加算
⑦	減価償却超過額の当期認容額	⇒	損金算入項目なので減算
⑧	寄附金の損金不算入額	⇒	損金不算入項目なので加算

◉納付状況と仕訳をまとめる

　つぎに、税金項目の加減算ですが、これは少々やっかいです。宙で処理しないで、まずは当期中の納付状況を次のようにまとめます。

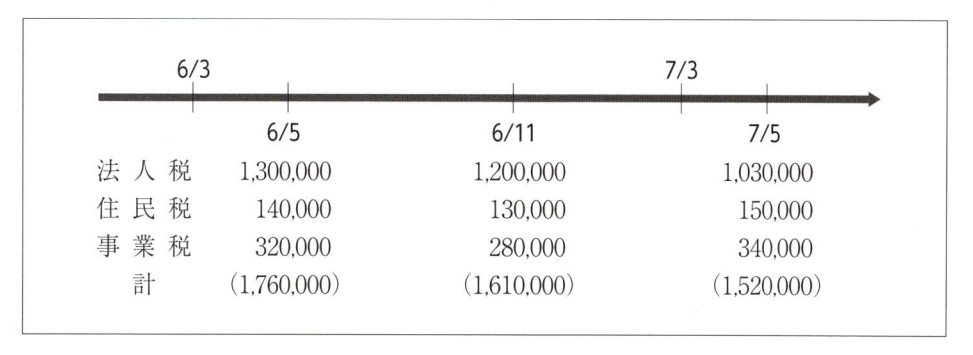

	6/5	6/11	7/5
法 人 税	1,300,000	1,200,000	1,030,000
住 民 税	140,000	130,000	150,000
事 業 税	320,000	280,000	340,000
計	(1,760,000)	(1,610,000)	(1,520,000)

上記の税金納付に対して、会社は次のように仕訳しています。

6年5月　前期分法人税の納付

（借）未払法人税等　1,300,000　　（貸）現　金　預　金　1,300,000

　　〃　　　前期分住民税の納付

（借）未払法人税等　　140,000　　（貸）現　金　預　金　　140,000

　　〃　　　前期分事業税の納付

（借）未払法人税等　　320,000　　（貸）現　金　預　金　　320,000

6年11月　中間分法人税の納付

（借）仮　　払　　金　1,200,000　　（貸）現　金　預　金　1,200,000

　　〃　　　中間分住民税の納付

（借）仮　　払　　金　　130,000　　（貸）現　金　預　金　　130,000

　　〃　　　中間分事業税の納付

（借）仮　　払　　金　　280,000　　（貸）現　金　預　金　　280,000

7年3月　確定分法人税等の未払い計上

（借）法人税、住民税　3,130,000　　（貸）仮　　払　　金　1,610,000
　　　　及び事業税
　　　　　　　　　　　　　　　　　　　　未 払 法 人 税 等　1,520,000

◉仕訳に基づいて加減算を考える

　税金がらみの加減算は仕訳に基づいて考える——これが所得計算を正しく行うコツです。法人税等の加減算を行うときは、次の2つの基準に照らして仕訳を吟味してください。

> ① 法人税と住民税は損金不算入
>
> ② 事業税は現金主義で損金算入

　法人税と住民税は、もうけに対してかかる税金です。もうけ（所得）を計算しそこに税率をかけて算出する税金ですから、もうけを計算する際に控除することはできません。

　そういう目で上記の仕訳を見ると、まず6年5月分に関しては調整を要しません。税務で損金不算入のものを、「未払法人税等」（負債）の取崩しで処理しています。費用処理しているわけではないので、税務と会計で食い違いはありません。

◉中間分の税金は最終的に費用処理

　つぎに、6年11月の中間分納付の処理を検討します。仕訳では「仮払金」に計上していますが、これは通過勘定で期末に精算し「法人税、住民税及び事業税」の科目に振り替えています。損益計算書の借方に計上する科目ですから、中間納付税額は最終的には費用処理となり、税務の取扱いと食い違います。

　そこで、中間納付の法人税（1,200,000円）と住民税（130,000円）を損金不算入の項目として加算します。

◉法人税等の未払い計上額は全額加算

　法人税と住民税に関して最後に、期末の未払い計上の処理を検討します。

　7年3月末の仕訳で貸方において、中間分の納付の際に計上した仮払金（事業税も含めて1,610,000円）を精算し、さらに7年5月に納付予定の確定分の税金（事業税も含めて1,520,000円）を「未払法人税等」の科目で負債に計上しています。その際、借方には損益計算書に計上する年額の税金（事業税も含めて3,130,000円）を「法人税、住民税及び事業税」（費用）の科目で計上しています。

　ここで、費用計上した3,130,000円のうち確定分1,520,000円は、全額損金不算入です。法人税と住民税はもとより、事業税も期末に未払い計上した時点では、いまだ損金不算入です。2か月後に納付した時点で初めて損金となります。

　そこで、期末に未払法人税等（税務用語では「納税充当金」）に計上した金額は、そっくりそのまま加算することになります。

◉事業税は場所代なので損金算入

　つぎに、事業税に関する加減算を考えます。法人税や住民税と違って、事業税はもうけにではなく"事業の遂行"に対してかかる税金です。つまり、○○県内で事業をしていることに対して○○県が課税する、いわば場所代（賃借料）のような性格をも

つ税金なので、損金扱いされます。

では、いつ損金になるか——それは申告書を提出した時点、ということになっています。通常、申告と同時に納税をしますから、結局のところ、事業税は現金主義で損金になる、ということです。

●前期分事業税を減算

そういう目で上記の仕訳を眺めると、まず、6年5月における前期分納付の仕訳が引っかかります。税務上はその時点で損金になるのに、会計上、負債の取崩しで処理しています。損金になるものを費用処理していない——となると、これは減算しなければなりません。

つぎに、6年11月の中間分納付の仕訳ですが、ここで仮払金に計上しているのは仮の姿で、法人税や住民税と同様、最終的には費用計上されています。納付時点で損金となるものを費用処理しているわけですから、これに関して調整は不要です。

最後に、決算で確定分の事業税を未払い計上していますが、これは先ほど説明したとおり、その時点ではまだ損金とならないので、法人税などと一緒に加算することになります。

6 別表4・5入門

1 別表4とは

◉法人税申告書のうち一番中心となる表

　法人税の申告書は、別表1(1)から別表19まで用意されています。「別表〇〇」という呼び方をしますが、枝番がやたら付けられていて、各種付表を合わせるとその数、ゆうに百を超えます。

　さて、100種類以上ある法人税申告書のうち、一番中心に位置するのが別表4です。これは、決算利益からスタートして、税務と会計の食い違いを調整し申告所得を計算するための表で、"税務上の損益計算書"と呼ばれます。

　前節の 設例 における所得計算を別表4に記入すれば、【次ページ】のとおりです。

◉当期利益からスタートして食い違い項目を加減算

　金額を記入する欄が、横に3列設けられていますが、まずは左端の「総額」欄をご覧ください。上から下に通し番号が付されており、スタート（①）は「当期利益」8,620,000円です。

　以下、加減算項目をそれぞれ記入します。たいていのものは記入する欄が指定されていて、「区分」欄にあらかじめ項目が印刷してあります。総額欄の該当箇所に数字を埋め電卓をたたいて、最終行（㊾）で「所得金額」12,000,000円が求まります。

◉総額欄の数字を分解

　つぎに、総額欄の数字を、それぞれ「留保」と「社外流出」の欄に分解します。スタートの当期利益については、株主資本等変動計算書の記載で判断します。

　社外流出とは、文字どおり会社外部への支払いということで、株主資本等変動計算書（【11ページ】参照）によれば、株主配当金2,000,000円がそれにあたります。そこで、当期利益（8,620,000円）からこれを差し引いた残り6,620,000円が、会社に残した（留保した）お金ということになり、その内訳は次のとおりです。

阪神商事の別表4

所得の金額の計算に関する明細書(簡易様式)

事業年度	6.4.1 〜 7.3.31	法人名	阪神商事株式会社

区　分		総　額	処		分	
			留　保		社 外 流 出	
		①	②		③	
当 期 利 益 又 は 当 期 欠 損 の 額	1	8,620,000 円	6,620,000 円	配当	2,000,000 円	
				その他		
損金経理をした法人税及び地方法人税(附帯税を除く。)	2	1,200,000	1,200,000			
損金経理をした道府県民税及び市町村民税	3	130,000	130,000			
加　損金経理をした納税充当金	4	1,520,000	1,520,000			
損金経理をした附帯税(利子税を除く。)、加算金、延滞金(延納分を除く。)及び過怠税	5			その他		
減 価 償 却 の 償 却 超 過 額	6					
役 員 給 与 の 損 金 不 算 入 額	7	520,000		その他	520,000	
交 際 費 等 の 損 金 不 算 入 額	8			その他		
通 算 法 人 に 係 る 加 算 額 (別表四付表「5」)	9			外※		
算　貸 倒 引 当 金 繰 入 超 過 額	10	220,000	220,000			
小　　　　　計	11	3,590,000	3,070,000	外※	520,000	
減 価 償 却 超 過 額 の 当 期 認 容 額	12	315,000	315,000			
納税充当金から支出した事業税等の金額	13	320,000	320,000			
減　受 取 配 当 等 の 益 金 不 算 入 額 (別表八(一)「5」)	14			※		
外国子会社から受ける剰余金の配当等の益金不算入額(別表八(二)「26」)	15			※		
受 贈 益 の 益 金 不 算 入 額	16			※		
適 格 現 物 分 配 に 係 る 益 金 不 算 入 額	17			※		
法 人 税 等 の 中 間 納 付 額 及 び 過 誤 納 に 係 る 還 付 金 額	18					
所 得 税 額 及 び 欠 損 金 の 繰 戻 し に よ る 還 付 金 額 等	19			※		
通 算 法 人 に 係 る 減 算 額 (別表四付表「10」)	20			※		
	21					
算　小　　　　　計	22	635,000	635,000	外※	0	
仮　　　　　計 (1)+(11)-(22)	23	11,575,000	9,055,000	外※	0　2,520,000	
対象純支払利子等の損金不算入額 (別表十七(二の二)「29」又は「34」)	24			その他		
超 過 利 子 額 の 損 金 算 入 額 (別表十七(二の三)「10」)	25	△		※	△	
仮　　　　　計 ((23)から(25)までの計)	26	11,575,000	9,055,000	外※	0　2,520,000	
寄 附 金 の 損 金 不 算 入 額 (別表十四(二)「24」又は「40」)	27	425,000		その他	425,000	
法 人 税 額 か ら 控 除 さ れ る 所 得 税 額 (別表六(一)「6の③」)	29			その他		
税 額 控 除 の 対 象 と な る 外 国 法 人 税 の 額 (別表六(二の二)「7」)	30			その他		
分配時調整外国税相当額及び外国関係会社等に係る控除対象所得税額等相当額(別表六(五の二)「5の②」)+(別表十七(三の六)「1」)	31			その他		
合　　　　　計 (26)+(27)+(29)+(30)+(31)	34	12,000,000	9,055,000	外※	0　2,945,000	
中間申告における繰戻しによる還付に係る災害損失欠損金額の益金算入額	37			※		
非適格合併又は残余財産の全部分配等による移転資産等の譲渡利益額又は譲渡損失額	38			※		
差　　引　　計 (34)+(37)+(38)	39	12,000,000	9,055,000	外※	0　2,945,000	
更生欠損金又は民事再生等評価換えが行われる場合の再生等欠損金の損金算入額(別表七(三)「9」又は「21」)	40	△		※	△	
通算対象欠損金額の損金算入額又は通算対象所得金額の益金算入額(別表七の二「5」又は「11」)	41			※		
差　　引　　計 (39)+(40)±(41)	43	12,000,000	9,055,000	外※	0　2,945,000	
欠 損 金 等 の 当 期 控 除 額 (別表七(一)「4の計」)+(別表七(四)「10」)	44	△		※	△	
総　　　　　計 (43)+(44)	45	12,000,000	9,055,000	外※	0　2,945,000	
残余財産の確定の日の属する事業年度に係る事業税及び特別法人事業税の損金算入額	51	△	△			
所 得 金 額 又 は 欠 損 金 額	52	12,000,000	9,055,000	外※	0　2,945,000	

・利 益 準 備 金	200,000円	
・別 途 積 立 金	5,500,000円	
・繰越利益剰余金	920,000円	
計	6,620,000円	

●実務上、振り分けは簡単にできる

　通し番号の②以下は、総額欄の金額をそのまま、留保または社外流出のどちらかに記入します。書き分ける際の基準は、お金の出入りがあるかないか、です。⑦（役員給与）や㉗（寄附金）は支払いがあるから社外流出、⑩（貸倒引当金）は計算上の数字で支払いを伴わないので留保、といった具合です。

　実際に記入するとき、この振り分けは簡単にできます。申告書用紙で、あらかじめどちらかの欄に斜線が引いてありますから、おのずともう一方の欄に記入するしくみになっています。

2　別表5とは

●税務上のバランスシート

　別表5には、5(1)と5(2)の2種類ありますが、ここでは5(1)のみ説明します。この表は“税務上の貸借対照表”と呼ばれ、前節の（設例）における別表5(1)は【次ページ】のとおりです。

●フロー計算にストック計算をからめる

　積極財産と消極財産を対照表示したものというイメージからすれば、どうしてこれが貸借対照表なの？？……と思われるでしょうが、それはこういうことです。

　法人税の計算で肝心なのは、所得金額がいくらなのかです。所得金額に一定の税率を乗じて納めるべき税額をはじく──その計算が正しく行われているかどうかが、法人税法にとって最大の関心事です。

　所得計算は税務版の損益計算で、いわばフローの計算です。その計算だけでは単式簿記みたいなもので、これを複式に直すためストックの計算（財産計算）をからめる、という発想が生まれます。

　ただし、現金、預金、売掛金、棚卸資産、固定資産あるいは借入金がいくらあるか、一つひとつの説明は不要です。すべての資産・負債項目が、所得金額の計算に直接関係するわけではありませんから。

阪神商事の別表5⑴

利益積立金額及び資本金等の額の計算に関する明細書

| 事業年度 | 6.4.1 7.3.31 | 法人名 | 阪神商事株式会社 | 別表五(一) |

Ⅰ 利益積立金額の計算に関する明細書

区　分		期首現在利益積立金額 ①	当期の増減 減 ②	当期の増減 増 ③	差引翌期首現在利益積立金額 ①－②＋③ ④
利　益　準　備　金	1	1,200,000円	円	200,000円	1,400,000円
別　途　積　立　金	2	5,000,000		5,500,000	10,500,000
減価償却超過額	3	400,000	315,000		85,000
貸　倒　引　当　金	4			220,000	220,000
	5				
	6				
	7				
	8				
	9				
	10				
	11				
	12				
	13				
	14				
	15				
	16				
	17				
	18				
	19				
	20				
	21				
	22				
	23				
	24				
繰越損益金（損は赤）	25	9,250,000		920,000	10,170,000
納　税　充　当　金	26	1,760,000	1,760,000	1,520,000	1,520,000
未納法人税等 未納法人税及び未納地方法人税（附帯税を除く。）	27	△ 1,300,000	△ 2,500,000	中間 △1,200,000 確定 △1,030,000	△ 1,030,000
未払通算税効果額（附帯税の額に係る部分の金額を除く。）	28			中間 確定	
未納道府県民税（均等割を含む。）	29	△ 140,000	△ 270,000	中間 △ 130,000 確定 △ 150,000	△ 150,000
未納市町村民税（均等割を含む。）	30	△	△	中間 △ 確定 △	△
差　引　合　計　額	31	16,170,000	△695,000	5,850,000	22,715,000

Ⅱ 資本金等の額の計算に関する明細書

区　分		期首現在資本金等の額 ①	当期の増減 減 ②	当期の増減 増 ③	差引翌期首現在資本金等の額 ①－②＋③ ④
資本金又は出資金	32	10,000,000円	円	円	10,000,000円
資　本　準　備　金	33				
	34				
	35				
差　引　合　計　額	36	10,000,000			10,000,000

◉税務計算に必要な残高項目を記載した表

　そこで、所得計算に直接関係する残高項目だけを拾い出した表、それが別表5(1)です。所得計算に直接関係する残高項目が"利益積立金"で、利益積立金額の増減と残高を明らかにするため別表5(1)が設けられています。

　別表4と別表5(1)は税務上のP/LないしB/Sですから、2枚の表の数字には密接な結びつきがあります。結論からいうと、別表4の留保欄に記入した金額が別表5(1)の増減欄に転記される、ということです。

> 別表4の加算金額 ➡ 別表5(1)の増加欄
>
> 別表4の減算金額 ➡ 別表5(1)の減少欄

　以上の規則性に従って、2枚の表の数字が1対1で対応しています。以下、詳細は第1章以下で説明します。

[一口ゼミ③] 税金の徴収方式

　納税額を確定し徴収するやり方には、次の4種類があります。

(a) 申告納税方式

　納税者の申告により納税額が確定することを原則とし、申告がない場合または申告額が法律の規定に従っていない場合は、税務署長等の処分により確定する方式です。国税には通常この制度が採用されており、地方税でも法人住民税、法人事業税等はこの方式によっています。

(b) 賦課課税方式

　税務署長等の処分により納税額が確定する方式です。国税は加算税、延滞税などに限られますが、地方税では個人住民税、個人事業税、固定資産税、不動産取得税、自動車税など多くの税目にこの制度が採用されています。

(c) 源泉徴収方式

　利子・配当・給与など一定の所得は、その支払時に支払者（源泉徴収義務者）が所定の方法で計算した所得税を徴収し、それを国に納付することとしています。

(d) 特別徴収方式

　源泉徴収に類似する制度で、徴収に便宜を有する者（特別徴収義務者）に租税を徴収させ、その徴収した者が納入する制度です。地方税法において、給与所得者の個人住民税、ゴルフ場利用税、軽油引取税などにこの制度が採用されています。

第1章

別表4・5の役割

1 別表4の役割

1 別表4とは

●税務上の損益計算書

　別表4は、決算利益からスタートして税務と会計の食い違いを調整し、申告所得を計算するための表です。所得計算、すなわち税務上の損益計算を行う表であることから、"税務損益計算書"と呼ばれます。

　【次ページ】に掲げるものが原則的な別表4の様式ですが、仮計（23）以下を簡略化した「簡易様式」（**【24ページ】**）も定められています。現実には、仮計以下に記載される加算・減算項目は、一部のものを除きめったに登場することがなく、実務では通常、簡易様式を使用します。

　（注）「通算法人に係る加算額」（9）と「通算法人に係る減算額」（20）の欄は、連結納税制度に代えて令和4年4月1日から導入された、グループ通算制度を選択している法人が使用します。通常の単体納税制度を選択している法人には、一切関係がありません。

2 別表4の記載項目

●各種の所得金額を計算

　別表4では、損益計算書で計上した「当期利益」（1）からスタートして、2以下の各欄の金額をプラス・マイナスし「所得金額」（52）を計算します。

　加算・減算項目の一部を24以下の欄に記載するのは、計算技術上の理由からです。すなわち、「寄附金の損金不算入額」（27）や「欠損金等の当期控除額」（44）を計算するには、あらかじめ所得金額を計算しておく必要があります。

　また、税額控除の対象となる「源泉所得税額」（29）や「外国法人税額」（30）は、その金額の計算自体には所得金額は関係しませんが、他の局面で所得基準による限度額計算をする際、これらの金額を影響させないで計算した所得金額を用いる場合があります。そのため、最終の所得金額（52）を求める前に、仮計（23・26）、合計（34）、差

別表4

所得の金額の計算に関する明細書

| 事　業年　度 | ・　・ | 法人名 | | 別表四 |

区　　　　分		総　　額	処　　　　　　　分	
		①	留　保 ②	社 外 流 出 ③
当　期　利　益　又　は　当　期　欠　損　の　額	1	円	円	配　　当 その　他 円
加算	損金経理をした法人税及び地方法人税（附帯税を除く。）	2			
	損　金　経　理　を　し　た　道　府　県　民　税　及　び　市　町　村　民　税	3			
	損　金　経　理　を　し　た　納　税　充　当　金	4			
	損金経理をした附帯税（利子税を除く。）、加算金、延滞金（延納分を除く。）及び過怠税	5			その　他
	減　価　償　却　の　償　却　超　過　額	6			
	役　員　給　与　の　損　金　不　算　入　額	7			その　他
	交　際　費　等　の　損　金　不　算　入　額	8			その　他
	通　算　法　人　に　係　る　加　算　額（別表四付表「5」）	9			外※
		10			
	小　　　　　計	11			外※
減算	減　価　償　却　超　過　額　の　当　期　認　容　額	12			
	納　税　充　当　金　か　ら　支　出　し　た　事　業　税　等　の　金　額	13			
	受　取　配　当　等　の　益　金　不　算　入　額（別表八（一）「5」）	14			※
	外国子会社から受ける剰余金の配当等の益金不算入額（別表八（二）「26」）	15			※
	受　贈　益　の　益　金　不　算　入　額	16			※
	適　格　現　物　分　配　に　係　る　益　金　不　算　入　額	17			※
	法　人　税　等　の　中　間　納　付　額　及　び　過　誤　納　に　係　る　還　付　金　額	18			
	所　得　税　額　等　及　び　欠　損　金　の　繰　戻　し　に　よ　る　還　付　金　額　等	19			※
	通　算　法　人　に　係　る　減　算　額（別表四付表「10」）	20			※
		21			
	小　　　　　計	22			外※
仮　　　　計 (1)+(11)-(22)	23			外※
対　象　純　支　払　利　子　等　の　損　金　不　算　入　額（別表十七（二の二）「29」又は「34」）	24			その　他
超　過　利　子　額　の　損　金　算　入　額（別表十七（二の三）「10」）	25	△		※ △
仮　　　　計 ((23)から(25)までの計)	26			外※
寄　附　金　の　損　金　不　算　入　額（別表十四（二）「24」又は「40」）	27			その　他
沖縄の認定法人又は国家戦略特別区域における指定法人の所得の特別控除額又は要加算調整額の益金算入額（別表十（一）「15」若しくは別表十（二）「10」又は別表十（一）「16」若しくは別表十（二）「11」）	28			※
法　人　税　額　か　ら　控　除　さ　れ　る　所　得　税　額（別表六（一）「6の③」）	29			その　他
税　額　控　除　の　対　象　と　な　る　外　国　法　人　税　の　額（別表六（二の二）「7」）	30			その　他
分配時調整外国税相当額及び外国関係会社等に係る控除対象所得税額等相当額（別表六（五の二）「5の②」）＋（別表十七（三の六）「1」）	31			その　他
組合等損失額の損金不算入額又は組合等損失超過合計額の損金算入額（別表九（二）「10」）	32			
対外船舶運航事業者の日本船舶による収入金額に係る所得の金額の損金算入額又は益金算入額（別表十（四）「20」、「21」又は「23」）	33			※
合　　　　計 (26)+(27)±(28)+(29)+(30)+(31)+(32)±(33)	34			外※
契　約　者　配　当　の　益　金　算　入　額（別表九（一）「13」）	35			
特定目的会社等の支払配当又は特定目的信託に係る受託法人の利益の分配等の損金算入額（別表十（八）「13」、別表十（九）「11」又は別表十（十）「16」若しくは「33」）	36	△	△	
中間申告における繰戻しによる還付に係る災害損失欠損金額の益金算入額	37			※
非適格合併又は残余財産の全部分配等による移転資産等の譲渡利益額又は譲渡損失額	38			※
差　　引　　計 ((34)から(38)までの計)	39			外※
更生欠損金又は民事再生等評価換えが行われる場合の再生等欠損金の損金算入額（別表七（三）「9」又は「21」）	40	△		※ △
通算対象欠損金額の損金算入額又は通算対象所得金額の益金算入額（別表七の二「5」又は「11」）	41			※
当　初　配　賦　欠　損　金　控　除　額　の　益　金　算　入　額（別表七（二）付表一「23の計」）	42			※
差　　引　　計 (39)+(40)±(41)+(42)	43			外※
欠　損　金　等　の　当　期　控　除　額（別表七（一）「4の計」）＋（別表七（四）「10」）	44	△		※ △
総　　　　計 (43)+(44)	45			外※
新　鉱　床　探　鉱　費　又　は　海　外　新　鉱　床　探　鉱　費　の　特　別　控　除　額（別表十（三）「43」）	46	△		※ △
農　業　経　営　基　盤　強　化　準　備　金　積　立　額　の　損　金　算　入　額（別表十二（十三）「10」）	47	△	△	
農　用　地　等　を　取　得　し　た　場　合　の　圧　縮　額　の　損　金　算　入　額（別表十二（十三）「43の内」）	48	△	△	
関西国際空港用地整備準備金積立額、中部国際空港整備準備金積立額又は再投資等準備金積立額の損金算入額（別表十二（十）「15」、別表十二（十一）「10」又は別表十二（十四）「12」）	49	△	△	
特定事業活動として特別新事業開拓事業者の株式の取得をした場合の特別勘定繰入額の損金算入額又は特別勘定取崩額の益金算入額（別表十（六）「21」「11」）	50			※
残余財産の確定の日の属する事業年度に係る事業税及び特別法人事業税の損金算入額	51	△	△	
所　　得　　金　　額　　又　　は　　欠　　損　　金　　額	52			外※

別表4（簡易様式）

所得の金額の計算に関する明細書（簡易様式）

事 業年 度	： ：	法人名	

別表四（簡易様式）

区　　　　分		総　額	処　　分	
			留　保	社　外　流　出
		①	②	③
当 期 利 益 又 は 当 期 欠 損 の 額	1	円	円	配当 　円
				その他
加	損金経理をした法人税及び地方法人税（附帯税を除く。）	2			
	損金経理をした道府県民税及び市町村民税	3			
	損 金 経 理 を し た 納 税 充 当 金	4			
	損金経理をした附帯税（利子税を除く。）、加算金、延滞金（延納分を除く。）及び過怠税	5			その他
	減 価 償 却 の 償 却 超 過 額	6			
	役 員 給 与 の 損 金 不 算 入 額	7			その他
	交 際 費 等 の 損 金 不 算 入 額	8			その他
	通 算 法 人 に 係 る 加 算 額（別表四付表「5」）	9			外 ※
		10			
算					
	小　　　　　計	11			外 ※
減	減価償却超過額の当期認容額	12			
	納税充当金から支出した事業税等の金額	13			
	受 取 配 当 等 の 益 金 不 算 入 額（別表八（一）「5」）	14			※
	外国子会社から受ける剰余金の配当等の益金不算入額（別表八（二）「26」）	15			※
	受 贈 益 の 益 金 不 算 入 額	16			※
	適格現物分配に係る益金不算入額	17			※
	法 人 税 等 の 中 間 納 付 額 及 び過 誤 納 に 係 る 還 付 金 額	18			
	所 得 税 額 等 及 び 欠 損 金 の繰 戻 し に よ る 還 付 金 額 等	19			※
	通 算 法 人 に 係 る 減 算 額（別表四付表「10」）	20			※
		21			
算					
	小　　　　　計	22			外 ※
	仮　　　　計（1）＋（11）－（22）	23			外 ※
対 象 純 支 払 利 子 等 の 損 金 不 算 入 額（別表十七（二の二）「29」又は「34」）		24			その他
超 過 利 子 額 の 損 金 算 入 額（別表十七（二の三）「10」）		25	△		※ △
仮　　　　計（23）から（25）までの計		26			外 ※
寄 附 金 の 損 金 不 算 入 額（別表十四（二）「24」又は「40」）		27			その他
法 人 税 額 か ら 控 除 さ れ る 所 得 税 額（別表六（一）「6の③」）		29			その他
税 額 控 除 の 対 象 と な る 外 国 法 人 税 の 額（別表六（二の二）「7」）		30			その他
分配時調整外国税相当額及び外国関係会社等に係る控除対象所得税額等相当額（別表六（五の二）「5の②」）＋（別表十七（三の六）「1」）		31			その他
合　　　　計（26）＋（27）＋（29）＋（30）＋（31）		34			外 ※
中間申告における繰戻しによる還付に係る災害損失欠損金額の益金算入額		37			※
非適格合併又は残余財産の全部分配による移転資産等の譲渡利益額又は譲渡損失額		38			※
差　　引　　計（34）＋（37）＋（38）		39			外 ※
更生欠損金又は民事再生等評価換えが行われる場合の再生等欠損金の損金算入額（別表七（三）「9」又は「21」）		40	△		※ △
通算対象欠損金額の損金算入額又は通算対象所得金額の益金算入額（別表七の二「5」又は「11」）		41			※
差　　引　　計（39）＋（40）±（41）		43			外 ※
欠 損 金 等 の 当 期 控 除 額（別表七（一）「4の計」）＋（別表七（四）「10」）		44	△		※ △
総　　　　計（43）＋（44）		45			外 ※
残余財産の確定の日の属する事業年度に係る事業税及び特別法人事業税の損金算入額		51	△	△	
所 得 金 額 又 は 欠 損 金 額		52			外 ※

24

引計（[39]・[43]）、総計（[45]）の各所得金額を算定する必要があり、[24]以下のような配列になっています。

3　留保と社外流出

●総額欄の所得金額を留保・社外流出に分解

「総額」欄で課税所得が計算できたら、次は「処分」欄において、各金額を留保金額と社外流出額に分解します。

分解作業は、実務的にはさほど困難を伴いません。留保または社外流出のいずれかの欄に斜線が引いてあるので、自動的に斜線のない側に記入することになります。頭を使うとすれば、[10]以下あるいは[21]以下に追加記入した項目ですが、その際は、その金額にお金の出入りがあるかないかで判断すれば足ります。

●お金の出入りがあるかないかで区別

加減算する項目は一般に留保項目が多いのですが、お金の支払いを伴う社外流出項目としては、「役員給与の損金不算入額」（[7]）、「交際費等の損金不算入額」（[8]）などがあります。

「受取配当等の益金不算入額」（[14]）は、お金が入ってくるのにどうして"社外流出"なのか。それは、配当金の受取りは資金の流入、つまり"社外流入"です。流入なので社外流出欄にマイナス（減算）項目として記載する、というしだいです。

●法人税と住民税の支払いは利益積立金計算に関係する

「損金経理をした法人税及び地方法人税」（[2]）や「損金経理をした道府県民税及び市町村民税」（[3]）は、本来、お金の支払いを伴います。しかし、法人税と住民税は損金不算入の項目なので、別表5(1)の利益積立金計算に関係させるため留保欄に記入します。

(注)　平成26年10月1日以後に開始する事業年度から、国税として地方法人税が課されています。
　　　　別表4・5(1)等において、この税額は法人税額に含めて記載されます。

なお、法人税等の附帯税（加算税、延滞税等）は、本税と違って利益積立金の計算に含めません。そこで、「損金経理をした附帯税及び過怠税」（[5]）は、社外流出とされます。

●社外流出欄は3区分

「留保」欄に記入した金額は、別表5(1)における利益積立金額を構成します。いいかえれば、利益積立金とならない金額は「社外流出」欄に記載します。社外流出欄はさらに、「配当」「その他」「※」の3つに区分されます。

株主に配当金を支払う際には、所得税および復興特別所得税を源泉徴収します。そこで、源泉所得税額との関連を考えて配当のみ区分掲記し、配当以外の支払項目は「その他」と記載します。

●※は減算・流出項目のしるし

　「※」で記載するのは、減算項目に限られます。受取配当金のように、収益でありながら益金に算入されない（課税対象とならない）社外流出項目に付けるしるしです。減算処理で課税対象から除きますが、社外流出扱いすることによって、結果的にその金額は留保所得を構成します。その結果、受取配当金に対して通常の法人税はかかりませんが、留保金課税の対象とされます。

●欠損金控除は社外流出項目

　実務上留意すべきは、「欠損金等の当期控除額」（44）が※項目であるという点です。

　青色欠損金は10年間繰り越して所得金額から控除できますが、それは社外流出扱いされます。ということは、控除することで通常の法人税額は減少しますが、別途、留保金課税の問題が生じます。

［一口ゼミ④］　留保金課税とは

　会社から配当を受けると、受け取った個人に所得税がかかります。そこでこの課税を避けるため、同族会社では利益を配当に回さず会社に留保する傾向があります。ところがこれでは、配当を行う場合と比べ課税の公平が保てません。そのため会社に留保した一定額以上の所得に対して、通常の法人税のほか、特別の法人税が課されることになっています（法67）。

　株主の上位3グループで50％超の株式を保有している会社を「同族会社」といい、中堅・中小・零細企業のほとんどがこれにあたります。現実には上位3グループといわず、代表者の一族（あるいは代表者一家）だけで全株式を保有しているケースが一般的です。

　そのため同族会社のうち「特定同族会社」（1グループだけで50％超の株式を保有）には、追加課税（留保金課税）が行われます。なお、平成19年度改正で、資本金1億円以下の中小特定同族会社は、留保金課税の適用対象から除外されました。

　特定同族会社に該当するのは、ほとんどが中小・零細企業です。そこでこの改正により、事実上、留保金課税は廃止されたも同然で、今では実務上あまり話題に上らなくなりました。

2　別表5⑴の役割

1　別表5⑴とは

●利益積立金額を計算する表

　別表5⑴には、「利益積立金額の計算に関する明細書」と「資本金等の額の計算に関する明細書」の2つの表が上下に収められています（**【次ページ】**）。

　法人税の計算で重要なのは前者で、所得金額の計算にこの表が密接に関係します。一方、後者は通常、所得計算や税額計算に直接影響しません。覚書ないしメモ書きのような表で、とくに中小企業にあっては、ほとんど重要度ゼロといっても過言ではありません。

　以下、まずは前者の表について説明します。

2　利益積立金額の計算明細書

●税務上の貸借対照表

　別表5⑴の「利益積立金額の計算に関する明細書」は利益積立金の増減明細表で、別表4が税務損益計算書であるのに対し、この表は"税務貸借対照表"と呼ばれます。会計上のバランスシートを見慣れた目からすれば、どうしてこの表が貸借対照表なのか奇異に感じますが、それはこういう意味です。

　会計上の損益計算書と貸借対照表の数字は、有機的に結びついています。つまり、損益計算書の当期純利益は、貸借対照表の純資産の部に計上されます。そこで、当期純利益には純資産（資産マイナス負債）の裏付けがあるはずです。

●所得には財産的裏付けが必要

　所得金額はその当期純利益からスタートして、一定の調整を加えて計算しますが、その際、所得にも財産的な裏付けが要求されます。当期中に増加した純資産を課税対象とするのが、所得課税の大原則（純資産増加説）だからです。

　となると、別表4で調整を加えた項目については、一部のものを除き、それぞれ純

利益積立金額及び資本金等の額の計算に関する
明細書

事　業	：	：	法人名	
年　度				

Ⅰ　利益積立金額の計算に関する明細書

区　　　　　分		期首現在利益積立金額 ①	当期の増減 減 ②	当期の増減 増 ③	差引翌期首現在利益積立金額 ①－②＋③ ④
利　益　準　備　金	1	円	円	円	円
積　　立　　金	2				
	3				
	4				
	5				
	6				
	7				
	8				
	9				
	10				
	11				
	12				
	13				
	14				
	15				
	16				
	17				
	18				
	19				
	20				
	21				
	22				
	23				
	24				
繰越損益金（損は赤）	25				
納　税　充　当　金	26				
未納法人税等（各事業年度の所得に対するものに限る。） 未納法人税及び未納地方法人税（附帯税を除く。）	27	△	△	中間 △ 確定 △	△
未払通算税効果額（附帯税の額に係る部分の金額を除く。）	28			中間 確定	
未納道府県民税（均等割を含む。）	29	△	△	中間 △ 確定 △	△
未納市町村民税（均等割を含む。）	30	△	△	中間 △ 確定 △	△
差　引　合　計　額	31				

Ⅱ　資本金等の額の計算に関する明細書

区　　　　　分		期首現在資本金等の額 ①	当期の増減 減 ②	当期の増減 増 ③	差引翌期首現在資本金等の額 ①－②＋③ ④
資本金又は出資金	32	円	円	円	円
資　本　準　備　金	33				
	34				
	35				
差　引　合　計　額	36				

資産の裏付けがなければなりません。つまり、所得計算の過程で追加的に発生した資産と負債を計上する、いいかえれば、会計上の貸借対照表では簿外となっている資産と負債を計上する表が別表５(1)ということです。

3　利益積立金とは

●利益剰余金より範囲が広い

別表５(1)で計算する利益積立金は、"課税済みの留保所得"と定義されます。所得を源泉とし、そこから税金を納めた残りで、そのうち留保したもの、ということになります。当期の留保額だけでなく、過去に留保した累計額も含めた金額です。会計的に表現すれば、税引後当期純利益のうち内部留保した金額、ということになりましょう。

利益積立金は、次の３種類に分類されます。

> 利益剰余金項目
> 税務否認項目
> 税金関連項目

まず、貸借対照表の純資産の部に計上されている「利益剰余金」(利益準備金、○○積立金、繰越利益剰余金)は、そのまま利益積立金となります。さらに、税務上の利益積立金は会計上の利益剰余金より範囲が広く、「税務否認項目」と「税金関連項目」も含まれます(【次ページ】の図表１)。

4　税務否認項目

●減価償却超過額は加算

税務と会計の食い違い項目のうち、留保項目(減価償却超過額、引当金限度超過額etc.)は、利益積立金となります。そのことを、減価償却の償却超過額を例にとって説明しましょう。

たとえば、当期に1,000万円で取得した機械を、耐用年数４年、定額法で償却するとすれば、毎年の償却費は1,000万円 $\times \frac{1}{4} =$ 250万円で、次のように処理することになります。

（借）減 価 償 却 費　250万円　　　（貸）機　　　　　械　250万円

ところが、税務上の法定耐用年数が５年であれば、償却限度額は1,000万円 $\times \frac{1}{5} =$ 200万円で、差引き50万円の償却限度超過額が生じます。会計上250万円を費用計上したものの、損金に算入されるのは200万円どまりなので、差引き50万円を別表４で加算し、所得金額は同額だけふくらみます。

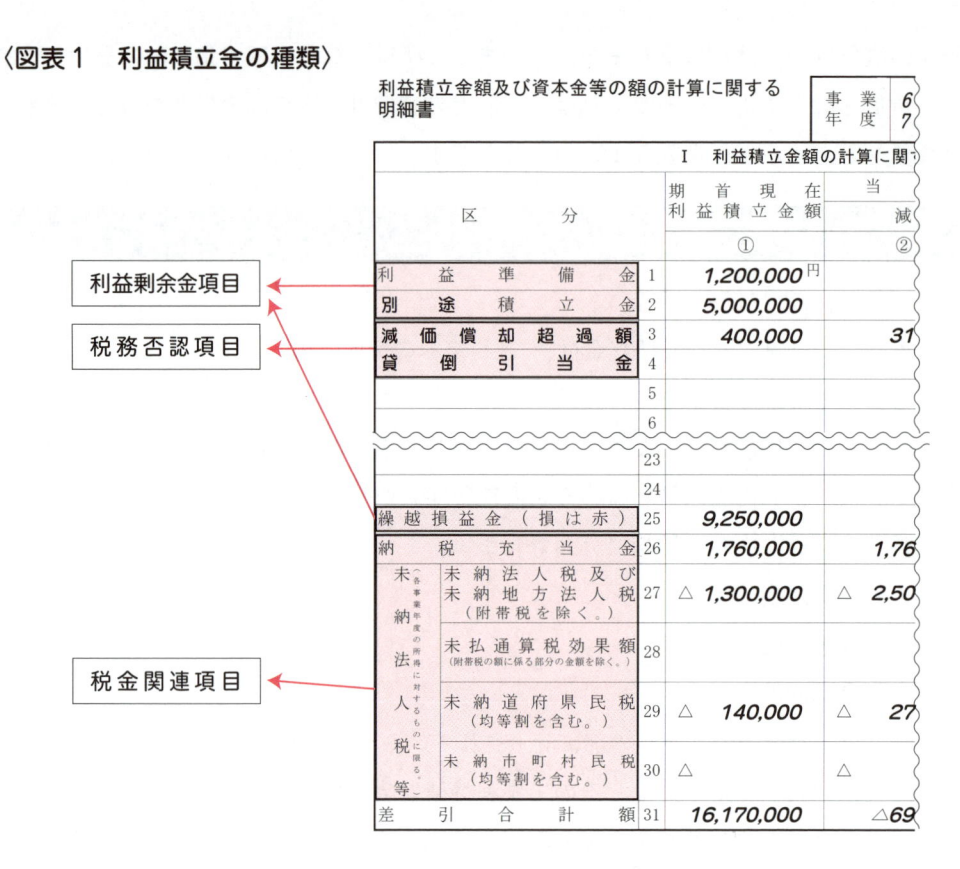

〈図表1 利益積立金の種類〉

区　　　分		期首現在利益積立金額 ①	当　減 ②
利　益　準　備　金	1	1,200,000 円	
別　途　積　立　金	2	5,000,000	
減　価　償　却　超　過　額	3	400,000	31
貸　倒　引　当　金	4		
	5		
	6		
	23		
	24		
繰越損益金（損は赤）	25	9,250,000	
納　税　充　当　金	26	1,760,000	1,76
未納法人税及び未納地方法人税（附帯税を除く。）	27	△ 1,300,000	△ 2,50
未払通算税効果額（附帯税の額に係る部分の金額を除く。）	28		
未納道府県民税（均等割を含む。）	29	△ 140,000	△ 27
未納市町村民税（均等割を含む。）	30	△	△
差　引　合　計　額	31	16,170,000	△69

利益積立金額及び資本金等の額の計算に関する明細書

事業年度 6 7

Ⅰ 利益積立金額の計算に関

- 利益剰余金項目
- 税務否認項目
- 税金関連項目

会計上	250万円	← 費用
税務上	200万円	← 損金
差引	50万円	← 損金不算入

●償却超過があれば簿価が下がる

　以上はフローの計算の話ですが、その話はストック計算、つまり機械勘定の残高の計算に跳ね返ります。会計上は、取得価額1,000万円から250万円を償却したので、償却後の簿価は差引き750万円です。ところが、税務上は200万円しか償却が認められないため、簿価は差引き800万円となり、ストックの計算でも50万円の差が生じます。

	会計上	税務上	差　引
減価償却費	250万円	200万円	50万円
機械の簿価	750万円	800万円	△ 50万円

　さてそこで、仮に税務上の貸借対照表を作成するとすれば、次のような修正仕訳が要求されます。

　　（借）機　　　械　50万円　　　（貸）償却超過額　50万円
　　　　　　　　　　　　　　　　　　　　　　（利益積立金）

　現実にはこのような仕訳は行いませんが、機械勘定の会計上の残高750万円を税務上の残高800万円に直すとすれば、このように処理することになる、ということです。この仕訳で計上している貸方項目（"償却超過額"）が、利益積立金を構成します。

　別表4の所得計算において、50万円を加算して同額だけ所得が増加し、その際、償却計算はお金の出入りを伴わないので社外流出ではなく留保扱いされるため、留保所得（利益積立金）が同額だけ増加するという理屈です。

●加算額だけ純資産が増加

　この50万円は会計上、簿外資産となっています。費用化されて、すでに資産性を失っています。ところが、税務の取扱いではまだ費用計上が認められず、なお資産性を有しています。つまり、その50万円は資産として残留し、ひいては税務上の資本を構成します。

　そこで税務上の貸借対照表では、それを資産計上することにより、同額だけ純資産が増加することになります。

会計B/S		税務B/S	
資　産	純資産	資　産	純資産
750万円	750万円	800万円	800万円

●負債から資本への振替え

　もう一つ、賞与引当金を例にとって税務否認項目のことを説明します。

　法人税法では、賞与引当金の計上を認めていません。しかし、会計上は発生主義の観点から、翌期に支払う賞与額のうち当期が負担すべき額を引当て計上しなければなりません。

　そこで、たとえば1,000万円の賞与引当金を計上したとき、全額が別表4で加算され所得金額がふくらみます。そのことを貸借対照表で考えたとき、会計上負債に計上されている引当金は、税務上は次の処理を行って取り消すことになります（現実にはこのような仕訳はしませんが）。

　　（借）賞与引当金　1,000万円　　　（貸）税務否認額　1,000万円
　　　　　　　　　　　　　　　　　　　　　　（利益積立金）

この仕訳の貸方で登場する"税務否認額"が利益積立金です。つまり、これは1,000万円の負債を資本へ振り替えるための仕訳です。会計上は負債であるが、税務の取扱いでは資本項目だということです。純資産増加説により、所得金額が1,000万円ふくらんだことによって、裏付けとなる純資産が同額だけ増加したことを意味します。

5　税金関連項目

◉未払法人税等も利益積立金

　利益積立金には、税金がらみの次の項目も含まれます。

> 納税充当金
> 未納法人税等

　まず、「納税充当金」は税務で伝統的に使用している用語ですが、会計用語に翻訳すれば「未払法人税等」の科目のことです。これは決算期末から2か月後に納付する、確定分の法人税・住民税・事業税の納税債務を計上するための科目です。

　会計上は負債として計上しますが、税務上の貸借対照表を考えるとき、これは純資産の部の資本項目になる、ということです。どうしてこれが資本なのかといえば、次のような理屈からです。

◉費用計上でなければ資本項目

　複式簿記の原理として、仕訳を行う際の借方および貸方項目の組み合わせは、次のとおりとされています。

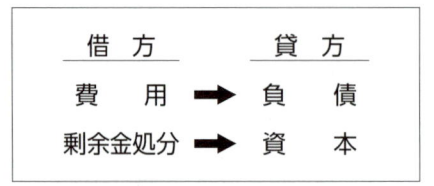

　さきほどの賞与引当金もそうですが、借方で費用が計上されるとき、貸方に負債が

計上されます。つまり、費用処理→負債計上という組み合わせが存在します。

　一方、貸方に資本を計上するためには、借方は費用とはなりません。たとえば、利益剰余金である○○積立金の計上は、損益計算ではできません。株主資本等変動計算書を通して、剰余金の処分で行わねばなりません（剰余金処分→資本計上）。

　つまり、引当金（負債）と積立金（資本）の違いは、計上する際の相手勘定が、費用と剰余金処分のいずれであるかという点にあります。

　複式簿記の基本原理として、借方が費用で資本となる（費用→資本）、あるいは借方で剰余金処分のものが負債に計上される（剰余金処分→負債）、という組み合わせはありえません。

◉会計上は負債であるが税務上は資本

　さて、決算で確定分の法人税等を未払い計上するとき、次の仕訳を行います。

　　（借）法人税、住民税　×××　　　（貸）未払法人税等　×××
　　　　　及び事業税

　この借方科目は、損益計算書の借方に計上（つまり費用処理）します。そこで貸方の未払法人税等は、会計上は負債となります。ところが、税務の取扱いでは、法人税と住民税は損金不算入です。また、事業税についても、期末に未払い計上する時点ではまだ損金とはなりません。

　税務上は、上記の仕訳の借方が費用にならない、したがって貸方は負債ではありません。借方は一種の剰余金処分のようなものですから、納税充当金は資本扱いされ利益積立金となります。

◉納税充当金と未納法人税等は別物

　つぎに、別表5(1)の27〜30に記載される「未納法人税等」（未納法人税、未納道府県民税、未納市町村民税）は、上記の納税充当金とは別の話です。未納○○税というのは、未だ納付していない税金、つまり納税義務がいくらあるかという話です。

　　(注)「未払通算税効果額」(28) の欄は、連結納税制度に代えて令和4年4月1日から導入された、グループ通算制度を選択している法人が使用します。通常の単体納税制度を選択している法人には、一切関係がありません。

　納税充当金は、将来の納税に備えて会計上、未払い計上をいくら行うかということです。一方、未納法人税等は経理処理をどうするかということ以前に、法律上の納税義務がいくらあるかという話です。

◉未納法人税等はマイナスの利益積立金

　法人税や住民税の納付は期末から2か月後に行いますが、納税義務自体は期末現在

で成立します。そこで、その納付すべき額を計算して別表5(1)に計上します。なぜこれが利益積立金を構成するかですが、これはマイナスの利益積立金、つまり利益積立金額から控除する項目である、という点にご注目ください（別表5(1)において、金額欄の頭に"△"と印字してあります）。

　さきほど説明した利益積立金の定義を思い出していただきます。"課税済みの留保所得"ということでした。つまり、利益積立金はあくまで留保した金額で、社外流出額を含みません。法人税等は納税により流出します。そこで、未納法人税等はマイナスの利益積立金とされます。いったん、税込みの金額で利益積立金を集計し、次に納税額を控除するかたちで利益積立金額を計算する、という仕組みをとっています。

◉納税充当金と未納法人税等は両建て計上

　未納法人税等の金額は、もともと社外流出項目です。それを計算上の理由で留保項目（正確にはマイナスの留保項目）扱いしています。計算上の理由とは、「納税充当金」と「未納法人税等」が両建て計上だという意味です。別表5(1)で考えたとき、まず①から㉕の欄で利益剰余金項目と税務否認項目に基づき、"税引き後"の金額で利益積立金額を計算します。

　つぎに、㉖で納税充当金を加えて"税引き前"の金額に戻し、再度、㉗〜㉚において未納法人税等を控除することで、最終的に"税引き後"の利益積立金額を求めるという計算構造をとっています（【次ページ】の図表2）。

◉別表4に合わせて両建て計上

　別表5(1)においてこのような回りくどい計算をするのは、別表4の所得計算との兼ね合いです。つまり、所得は税引き前の数字であるのに、別表4は税引き後の当期純利益からスタートした記載になっているので、それを税引き前の数字に直すために、法人税や住民税の金額を加算します。別表5(1)の利益積立金計算をそれに連動させるとなると、いったん税引き前の金額で計算したあと税引き後に戻す、という計算にならざるをえないのです。

◉未払事業税の金額分だけ食い違う

　ただし、2か月後に納付すべき金額どおり「未払法人税等」を計上すれば、㉖の金額と㉗以下の金額はピッタリ一致するかといえば、そうではありません。両者が一致しない原因として、事業税は未払法人税等に含まれるが、未納法人税等には含まれないという事情があります。

　さきほど説明したように、法人税と住民税は損金不算入の税金なので別表4で加算する、それとの兼ね合いで別表5(1)においてマイナスの利益積立金扱いします。とこ

〈図表2　納税充当金と未納法人税等〉

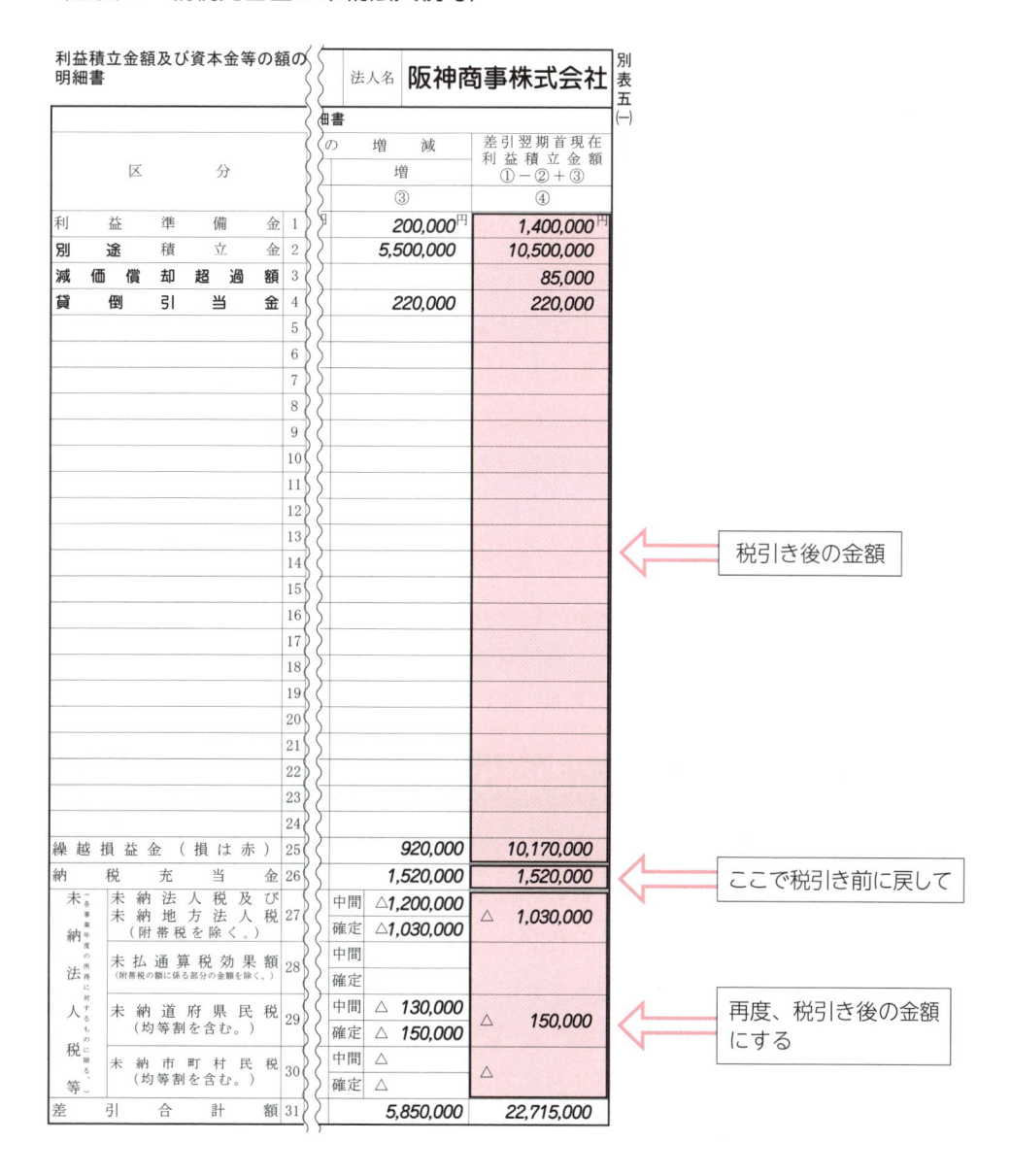

利益積立金額及び資本金等の額の明細書		法人名	**阪神商事株式会社**	別表五(一)

区　　　分		の　増　減 増 ③	差引翌期首現在利益積立金額 ①－②＋③ ④
利　益　準　備　金	1	200,000円	1,400,000円
別　途　積　立　金	2	5,500,000	10,500,000
減　価　償　却　超　過　額	3		85,000
貸　倒　引　当　金	4	220,000	220,000
	5		
	6		
	7		
	8		
	9		
	10		
	11		
	12		
	13		
	14		
	15		
	16		
	17		
	18		
	19		
	20		
	21		
	22		
	23		
	24		
繰越損益金（損は赤）	25	920,000	10,170,000
納　税　充　当　金	26	1,520,000	1,520,000
未納法人税等（各事業年度の所得に対するものに限る。）	未納法人税及び未納地方法人税（附帯税を除く。）	27	中間 △1,200,000 確定 △1,030,000	△ 1,030,000
	未払通算税効果額（附帯税の額に係る部分の金額を除く。）	28	中間 確定	
	未納道府県民税（均等割を含む。）	29	中間 △ 130,000 確定 △ 150,000	△ 150,000
	未納市町村民税（均等割を含む。）	30	中間 △ 確定 △	△
差　引　合　計　額	31	5,850,000	22,715,000

税引き後の金額

ここで税引き前に戻して

再度、税引き後の金額にする

ろが、事業税は損金算入の税金なので未納法人税等を構成しません。にもかかわらず、未払い計上した事業税は損金不算入なので、納税充当金には含まれます。そこで未払事業税の分だけ、納税充当金と未納法人税等の金額は必ず食い違います。

◉納税充当金と未納法人税等は同額とは限らない

解決策として、未払事業税を納税充当金から抜き出して別の利益積立金と認識する、というやり方も考えられます。納税充当金の中身を法人税と住民税だけとし、2か月後に納付すべき金額どおりに未払法人税等を計上すれば、26の金額と27以下の金額は、まさにプラス・マイナスの両建て計上となります。

ただし現実には、未納法人税等の金額どおりに未払い計上するとは限りません。決算時点で税額計算を間違えているかもしれない、あるいは、将来の税務調査で追徴が起きるかもしれないと判断し、許容される誤差の範囲内で余分に未払法人税等を計上するケースも多々あります。

以上のことから、別表5⑴において納税充当金と未納法人税等を、プラスとマイナスの利益積立金として両建てで認識した書き方も、実務的には意味があると考えられます。

（注）利益積立金に関するより詳しい説明は、第7章の**1**・**2**をご参照ください。

6 資本金等の額の計算明細書

◉資本金と資本積立金の増減明細表

別表5⑴には、利益積立金に関する表のほかに、もう一つ「資本金等の額の計算に関する明細書」が設けられています（**【28ページ】**参照）。そこでは"資本金等"の内訳として、資本金、資本準備金が記載されています。

法人税法には、かつて"資本積立金"という概念がありましたが、平成18年度の改正により資本金と資本積立金の合計額が資本金等と規定されました。つまり、資本積立金という用語は法人税法の条文から消え、「等」と表現されることになりました。

◉会計上の資本剰余金がおおむね該当

資本金等の「等」、つまり従来の資本積立金は、貸借対照表の純資産の部で"資本剰余金"として表示されている項目がおおむね該当します。正確には、法人税法施行令8条で列挙される項目をいいますが、たとえば次のとおりです。

① 株式払込剰余金

株式の発行価額のうち法定資本（資本金）に組み入れない金額をいいます。たとえば、1株800円で10万株の時価発行増資を行い、そのうち500円を資本金に組

み入れるとすれば、次の仕訳をします。

　　（借）現 金 預 金　8,000万円　　（貸）資　　　本　　　金　5,000万円

　　　　　　　　　　　　　　　　　　　　株式払込剰余金　3,000万円

②　合併差益金

　被合併法人から承継した純資産の受入価額が、被合併法人の株主に交付した株式の金額を超過する場合の超過額をいいます。

　たとえば、1,200万円の純資産を有する会社を吸収合併し、同社の株主に株式を2万株（1株あたり資本組入額500円）交付したとすれば、次のように仕訳します。

　　（借）純　　資　　産　1,200万円　　（貸）資　　　本　　　金　1,000万円

　　　　　　　　　　　　　　　　　　　　合　併　差　益　200万円

　上記の「株式払込剰余金」と「合併差益」は、貸借対照表の上では通常"資本準備金"の科目で計上されます。このほか"その他資本剰余金"の科目で計上される項目も通常、資本金等の「等」を構成します。

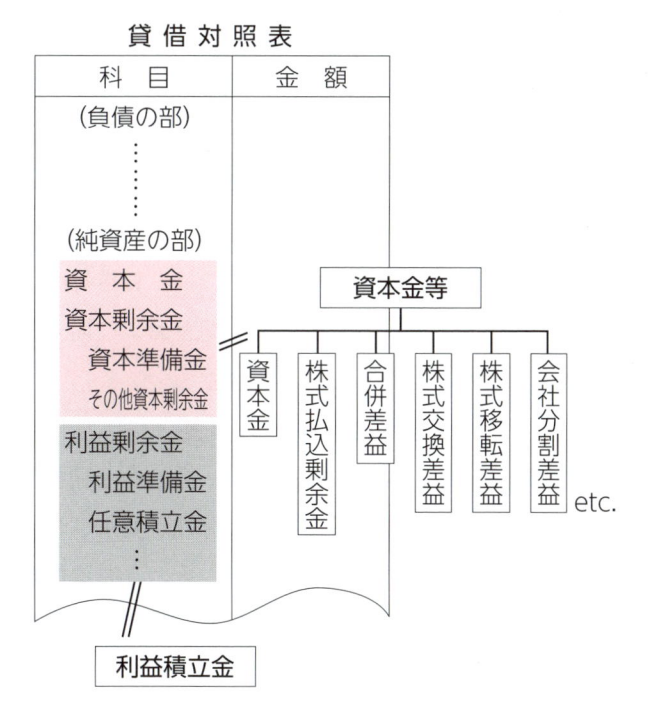

（注）資本金等に関する詳しい説明は、第7章の **1**・**1** をご参照ください。

別表5(1)の「資本金等の額の計算に関する明細書」と別表4との間には、直接の関連はありません。別表5(1)の中のこの表は、別表4の所得計算とは関係なく独立して記載することになります。

資本金の科目以外に資本準備金などが貸借対照表に計上されていれば、別表5(1)にはそれがそのまま登場します。この表の増減欄は、株主資本等変動計算書のとおりに記載します。

なお、会計上の資本剰余金以外に、税務調整により利益積立金との調整を要する場合があります。たとえば、自己株式の取得に際して"みなし配当"が生じたとき、税務上それは利益積立金の減少となるため、資本金等の額がその分変わってきます。

そうした利益積立金との入り繰りを調整するため、別表5(1)上の2枚の表に同額がプラスとマイナスの両建てで登場する場合があります（詳細は第7章の**4**参照）。

7　別表5(1)の作成意義

●資本金等の明細書には重要性がない

最後に、そもそも別表5(1)は何のために作成する表なのか、ということを考えます。

まず、「資本金等の額の計算に関する明細書」はあまり意味のない表です。通常、株主資本等変動計算書どおりの記載で、二度手間の感がぬぐえません。自己株式取得などで利益積立金との調整を要する場合には、それなりの存在意義があるでしょう。しかしそれでも、所得金額の計算には影響しない話ですから、法人税額の計算という観点からは重要性が感じられません。とくに中小企業では、貸借対照表に資本剰余金が計上される機会はまれで、この表には資本金の額を期首および期末欄に、同額で記載するだけというケースがほとんどと考えられます。

●留保所得の財産的裏付けを明らかにするための表

一方、「利益積立金額の計算に関する明細書」には、もう少し積極的な存在意義を見出すことができます。つまり、所得には財産的な裏付けが要求され、過年度分も含めて過去に稼得した所得のうち納税を済ませた残額で、そのうち留保した金額（すなわち利益積立金額）の内訳を明らかにするための表、という意味合いがあります。

●税務版の複式計算を行う表

理屈上、そのことのためにこの表を作成するのですが、実務的には別の意味での存在意義が、2つ考えられます。

まず一つ、この表は税務計算を"複式"で行うという役割を担っています。つまり、

簿記会計において、単式簿記と違って複式簿記には自己検証機能が備わっています。損益計算と財産計算を併せ行うことにより、算出された当期純利益に正確性が担保されるという点です。

　同じことが税務の計算にもいえます。つまり、別表4の計算はいわば損益計算です。この計算だけでは単式なので、これを複式にするために別表5⑴がある、ということです。別表5⑴の計算は、一種の財産計算です。別表4だけでは所得計算の正確性に不安が残るので、その不安を解消するためにこの表が設けられているものと思われます。

●食い違い項目の管理表

　さらにもう一つ、税務上の否認項目を管理するための表、という役割もあります。たとえば、減価償却の限度超過額が生じたとき、当然これは別表4に加算されて当期の課税所得に含められますが、話はそれだけで終わりません。翌期以降に尾を引きます。つまり、当期に否認された金額がその後どうなるか、という話につながります。

　減価償却の超過額は、翌期以降に償却不足が生じた時点で認容され減算が生じます。したがって、将来認容されるまでその金額を管理しておかなければなりません。とはいえ、償却超過うんぬんは税務上の話ですから、固定資産台帳などには直接関係のない話で、通常そこには記載されません。

　そこでこの表の出番です。償却超過に限らず税務と会計の食い違いに関して、その発生とその後の顛末を記録しておくための一覧表、それが別表5⑴です。

[一口ゼミ⑤]　資本金等の明細書

　別表5⑴の下部の「資本金等の額の計算に関する明細書」は、中小企業では資本金のみの記載が一般的ですが、大企業の申告書では複雑な記入があれこれ、というケースも多々あります。

　平成18年度以前の別表5⑴では、この欄は「資本積立金の計算に関する明細書」となっていましたが、平成18年5月の会社法施行を契機に、平成19年度の改正で現在の姿となりました。

　平成10年代以降、バブル崩壊後のデフレ経済化にあって、企業の組織再編の動きが活発化しました。それを後押しするため、旧商法では持株会社の解禁、合併手続きの簡素合理化、自己株式の取得・消却要件の緩和、株式交換と株式移転制度の創設、会社分割制度の導入、といった規制緩和があれこれなされました。

　そうした商法の動向を受けて法人税法では、「株式交換と株式移転にかかる課税の特例」や「企業組織再編税制」が設けられました。その結果、資本の部に関する税務と会計の食い違いがあれこれ生じ、それを明らかにするため、別表5⑴の様式が改められました。

3 別表5⑵の役割

1 別表5⑵とは

◉別表4における加減算の中心は税金項目

別表5⑵は、「租税公課の納付状況等に関する明細書」というタイトルになっています（【次ページ】）。それだけを見ると、単に経費の一項目に関するまとめ表というイメージですが、実はもっと重要な意味合いを持つ表です。

別表4における加算・減算項目の中心となるのは、税金がらみの項目です。企業で納める各種税金は大別して、"損金不算入"のもの（法人税・地方法人税・住民税等）と"損金算入"のもの（事業税・消費税・固定資産税等）に分類されます。

◉経理処理に応じて申告調整

損金不算入の税金を納めたときは、それをいかに経理処理したかということが所得計算に影響します。費用処理したときは加算、資産計上や負債の取崩しなら調整不要、といった具合です。また、損金算入の税金については、損金算入時期（いつ損金になるか）が問題となり、経理処理の仕方いかんでは調整計算が必要となります。

◉別表4と別表5⑴の橋渡しをする表

そこで各種税金に関して、納付の際の経理処理をこの表でまとめておきます。別表5⑵の記載に基づいて別表4の加算・減算を行えば、正確に所得金額が計算できます。また、別表5⑴における「未納法人税等」（㉗～㉚）および「納税充当金」（㉖）の欄の増減も、この表の記載と密接に関連します。

実務上、税金がらみの調整をする際には、まずこの表を記入します。そしてこの表からの転記によって別表4と別表5⑴を作成すれば、間違えることなく2枚の表ができあがります。したがって、別表5⑵は、別表4と別表5⑴の橋渡しをする表、という役割を担っています。

別表5⑵

租税公課の納付状況等に関する明細書

事業年度	： ：	法人名	

別表五㈡

税目及び事業年度			期首現在未納税額 ①	当期発生税額 ②	当期中の納付税額			期末現在未納税額 ①+②-③-④-⑤ ⑥
					充当金取崩しによる納付 ③	仮払経理による納付 ④	損金経理による納付 ⑤	
法人税及び地方法人税	地方法人税	： ：	1	円		円	円	円	円
		： ：	2						
	当期分	中間	3		円				
		確定	4						
		計	5						
道府県民税		： ：	6						
		： ：	7						
	当期分	中間	8						
		確定	9						
		計	10						
市町村民税		： ：	11						
		： ：	12						
	当期分	中間	13						
		確定	14						
		計	15						
事業税及び特別法人事業税	特別法人事業税	： ：	16						
		： ：	17						
	当期中間分		18						
		計	19						
その他	損金算入のもの	利子税	20						
		延滞金（延納に係るもの）	21						
			22						
			23						
	損金不算入のもの	加算税及び加算金	24						
		延滞税	25						
		延滞金（延納分を除く。）	26						
		過怠税	27						
			28						
			29						

納税充当金の計算

期首納税充当金	30	円		取崩額	その他	損金算入のもの	36	円
繰入額	損金経理をした納税充当金	31				損金不算入のもの	37	
		32					38	
	計 (31)＋(32)	33				仮払税金消却	39	
取崩額	法人税額等 (5の③)＋(10の③)＋(15の③)	34				計 (34)＋(35)＋(36)＋(37)＋(38)＋(39)	40	
	事業税及び特別法人事業税 (19の③)	35			期末納税充当金 (30)＋(33)－(40)		41	

通算法人の通算税効果額の発生状況等の明細

事業年度		期首現在未決済額 ①	当期発生額 ②	当期中の決済額		期末現在未決済額 ⑤
				支払額 ③	受取額 ④	
： ：	42	円		円	円	円
： ：	43					
当期分	44		中間 円			
			確定			
計	45					

2　損金不算入の税金

所得金額を計算するうえで、次の税金は損金に算入されません。

① 法人税、地方法人税、住民税

② 法人税額から控除される所得税額、外国税額

③ 各種の加算税、延滞税

④ 罰金、科料、過料、交通反則金

（1）法人税・地方法人税・住民税

●所得からの分配で納める税金なので損金不算入

　法人税と地方法人税、住民税（都道府県民税および市町村民税）は、所得に対してかかる税金です。所得金額を計算しそこに税率をかけて算出するわけですから、その所得金額を計算する際に控除（損金算入）することはできません（法38）。

　住民税には「法人税割」「均等割」の2種類がありますが、いずれも損金不算入です。確定申告や中間申告などで納付した法人税と地方法人税、住民税のうち損金経理した（損益計算書に計上した）金額は、すべて申告書の別表4で加算しなければなりません。

　所得金額は、法人税の税率をかける対象となる金額ですから、税引き前の数字でなければなりません。一方、別表4の所得計算は税引き後の「当期純利益」からスタートします。そこで、これを「税引前当期純利益」に戻すために、損益計算書で計上した「法人税及び住民税」の金額を加算します。

　（注）事業税の取扱いについては、3・（2）で説明します。

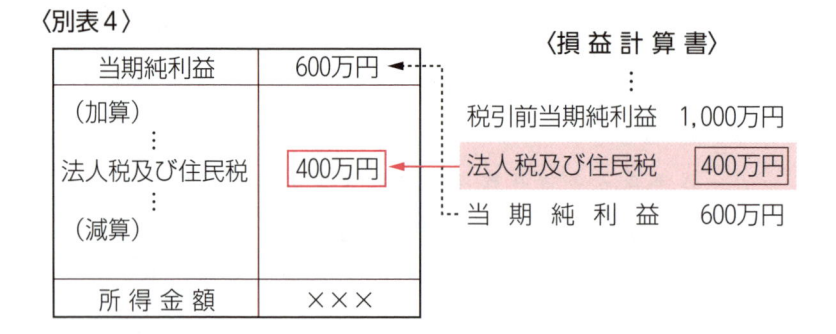

（2）源泉所得税・外国法人税

◉税額控除するときは損金不算入

　受取利息や受取配当金から差し引かれる源泉所得税については、計算技術上の理由から損金不算入の扱いとなっています。つまり、この源泉所得税は会社にとって法人税の前払いと考えられ、確定申告で法人税額から控除し、または還付を受けることができます（法68）。この税額控除規定の適用を受けるときには、その所得税額は損金に算入されないので別表4で加算することになります（法40）。

　具体的な数字で説明すれば、次のとおりです。

　たとえば、法人で100万円の受取配当金があれば、この所得に対してかかる法人税額は100万円×23.2％（基本税率）＝232,000円です（「受取配当金の益金不算入」の扱いがありますが、便宜上これは考慮外とします）。そこで、配当金を受け取る際に20％の税率（非上場株式の場合）で源泉徴収されている所得税20万円を精算して、差引き32,000円を確定申告で納付することになります。

　（注）平成25年1月以降、復興特別所得税も併せて源泉徴収されていますが、ここでは考慮外とします。

　配当金を受け取る際、次のように処理したとします。

　　　（借）現 金 預 金　80万円　　　（貸）受 取 配 当 金　100万円

　　　　　　租 税 公 課　20万円

　受取配当金は収益、租税公課は費用ですから、企業会計上この取引から生じる利益は差引き80万円と計算されます。ところが、法人税の課税標準としての所得は、あくまで税引き前の配当金額（100万円）でなければならず、20万円の食い違いが生じます。

　そこで、この損益計算と所得計算の食い違いを調整するために、源泉所得税につき税額控除の適用を受けるときは、これを別表4で加算することとしているのです。

　（注）受取配当金について、税引き後の金額で次のように処理した場合も、同様に調整します。

　　　（借）現 金 預 金　80万円　　　（貸）受取配当金　80万円

◉税額控除しないときは損金算入

　ところで、法人の所得金額を計算する際、所得税はもともと損金算入の税金です。税額控除の適用を受ける前提として、計算技術上の理由から、つまり税引き前の配当金額に対する課税となるよう、損金不算入扱いしているのです。ということは、もし税額控除の適用を受けないのなら、源泉所得税は全額を損金に算入することができます。

　以上の取扱いは、法人が外国法人税を納付している場合も同様です（法41）。

■ （3）各種ペナルティー

●社会正義の観点から損金不算入

加算税、延滞税など次のようなペナルティーとしての税金も、損金に算入されません。

・国税の延滞税、過少申告加算税、無申告加算税、不納付加算税、重加算税 etc.

・地方税の延滞金、過少申告加算金、不申告加算金、重加算金 etc.

これらは、税金を法定期限内に納めなかったり、過少に申告したり、期限内に申告しなかった場合などにかかります。そこで法人税法上、懲罰的な意味合いで損金不算入の扱いとなっています（法55③）。

●利子税はペナルティーではないので損金算入

なお、法人税の申告期限の延長に伴い納付する「利子税」については、延滞税と違ってペナルティーの意味合いがないので損金に算入されます。地方税の延滞金のうち国税の利子税に相当するものも同様です。

> （注）災害などやむを得ない理由、あるいは定款等の定めにより期末後2か月以内に定時株主総会を開催できないため、法人税の確定申告書を提出期限までに提出できないときは、税務署長の承認を得て申告期限を延長することができます（法75、75の2）。

●罰金等も損金不算入

以上のほか、法人に課された罰金、科料、過料についても、これを損金扱いすると懲罰的な意味合いが薄れ、悪事を奨励する結果となりかねません。そこでこれらも、社会正義の観点から損金に算入されません（法55④一）。

なお、役員や使用人に対して課された罰金、科料、過料、交通反則金を法人が負担したときは、法人の業務の遂行に関連してなされた行為に対するものかどうかで、次のように扱いが異なります（基通9-5-8）。

① 法人の業務に関連する場合

損益計算書に費用として計上されますが、損金には算入されません。

② その他の場合

役員や使用人が個人で負担すべきものですから、法人の支払いは立替払いです。もし損金経理すれば、臨時的な給与（賞与）とみて、役員に対するものは損金不算入とされます。

3　損金算入の税金

（1）損金算入時期

●その他の税金はいつ損金になるかが問題

　2で述べた税目を除き、法人が納付するその他の税金は損金に算入されます。その際、損金算入時期については次のように取り扱われます（基通9－5－1）。

①　**申告納税方式による税金**

　　事業税、消費税、事業所税などは、納税申告書が提出された日を含む事業年度の損金に算入されます。

　　（注）消費税を"税込み経理"しているとき、決算期末に申告期限が未到来の税額を損金経理で未払い計上することが認められます。製造原価に計上する事業所税についても、同様の処理が認められます（販売費及び一般管理費として処理するものは未払い計上できません）。

②　**賦課課税方式による税金**

　　固定資産税、不動産取得税、自動車税などは、原則として賦課決定のあった日を含む事業年度の損金に算入されますが、納期の開始日または実際に納付した日に損金経理することも認められます。

③　**特別徴収方式による税金**

　　ゴルフ場利用税、軽油引取税などは、特別徴収義務者（ゴルフ場等）が納入申告書を提出して納付します。特別徴収義務者にとってこれらの税金は、申告の日を含む事業年度の損金に算入されます。

　　ただし、決算期末において申告期限が未到来の税額が収入金額に含まれているときは、損金経理で未払い計上することも認められます。

（2）事業税の取扱い

●発生主義で経理したときは申告調整が必要

　企業会計では発生主義の原則により、当期確定分の事業税を「未払事業税」として計上するのが正しい経理処理とされています。ところが税務では、消費税や事業所税と違って事業税は未払い計上が認められず、現金主義で損金算入されます。

　そこで、会社決算を税務の取扱いどおり現金主義で処理する場合はともかく、企業会計を尊重して発生主義で経理すれば、申告調整で加算と減算が必要となります。

① 前期確定分の事業税100万円を納付した。

（借）未 払 事 業 税　100万円　　　（貸）現 金 預 金　100万円

② 当期中間分の事業税120万円を納付した。

（借）事　　業　　税　120万円　　　（貸）現 金 預 金　120万円

③ 当期確定分の事業税150万円を未払い計上した。

（借）事　　業　　税　150万円　　　（貸）未 払 事 業 税　150万円

●確定分を加算し前期分を減算

　事業税の損金算入時期は、納税申告書の提出日を含む事業年度です。事業税の確定申告は、法人税と同様に決算から2か月後に行いますから、当期確定分の税額（150万円）が損金に算入されるのは翌期になってからです。そこで、これは別表4で加算します。

　一方、前期末に未払い計上した前期確定分の税額（100万円）については、当期に確定申告した時点で損金に算入されます。にもかかわらず、上記の仕訳は負債取崩しの処理で損金経理ではありません。そこでこの金額につき、別表4で減算することになります。

　この　設 例　の場合、損益計算書に計上される "費用" としての事業税は、120万円（中間分）＋150万円（確定分）＝270万円ですが、"損金" に算入される金額は100万円（前期分）＋120万円（中間分）＝220万円です。そこで両者の食い違いを調整するため、上記の加減算を行います。

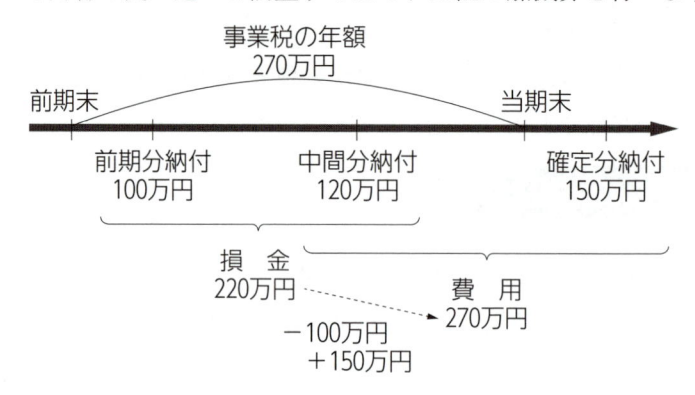

46

第2章

別表4・5の記入

以下、阪神産業株式会社の決算書と申告書に基づいて、別表4、別表5⑴および別表5⑵の記入の仕方を説明します。

1　別表4の記入

阪神産業株式会社の別表4を、【52・53ページ】に掲げているのでご覧ください。

1　申告調整項目

●当期純利益からスタートして加算・減算で所得を求める

①の「当期利益」（1,261,784,387円）は、損益計算書の最終行に「当期純利益」として計上されている金額です。同じ金額が、株主資本等変動計算書にも記載されています。この金額からスタートして、税務と会計の食い違いを加算・減算のかたちで調整し、法人税の課税標準たる「所得金額」を求めます。

調整項目のうち税金関連以外のものは、次のとおりです。

① 　役員給与の損金不算入額

　　役員賞与を16,500,000円支給し、損益計算書に費用として計上しました。これは、定期同額給与および事前確定届出給与に該当しないので損金に算入されず、⑦で加算しています。

② 　交際費の損金不算入額

　　資本金が1億円を超えているので、接待交際費のうち飲食費の50％相当額を除く金額（3,930,206円）は損金不算入とされ、⑧で加算しています。

③ 　一括償却資産の損金不算入額および当期認容額

　　取得価額が10万円以上20万円未満の減価償却資産を取得時に全額費用処理し、申告調整により3年均等償却しています。当期に取得した資産に関する償却超過額1,771,420円を⑩で加算し、一方、過年度償却超過の当期認容額1,563,730円を㉑で減算しています。

④ 　特別償却準備金の認容額および取崩額

　　機械装置に対して特別償却を行い、これを損益計算書に計上せず、剰余金処分方式により特別償却準備金を設定しています。そこで、株主資本等変動計算書に計上した当期取得資産に対する償却額7,166,616円を、減算し損金に算入しています。

阪神産業の別表４

所得の金額の計算に関する明細書（簡易様式）

事 業年 度	6 ・ 4 ・ 1
	7 ・ 3 ・ 31

法人名　**阪神産業株式会社**

別表四（簡易様式）

区　　　分		総　　額 ①	処　　　　分		
			留　保 ②	社　外　流　出 ③	
当 期 利 益 又 は 当 期 欠 損 の 額	1	1,261,784,387 円	1,181,784,387 円	配当	80,000,000円
				その他	
加	損金経理をした法人税及び地方法人税（附帯税を除く。）	2	232,053,800	232,053,800		
	損金経理をした道府県民税及び市町村民税	3	21,544,700	21,544,700		
	損金経理をした納税充当金	4	299,950,800	299,950,800		
	損金経理をした附帯税（利子税を除く。）、加算金、延滞金（延納分を除く。）及び過怠税	5			その他	
	減 価 償 却 の 償 却 超 過 額	6				
	役 員 給 与 の 損 金 不 算 入 額	7	16,500,000		その他	16,500,000
	交 際 費 等 の 損 金 不 算 入 額	8	3,930,206		その他	3,930,206
	通 算 法 人 に 係 る 加 算 額（別表四付表「5」）	9			外 ※	
	一括償却資産損金不算入額	10	1,771,420	1,771,420		
	特別償却準備金取崩額		27,687,561	27,687,561		
算	資産圧縮積立金取崩額		7,556,014	7,556,014		
	次 葉 合 計		185,731,283	185,731,283		
	小　　　計	11	796,725,784	776,295,578	外 ※	20,430,206
減	減価償却超過額の当期認容額	12	1,694,352	1,694,352		
	納税充当金から支出した事業税等の金額	13	52,593,900	52,593,900		
	受取配当等の益金不算入額（別表八（一）「5」）	14	13,402,016		※	13,402,016
	外国子会社から受ける剰余金の配当等の益金不算入額（別表八（二）「26」）	15			※	
	受 贈 益 の 益 金 不 算 入 額	16			※	
	適格現物分配に係る益金不算入額	17			※	
	法 人 税 等 の 中 間 納 付 額 及 び過 誤 納 に 係 る 還 付 金 額	18				
	所 得 税 額 等 及 び 欠 損 金 の繰 戻 し に よ る 還 付 金 額 等	19			※	
	通 算 法 人 に 係 る 減 算 額（別表四付表「10」）	20			※	
	一 括 償 却 資 産 当 期 認 容 額	21	1,563,730	1,563,730		
	特別償却準備金当期認容額		7,166,616	7,166,616		
算	資産圧縮積立金当期認容額		8,683,000	8,683,000		
	次 葉 合 計		167,860,879	167,860,879		
	小　　　計	22	252,964,493	239,562,477	外 ※	13,402,016 0
	仮　　　計（1）＋（11）－（22）	23	1,805,545,678	1,718,517,488	外 ※	△13,402,016 100,430,206
	対象純支払利子等の損金不算入額（別表十七（二の二）「29」又は「34」）	24			その他	
	超 過 利 子 額 の 損 金 算 入 額（別表十七（二の三）「10」）	25	△		※	△
	仮　　　計（23）から（25）までの計	26	1,805,545,678	1,718,517,488	外 ※	△13,402,016 100,430,206
	寄 附 金 の 損 金 不 算 入 額（別表十四（二）「24」又は「40」）	27	1,548,940		その他	1,548,940
	法 人 税 額 か ら 控 除 さ れ る 所 得 税 額（別表六（一）「6の③」）	29	2,951,607		その他	2,951,607
	税額控除の対象となる外国法人税の額（別表六（二の二）「7」）	30			その他	
	分配時調整外国税相当額及び外国関係会社等に係る控除対象所得税額等相当額（別表六（五の二）「5の②」）＋（別表十七（三の六）「1」）	31			その他	
	合　　　計（26）＋（27）＋（29）＋（30）＋（31）	34	1,810,046,225	1,718,517,488	外 ※	△13,402,016 104,930,753
	中間申告における繰戻しによる還付に係る災害損失欠損金額の益金算入額	37			※	
	非適格合併又は残余財産の全部分配等による移転資産等の譲渡利益額又は譲渡損失額	38			※	
	差　　引　　計（34）＋（37）＋（38）	39	1,810,046,225	1,718,517,488	外 ※	△13,402,016 104,930,753
	更生欠損金又は民事再生等評価換えが行われる場合の再生等欠損金の損金算入額（別表七（三）「9」又は「21」）	40	△		※	△
	通算対象欠損金額の損金算入額又は通算対象所得金額の益金算入額（別表七の二「5」又は「11」）	41			※	
	差　　引　　計（39）＋（40）±（41）	43	1,810,046,225	1,718,517,488	外 ※	△13,402,016 104,930,753
	欠 損 金 等 の 当 期 控 除 額（別表七（一）「4の計」）＋（別表七（四）「10」）	44	△		※	△
	総　　　計（43）＋（44）	45	1,810,046,225	1,718,517,488	外 ※	△13,402,016 104,930,753
	残余財産の確定の日の属する事業年度に係る事業税及び特別法人事業税の損金算入額	51	△	△		
	所 得 金 額 又 は 欠 損 金 額	52	1,810,046,225	1,718,517,488	外 ※	△13,402,016 104,930,753

所得の金額の計算に関する明細書
（　次　葉　）

事業年度	6 ・4・ 1　7 ・3・ 31	法人名	阪神産業株式会社

別表四 次葉

区　　　分	総　額 ①	処　分 留　保 ②	社　外　流　出 ③
加	退職給付費用の損金不算入額	64,414,210 円	64,414,210 円	円
	役員退職慰労引当金損金不算入額	23,650,000	23,650,000	
	賞与引当金損金不算入額	37,139,940	37,139,940	
	貸倒引当金損金不算入額	20,189,330	20,189,330	
	販売促進費引当金損金不算入額	37,800,000	37,800,000	
	福利厚生会残高損金不算入額	2,537,803	2,537,803	
算				
	次　葉　合　計	185,731,283	185,731,283	
減	繰延資産償却超過額の当期認容額	1,959,762	1,959,762	
	退職給付引当金当期認容額	68,861,500	68,861,500	
	賞与引当金当期認容額	39,196,632	39,196,632	
	貸倒引当金当期認容額	19,142,700	19,142,700	
	販売促進費引当金当期認容額	35,600,000	35,600,000	
	福利厚生会残高当期認容額	3,100,285	3,100,285	
算				
	次　葉　合　計	167,860,879	167,860,879	

一方、過年度に計上した特別償却準備金に関する、当期取崩額27,687,561円を株主資本等変動計算書に計上しており、これを益金に算入するため加算欄に計上しています。

⑤ **資産圧縮積立金の認容額および取崩額**

④と同じように、機械装置に対する圧縮記帳を損益計算に計上せず、剰余金処分方式で行っています。そこで、当期の圧縮積立額8,683,000円を減算し、他方、積立金取崩額7,556,014円を加算しています。

⑥ **減価償却超過額および繰延資産償却超過額の認容額**

過年度に発生した減価償却超過額および繰延資産償却超過額について、当期に償却不足による認容額が発生したので、これを⑫で減算しています。

⑦ **退職給付引当金に関する加減算**

同社は、従業員の退職後の企業年金の支払いに備えて、次のような処理で退職給付引当金を計上しています。

　〈期末時〉

　　　（借）退 職 給 付 費 用　×××　　　（貸）退職給付引当金　×××

　〈掛金拠出時〉

　　　（借）退職給付引当金　×××　　　（貸）現 金 預 金　×××

税務上、退職給付引当金の設定は認められていません。そこで、当期に引当て計上した金額（64,414,210円）を加算しています。一方、信託銀行に対して当期中に支払った掛金の額（68,861,500円）は、損金に算入されるので減算しています。

⑧ **役員退職慰労引当金の損金不算入額**

税務上、役員退職慰労引当金の設定は認められていません。そこで、当期に引当て計上した金額（23,650,000円）を加算しています。

⑨ **賞与引当金に関する加減算**

税務上、賞与引当金の設定は認められていません。そこで、洗替え処理により、当期の繰入額37,139,940円を加算し、戻入額39,196,632円は減算しています。

⑩ **貸倒引当金に関する加減算**

資本金１億円超の大法人では銀行・保険会社等を除き、貸倒引当金の設定が認められません。そこで、引当額の全額（20,189,330円）を加算します。なお、洗替え処理を行うので、前期の損金不算入額（19,142,700円）は当期に認容（減算）されます。

⑪　販売促進費引当金に関する加減算

　　税務上、販売促進費引当金の設定は認められていません。そこで、洗替え処理により、当期の繰入額37,800,000円を加算し、戻入額35,600,000円は減算しています。

⑫　福利厚生会残高に関する加減算

　　同社は、従業員の親睦団体に対して毎年補助金を支払い、福利厚生費として計上しています。税務上、現実に福利厚生が行われるまで損金とならないため、決算期末における親睦団体の現金預金の残高を戻し入れることとしています。

　　そこで洗替え処理により、当期末残高2,537,803円を加算し、前期末残高3,100,285円は減算しています。

⑬　受取配当金の益金不算入額

　　当期中に、100％子会社（完全子法人）から12,000,000円、上場株式数銘柄から7,010,080円の配当を受け取りました。次の金額が益金不算入とされ、14欄で減算しています。

　　完全子法人株式分（12,000,000円）＋非支配目的株式分（7,010,080円×20％）
　　　　＝13,402,016円

⑭　寄附金の損金不算入額

　　当期中に支払った寄附金のうち、損金算入限度を超える額（1,548,940円）を27で加算しています。

［一口ゼミ⑥］　一括償却制度の導入経緯

　　平成10年度の改正で、少額減価償却資産の金額基準が20万円未満から10万円未満に引き下げられました。そこで、前期まで即時償却が認められていた10万円以上20万円未満の資産について、激変緩和措置として3年均等償却制度が導入されました。ところがその後、平成15年度の改正で中小企業の事務負担に配慮し、中小企業者に限って少額の金額基準が30万円未満に引き上げられ今日に至っています。

　　したがって現在では、中小企業にとっては一括償却制度に活用メリットは少なく、この制度はもっぱら大企業において適用されています。

2 税金関連項目の加減算

●当期利益を税引き前の水準に戻すための調整

つぎに、税金関連の調整項目を検討します。別表4で求める所得金額とは、法人税の税率をかける元となる金額ですから、税引き前の水準でなければなりません。一方、別表4のスタートの数字は、確定決算主義の建前上、税引き後の金額となっています。

そこで、その数字を税引き前の水準に戻すため、次のような調整が行われています。

「損金経理をした法人税及び地方法人税」②（232,053,800円）

　　　　⇒　中間分の法人税を加算

「損金経理をした道府県民税及び市町村民税」③（21,544,700円）

　　　　⇒　中間分の住民税を加算

「損金経理をした納税充当金」④（299,950,800円）

　　　　⇒　期末に計上した未払法人税等を加算

「法人税額から控除される所得税額」㉙（2,951,607円）

　　　　⇒　預金利子、受取配当金などから源泉徴収された所得税額（復興特別所得税額を含む）を加算

●税金に関する仕訳をまとめる

この会社は、当期中の税金支払い等について、次のように処理しています。

6年5月　前期分法人税の納付

（借）未 払 法 人 税 等　238,097,600　　（貸）現　金　預　金　238,097,600

　　〃　　前期分県民税の納付

（借）未 払 法 人 税 等　　4,401,300　　（貸）現　金　預　金　　4,401,300

　　〃　　前期分市民税の納付

（借）未 払 法 人 税 等　 18,157,800　　（貸）現　金　預　金　 18,157,800

　　〃　　前期分事業税の納付

（借）未 払 法 人 税 等　 52,593,900　　（貸）現　金　預　金　 52,593,900

6年11月　中間分法人税の納付

（借）仮　　払　　金　232,053,800　　（貸）現　金　預　金　232,053,800

　　〃　　中間分県民税の納付

（借）仮　　払　　金　　4,203,400　　（貸）現　金　預　金　　4,203,400

　　〃　　中間分市民税の納付

（借）仮　　払　　金　 17,341,300　　（貸）現　金　預　金　 17,341,300

　　〃　　中間分事業税の納付

（借）仮　　払　　金　 50,229,400　　（貸）現　金　預　金　 50,229,400

6年4月～7年3月　利息・配当金受取り（年間合計）

（借）現　金　預　金　 16,321,056　　（貸）受取利息・配当金　19,272,663

　　　仮　　払　　金　　2,951,607

7年3月　確定分法人税等の未払い計上

（借）法人税、住民税　575,040,807　　（貸）仮　　払　　金　306,779,507
　　　及び事業税

　　　租　税　公　課　 31,689,500　　　　未 払 法 人 税 等　299,950,800

（注1）　法人税の額は、地方法人税を含めた金額です。

（注2）　損益計算書上、事業税は次の箇所で表示することとされています。

　　　　　・外形標準課税の付加価値割・資本割の額 → 販売費及び一般管理費

　　　　　・所得割の額 → 法人税、住民税及び事業税

そこで、税金に関する次の損金算入基準に照らして、上記の仕訳を検討します。

◉中間分の法人税・住民税は損金経理しているので加算

　法人税と住民税は、損金不算入の税金です。まず、6年5月における前期分納付の処理は、損金経理ではなく負債の取崩しですから、会計処理と税務の取扱いに食い違いはなく調整不要です。

　6年5月　前期分法人税の納付

　　（借）未 払 法 人 税 等　238,097,600　　（貸）現　金　預　金　238,097,600

　　　〃　　　前期分県民税の納付

　　（借）未 払 法 人 税 等　　4,401,300　　（貸）現　金　預　金　　4,401,300

　　　〃　　　前期分市民税の納付

　　（借）未 払 法 人 税 等　　18,157,800　　（貸）現　金　預　金　　18,157,800

つぎに、6年11月の中間分納付の仕訳を見ます。

　6年11月　中間分法人税の納付

　　（借）仮　　払　　金　232,053,800　　（貸）現　金　預　金　232,053,800

　　　〃　　　中間分県民税の納付

　　（借）仮　　払　　金　　4,203,400　　（貸）現　金　預　金　　4,203,400

　　　〃　　　中間分市民税の納付

　　（借）仮　　払　　金　　17,341,300　　（貸）現　金　預　金　　17,341,300

　ここで借方に「仮払金」の科目を使っていますが、これは通過勘定です。仮払金に計上した金額は、期末に次の処理を行って精算し、最終的に「法人税、住民税及び事業税」に振り替えられ、575,040,807円の金額に吸収されています。

　7年3月　確定分法人税等の未払い計上

　　（借）法人税、住民税　575,040,807　　（貸）仮　　払　　金　306,779,507
　　　　　及び事業税

　　　　　租　税　公　課　　31,689,500　　　　　　未 払 法 人 税 等　299,950,800

　これは損益計算書の借方に計上する科目ですから、結局、中間納付額は損金経理

（費用処理）されています。となると、税務の取扱いと食い違うので申告調整が必要です。そこで別表4において、法人税232,053,800円は②、県民税と市民税を合計した金額21,544,700円を③で加算しています。

> （注）中間分は概算納付ですから仮払金処理が一般的ですが、「租税公課」計上、あるいは「未払法人税等」の取崩しで処理する場合もあります。しかし、いずれの処理を行っても、そこで計上する科目は通過勘定で、最終的に決算で全額精算されます。

●負債取崩しで経理した前期分事業税を減算

つぎに、前期分と中間分の事業税の処理を検討します。事業税は、納税申告書の提出時点で損金に算入されます。通常、申告書の提出と同時に納税をしますから、"現金主義で損金算入"という言い方をしておきます。

その観点で上記の仕訳を見たとき、まず、6年5月に前期分を納付した際の経理処理が引っかかります。

6年5月　前期分事業税の納付

（借）未 払 法 人 税 等　52,593,900　　（貸）現 金 預 金　52,593,900

税務上はこの時点で損金に算入されるのに、仕訳は負債の取崩しとなっています。税務で損金となるものを損金経理していない——となると、減算しなければなりません。この減算は"必須調整事項"で、別表4の⑬に記載されます。

●中間分事業税は費用処理なので調整不要

中間納付の事業税は、法人税と同様とりあえず「仮払金」に計上し、期末に損金経理しています。

6年11月　中間分事業税の納付

（借）仮 　 払 　 金　50,229,400　　（貸）現 金 預 金　50,229,400

7年3月　確定分法人税等の未払い計上

（借）法人税、住民税　575,040,807　　（貸）仮 　 払 　 金　306,779,507
　　　及び事業税

　　　租 税 公 課　31,689,500　　　　　　未 払 法 人 税 等　299,950,800

税務上これは、6年11月の時点で損金に算入されます。いったん資産計上しましたが、その事業年度内で最終的に損金経理しましたから、結局、食い違いは解消し調整は不要です。

● 源泉所得税も損金経理なので加算

　利息および配当金の受取りに際して、源泉所得税が天引きされ、これを「仮払金」に計上しています。法人税の前払いと見てそのように処理しましたが、決算で「法人税、住民税及び事業税」の科目に振り替え、結果的に損金経理しました。

```
6年4月〜7年3月　利息・配当金受取り（年間合計）

（借）現　金　預　金　16,321,056　　（貸）受取利息・配当金　19,272,663
　　　仮　　払　　金　　2,951,607
7年3月　確定分法人税等の未払い計上

（借）法人税、住民税　575,040,807　　（貸）仮　　払　　金　306,779,507
　　　　及び事業税
　　　租　税　公　課　31,689,500　　　　未払法人税等　299,950,800
```

　源泉所得税につき税額控除を受けるときは、計算技術上の理由から損金不算入扱いします。そこで、別表4の29で加算しています。

● 仮払金を精算し確定分法人税等を未払い計上

　最後に、7年3月末における確定分法人税等の未払い計上の処理を検討します。

```
7年3月　確定分法人税等の未払い計上

（借）法人税、住民税　575,040,807　　（貸）仮　　払　　金　306,779,507
　　　　及び事業税
　　　租　税　公　課　31,689,500　　　　未払法人税等　299,950,800
```

　貸方の「仮払金」は、中間分の法人税・住民税・事業税、さらには源泉徴収の所得税の合計額です。この仕訳により、期中に税金がらみで計上した次の金額を全額精算します。

　　　中間分法人税　　232,053,800円
　　　中間分県民税　　　4,203,400円
　　　中間分市民税　　 17,341,300円
　　　中間分事業税　　 50,229,400円
　　　源泉所得税　　　　2,951,607円
　　　合　計　　　　　306,779,507円

　もう一つの貸方科目「未払法人税等」は、2か月後に納付する次の確定分の税額を表す科目で、その金額を貸借対照表に債務として計上します。

確定分法人税	228,177,900円
確定分県民税	4,455,200円
確定分市民税	17,572,900円
確定分事業税	49,744,800円
合　　計	299,950,800円

（注）確定分法人税額には地方法人税額（21,680,000円）を含みます。

●借方は損益計算書に計上

　上記の仕訳で借方は、損益計算書に費用として計上する税金の年額で、内訳は次のとおりです。

　　法人税、住民税及び事業税

法人税（源泉所得税控除前）	419,930,607円 [注]
地方法人税	43,252,700円
県　民　税	8,658,600円
市　民　税	34,914,200円
事業税（所得割）	21,317,300円
特別法人事業税	46,967,400円
計	575,040,807円

　　租税公課

事業税（付加価値割）	28,098,500円
事業税（資本割）	3,591,000円
計	31,689,500円
合　　　計	606,730,307円

（注）416,979,000円（別表1(1)・⑬）＋2,951,607円（別表1(1)・⑫）＝419,930,607円

●未払い計上額を全額加算

　上記金額のうち、中間分の法人税・県民税・市民税および源泉所得税は、損金不算入項目としてすでに加算済みです。残額のうち「未払法人税等」として計上する確定分の税額（299,950,800円）は、法人税と住民税はもとより、事業税も未払い計上分は損金に算入されないので、全額を加算しなければなりません。

　別表4の④に、この金額が記載されています。

●仕訳に基づき加減算を考える

　以上、税金関連の調整の仕方を説明しましたが、税金がらみの加減算は仕訳に基づ

いて考える——これが、正しく申告調整を行うためのポイントです。

　上場企業などでは、半期決算や四半期決算が要求されます。そこで３か月ごとに法人税等の未払い計上とその取消しの処理をしなければなりません。３か月目ごとの未払い計上額を、その直後に戻し入れて取り崩す処理をしていればいいのですが、そうでないとき、税金がらみの処理が年間を通じてどうなっているのか、非常に複雑になる場合があります。

　そういう場合には、仕訳を順に追って相殺すべき金額を相殺し、最終的にどの金額が損益計算書に残るのか、つまり損金経理した金額はいくらなのかを見極めなければなりません。

●ペナルティーの支払いが即加算ではない

　あるいは、修正申告で法人税を追徴されたとき、通常、本税以外に加算税や延滞税を納めることになります。その際、これらペナルティーは損金不算入とされていますが、それでは加算税等を納めたとき、その金額を必ず別表４で加算するかといえば、そうとは限りません。

　もし、納付額を次のように費用処理したときは、確かに加算です。

　　　（借）雑　　損　　失　　×××　　　（貸）現　金　預　金　　×××

　しかし、次のように処理したとき、税務と会計の間に食い違いはないので加算は不要です。

　　　（借）未 払 法 人 税 等　　×××　　　（貸）現　金　預　金　　×××

　あくまで、ペナルティーを損金経理したときは加算、ということですからご注意ください。別表４の⑤の区分欄に、そのように記載されています。

損金経理をした附帯税(利子税を除く。)、加算金、延滞金(延納分を除く。)及び過怠税	5

●最終的に損益計算書に計上された金額は加算

　加算税や延滞税の支出はまれにしか起きないので、ときとして経理処理が混乱する場合があります。本税の納付と同様に「未払法人税等」の取崩しで処理し、その後、本税と区別するため「租税公課」に振り替え、さらに金利相当額という点に着目して営業外費用たる「雑損失」、その後また考え直して「法人税、住民税及び事業税」の科目に振替えなどと、処理が転々とする場合がなきにしもあらずです。

　その際、別表４で加算が必要かどうかは、最終的にその金額が決算書のどこに計上されたかを追跡して判断しなければなりません。最後は損益計算書の借方に落ち着い

た、ということなら加算が必要、そうでなければ加算はいらないということです。

的確に判断するためには、仕訳を順に追っていくという態度が必要です。

3 損益計算書の税金計上額と別表4のつながり

●損益計算書の税金計上額を加算して所得を求める

確定決算主義の建前上、別表4は株主総会で確定した税引き後の利益金額からスタートして記載することになっています。しかし本来、所得金額は税引き前の数字であるはずです。

そこで、税引き後の数字を税引き前の水準に戻すため、損益計算書において「法人税、住民税及び事業税」（一部は「租税公課」）の科目で計上した金額（606,730,307円）は加算されねばならず、次の表がその数字と別表4の加算額との関係を示しています。

	中 間 分	確 定 分	
法 人 税	②232,053,800円	④228,177,900円	④の計
県 民 税	③ 4,203,400円	④ 4,455,200円	299,950,800円
市 民 税	③ 17,341,300円	④ 17,572,900円	
事 業 税	50,229,400円	④ 49,744,800円	
源 泉 所 得 税	㉙ 2,951,607円		
合 計	606,730,307円		

（注）法人税には地方法人税を、事業税には特別法人事業税を含んでいます。

●中間分事業税を除き全額加算

損益計算書に計上した総額606,730,307円のうち、中間分の事業税（　　）を除き、他の金額は別表4の②〜④および㉙の欄を使って、すべて加算されています。

なお、中間分の事業税50,229,400円については、会計上は費用処理で、税務上も損金に算入され食い違わないため、加算の必要はありません。

4 所得計算の実務

●所得が先か、税額が先か

別表4の記入は、上述の要領で行いますが、実際に所得金額を算定するとき、別表4の記載どおりには計算できません。そもそも、「法人税、住民税及び事業税」（一部は「租税公課」）の606,730,307円は、まず所得金額を計算し、これに税率をかけて求めます。その際、別表4のスタートの数字は、税引き後の当期純利益1,261,784,387円で、

この数字は税金の額が決まらないと出てこない。ところが、税額をはじくためには所得の計算をしなければならず、そのためには税引き後の数字が必要……堂々めぐりで、"ニワトリが先か卵が先か"のような話になってしまいます。

◉税引前当期純利益からスタートして所得金額を計算

実務上、所得金額は次のようにして計算します。

阪神産業㈱の場合、決算で棚卸、減価償却、各種引当金の設定などを行い、まずは仮の「税引前当期純利益」1,868,514,694円[注]が計算されています。そこに次の仕訳を追加して最終の決算数値が算出される、その直前の金額です。

（注）付加価値割と資本割の事業税額 31,689,500円を「販売費及び一般管理費」に計上する前の利益金額です。

7年3月 確定分法人税等の未払い計上		
（借）法人税、住民税 575,040,807 及び事業税	（貸）仮 払 金	306,779,507
租 税 公 課 31,689,500	未 払 法 人 税 等	299,950,800

さて、この仕訳で行う未払法人税等の計上は後回しにして、その前にまず、仮払金の精算を先行して行います。

〈追加仕訳(1)〉		
（借）法人税、住民税 290,403,507 及び事業税	（貸）仮 払 金	306,779,507
租 税 公 課 16,376,000		

この仕訳を追加すると、(仮)税引前当期純利益は次のように変わります。

$$1,868,514,694円 - 306,779,507円 = 1,561,735,187円$$

この金額からスタートして、あれこれ食い違い項目を調整し所得金額を計算します。計算過程を（仮）別表4で示すと、【66ページ】（図表3）のとおりです。

◉仮払金精算額も加算

ところで、上記の追加仕訳における仮払金精算額の内訳は、次のとおりです。

法人税、住民税及び事業税

中間分法人税	[2]	210,481,100円
中間分地方法人税	[2]	21,572,700円
中間分県民税	[3]	4,203,400円
中間分市民税	[3]	17,341,300円

中間分事業税（所得割）		10,145,900円
特別法人事業税		23,707,500円
源泉所得税	㉙	2,951,607円
計		290,403,507円
租税公課		
中間分事業税（付加価値割）		14,580,500円
中間分事業税（資本割）		1,795,500円
計		16,376,000円
合　計		306,779,507円

　このうち中間分事業税を除き、他のものはすべて損金不算入の扱いです。それを追加仕訳で損金経理しましたから、(仮)別表 4 の所得計算においては、それぞれを所定の箇所で加算しています。

　以上の計算で、所得金額が“1,810,046,225円”と求まります。そこで、この金額に基づき法人税額を計算すれば、確定税額は“206,497,900円”となります（**【67ページ】**の別表 1 参照）。

　続けて、地方法人税や地方税の税額も計算すると、確定分の税額の合計が、次のように“299,950,800円”と求まります。

法人税、住民税及び事業税	
法人税	206,497,900円
地方法人税	21,680,000円
県民税	4,455,200円
市民税	17,572,900円
事業税（所得割）	11,171,400円
特別法人事業税	23,259,900円
計	284,637,300円
租税公課	
事業税（付加価値割）	13,518,000円
事業税（資本割）	1,795,500円
計	15,313,500円
合　計	299,950,800円

〈図表3　（仮）別表4〉

所得の金額の計算に関する明細書（簡易様式）

事　業年　度	6・4・1 7・3・31	法人名	阪神産業株式会社

区　　　　分		総　　額 ①	処　　　　　分	
			留　保 ②	社　外　流　出 ③
当 期 利 益 又 は 当 期 欠 損 の 額	1	円 1,561,735,187	円	配　当
				その他
加	損 金 経 理 を し た 法 人 税 及 び 地 方 法 人 税 (附 帯 税 を 除 く 。)	2	232,053,800	
	損 金 経 理 を し た 道 府 県 民 税 及 び 市 町 村 民 税	3	21,544,700	
	損 金 経 理 を し た 納 税 充 当 金	4		
	損 金 経 理 を し た 附 帯 税 (利 子 税 を 除 く 。)、加 算 金、延 滞 金 (延 納 分 を 除 く 。) 及 び 過 怠 税	5		その他
	減 価 償 却 の 償 却 超 過 額	6		
	役 員 給 与 の 損 金 不 算 入 額	7	16,500,000	その他
	交 際 費 等 の 損 金 不 算 入 額	8	3,930,206	その他
	通 算 法 人 に 係 る 加 算 額（別表四付表「5」）	9		外 ※
算	一 括 償 却 資 産 損 金 不 算 入 額	10	1,771,420	
	特 別 償 却 準 備 金 取 崩 額		27,687,561	
	資 産 圧 縮 積 立 金 取 崩 額		7,556,014	
	次 　 葉 　 合 　 計		185,731,283	
	小　　　計	11	496,774,984	外 ※
減	減 価 償 却 超 過 額 の 当 期 認 容 額	12	1,694,352	
	納 税 充 当 金 か ら 支 出 し た 事 業 税 等 の 金 額	13	52,593,900	
	受 取 配 当 等 の 益 金 不 算 入 額（別表八（一）「5」）	14	13,402,016	※
	外 国 子 会 社 か ら 受 け る 剰 余 金 の 配 当 等 の 益 金 不 算 入 額（別表八（二）「26」）	15		※
	受 贈 益 の 益 金 不 算 入 額	16		※
	適 格 現 物 分 配 に 係 る 益 金 不 算 入 額	17		※
	法 人 税 等 の 中 間 納 付 額 及 び 過 誤 納 に 係 る 還 付 金 額	18		
	所 得 税 額 等 及 び 欠 損 金 の 繰 戻 し に よ る 還 付 金 額 等	19		※
	通 算 法 人 に 係 る 減 算 額（別表四付表「10」）	20		※
算	一 括 償 却 資 産 当 期 認 容 額	21	1,563,730	
	特 別 償 却 準 備 金 当 期 認 容 額		7,166,616	
	資 産 圧 縮 積 立 金 当 期 認 容 額		8,683,000	
	次 　 葉 　 合 　 計		167,860,879	
	小　　　計	22	252,964,493	外 ※
仮　　　　計（1）+（11）-（22）	23	1,805,545,678		外 ※
対 象 純 支 払 利 子 等 の 損 金 不 算 入 額（別表十七（二の二）「29」又は「34」）	24		その他	
超 過 利 子 額 の 損 金 算 入 額（別表十七（二の三）「10」）	25	△	※ △	
仮　　　　計（（23）から（25）までの計）	26	1,805,545,678		外 ※
寄 附 金 の 損 金 不 算 入 額（別表十四（二）「24」又は「40」）	27	1,548,940	その他	
法 人 税 か ら 控 除 さ れ る 所 得 税 額（別表六（一）「6の③」）	29	2,951,607	その他	
税 額 控 除 の 対 象 と な る 外 国 法 人 税 の 額（別表六（二の二）「7」）	30		その他	
分 配 時 調 整 外 国 税 相 当 額 及 び 外 国 関 係 会 社 等 に 係 る 控 除 対 象 所 得 税 額 等 相 当 額（別表六（五の二）「5の②」）+（別表十七（三の六）「1」）	31		その他	
合　　　計（26）+（27）+（29）+（30）+（31）	34	1,810,046,225		外 ※
中 間 申 告 に お け る 繰 戻 し に よ る 還 付 に 係 る 災 害 損 失 欠 損 金 額 の 益 金 算 入 額	37		※	
非 適 格 合 併 又 は 残 余 財 産 の 全 部 分 配 等 に よ る 移 転 資 産 等 の 譲 渡 利 益 額 又 は 譲 渡 損 失 額	38		※	
差　　引　　計（34）+（37）+（38）	39	1,810,046,225		外 ※
更 生 欠 損 金 又 は 民 事 再 生 等 評 価 換 え が 行 わ れ る 場 合 の 再 生 等 欠 損 金 の 損 金 算 入 額（別表七（三）「9」又は「21」）	40	△	※ △	
通 算 対 象 欠 損 金 額 の 損 金 算 入 額 又 は 通 算 対 象 所 得 金 額 の 益 金 算 入 額（別表七の二「5」又は「11」）	41			
差　　引　　計（39）+（40）±（41）	43	1,810,046,225		外 ※
欠 損 金 等 の 当 期 控 除 額（別表七（一）「4の計」）+（別表七（四）「10」）	44	△	※ △	
総　　　計（43）+（44）	45	1,810,046,225		外 ※
残 余 財 産 の 確 定 の 日 の 属 す る 事 業 年 度 に 係 る 事 業 税 及 び 特 別 法 人 事 業 税 の 損 金 算 入 額	51	△	△	
所 得 金 額 又 は 欠 損 金 額	52	1,810,046,225		外 ※

〈図表4－1 阪神産業の別表1〉

令和7年5月31日 税務署長殿

納税地　電話（　　）　－

法人名　阪神産業株式会社

法人番号

代表者

代表者住所

通算グループ整理番号

通算親法人整理番号

法人区分

事業種目　500,000,000円

同非区分　特定同族会社　同族会社　非同族会社

旧納税地及び旧法人名等

添付書類

青色申告　一連番号

整理番号

事業年度

売上金額

申告年月日

| 令和 | 06 | 年 | 04 | 月 | 01 | 日 | 事業年度分の法人税 確定 申告書 |
| 令和 | 07 | 年 | 03 | 月 | 31 | 日 | 課税事業年度分の地方法人税 確定 申告書 |

適用額明細書提出の有無（有）

税理士法第30条の書面提出有（有）

税理士法第33条の2の書面提出有（有）

別表一　各事業年度の所得に係る申告書－内国法人の分

			十億 百万 千 円
所得金額又は欠損金額（別表四「52の①」）	1	1 8 1 0 0 4 6 2 2 5
法人税額 (48)＋(49)＋(50)	2	4 1 9 9 3 0 6 7 2
法人税額の特別控除額（別表六（六）「5」）	3	
税額控除超過額相当額等の加算額	4	
土地譲渡税 課税土地譲渡利益金額	5	0 0 0
同上に対する税額 (62)＋(63)＋(64)	6	
留保金 課税留保金額（別表三（一）「4」）	7	0 0 0
同上に対する税額（別表三（一）「8」）	8	
		0 0
法人税額計 (2)－(3)＋(4)＋(6)＋(8)	9	4 1 9 9 3 0 6 7 2
分配時調整外国税相当額及び外国関係会社等に係る控除対象所得税額等相当額の控除額	10	
仮装経理に基づく過大申告の更正に伴う控除法人税額	11	
控除税額	12	2 9 5 1 6 0 7
差引所得に対する法人税額 (9)－(10)－(11)－(12)	13	4 1 6 9 7 9 0 0 0
中間申告分の法人税額	14	2 1 0 4 8 1 1 0 0
差引確定/中間申告の場合はその法人税額（税額とし、マイナス）(13)－(14)の場合は(22)へ記入	15	2 0 6 4 9 7 9 0 0

			十億 百万 千 円
所得税の額（別表六（一）「6の③」）	16	2 9 5 1 6 0 7
外国税額（別表六（二）「23」）	17	
計 (16)＋(17)	18	2 9 5 1 6 0 7
控除した金額 (12)	19	2 9 5 1 6 0 7
控除しきれなかった金額 (18)－(19)	20	
所得税額等の還付金額 (20)	21	
中間納付額 (14)－(13)	22	
欠損金の繰戻しによる還付請求税額	23	
計 (21)＋(22)＋(23)	24	

この申告が修正申告である場合のこの申告により納付すべき法人税額又は減少する還付請求税額 (57) | 25 | 0 0 |

欠損金等の当期控除額（別表七（一）「4の計」＋（別表七（三）「9」若しくは「21」又は別表七（四）「10」） | 26 | |

翌期へ繰り越す欠損金額（別表七（一）「5の合計」） | 27 | |

			十億 百万 千 円
所得の金額に対する法人税額	28	4 1 9 9 3 0 6 7 2
課税留保金額に対する法人税額 (8)	29	
課税標準法人税額 (28)＋(29)	30	4 1 9 9 3 0 0 0 0
地方法人税額 (53)	31	4 3 2 5 2 7 9 0
税額控除超過額相当額の加算額（別表六（二）付表六「14の計」）	32	
課税留保金額に係る地方法人税額 (54)	33	
所得地方法人税額 (31)＋(32)＋(33)	34	4 3 2 5 2 7 9 0
分配時調整外国税相当額及び外国関係会社等に係る控除対象所得税額等相当額の控除額（別表六（二）「7」＋別表十七（三の十二）「3」）	35	
仮装経理に基づく過大申告の更正に伴う控除地方法人税額	36	
外国税額の控除額	37	
差引地方法人税額 (34)－(35)－(36)－(37)	38	4 3 2 5 2 7 0 0
中間申告分の地方法人税額	39	2 1 5 7 2 7 0 0
差引確定/中間申告の場合はその地方法人税額（税額とし、マイナス）(38)－(39)の場合は(42)へ記入	40	2 1 6 8 0 0 0 0

			十億 百万 千 円
外国税額の還付金額 (67)	41	
中間納付額 (39)－(38)	42	
計 (41)＋(42)	43	

この申告が修正申告である場合のこの申告により納付すべき地方法人税額 (61) | 44 | 0 0 |

剰余金・利益の配当（剰余金の分配）の金額 | 8 0 0 0 0 0 0 0

残余財産の最後の分配又は引渡しの日

決算確定の日　令和 07 05 24

還付を受けようとする金融機関等　銀行・本店・支店／金庫・組合・出張所／農協・漁協・本所・支所　預金　郵便局名等

口座番号　ゆうちょ銀行の貯金記号番号

※税務署処理欄

税理士署名

〈図表4−2　阪神産業の別表1次葉〉

| 事業年度等 | 6・4・1
7・3・31 | 法人名 | 阪神産業株式会社 | 別表一次葉 |

法 人 税 額 の 計 算

(1)のうち中小法人等の年800万円相当額以下の金額 ((1)と800万円× 12/12 のうち少ない金額）又は（別表一付表「5」)	45	000	(45)の15％又は19％相当額	48	
(1)のうち特例税率の適用がある協同組合等の年10億円相当額を超える金額 (1)-10億円× 12/12	46	000	(46)の22％相当額	49	
その他の所得金額 (1)-(45)-(46)	47	1,810,046,000	(47)の~~19％又は~~23.2％相当額	50	419,930,672

地 方 法 人 税 額 の 計 算

| 所得の金額に対する法人税額
(28) | 51 | 419,930,000 | (51)の10.3％相当額 | 53 | 43,252,790 |
| 課税留保金額に対する法人税額
(29) | 52 | 000 | (52)の10.3％相当額 | 54 | |

こ の 申 告 が 修 正 申 告 で あ る 場 合 の 計 算

法人税額の計算	この申告前の	法 人 税 額	55		地方法人税額の計算	この申告前の	確定地方法人税額	58	
		還 付 金 額	56	外			還 付 金 額	59	
							欠損金の繰戻しによる還 付 金 額	60	
	この申告により納付すべき法人税額又は減少する還付請求税額 ((15)-(55))若しくは((15)+(56))又は((56)-(24))		57	外 00		この申告により納付すべき地方法人税額 ((40)-(58))若しくは((40)+(59)+(60))又は(((59)-(43))+((60)-(43の外書)))		61	00

土 地 譲 渡 税 額 の 内 訳

| 土 地 譲 渡 税 額
（別表三(二)「25」) | 62 | 0 | 土 地 譲 渡 税 額
（別表三(三)「21」) | 64 | 00 |
| 同　上
（別表三(二の二)「26」) | 63 | 0 | | | |

地 方 法 人 税 額 に 係 る 外 国 税 額 の 控 除 額 の 計 算

| 外 国 税 額
（別表六(二)「56」) | 65 | | 控除しきれなかった金額
(65)-(66) | 67 | |
| 控 除 し た 金 額
(37) | 66 | | | | |

●最終決算数字に合わせて別表4を書き直す

以上の計算結果に基づき、最後に次の仕訳を起こします。

〈追加仕訳(2)〉

（借）法人税、住民税　284,637,300　　（貸）未払法人税等　299,950,800
　　　　及び事業税

　　　租　税　公　課　　15,313,500

そうすると、最終の税引き後当期純利益は、次の計算で "1,261,784,387円" となり、これで決算手続きは完了です。

　　　1,561,735,187円 − 299,950,800円 = 1,261,784,387円

決算が終われば、つぎに申告手続きに入り、別表4を完成させます。(仮)別表4では、スタートの数字が "1,561,735,187円" となっており、これを最終の当期純利益 "1,261,784,387円" に直します。その際、そのままでは別表4において所得金額が、上記の最終仕訳分だけ減少してしまいます。

そこで、最終仕訳の貸方金額（299,950,800円）を④欄（「損金経理をした納税充当金」）に計上します。そうすれば、最終の所得金額は（仮）別表4で計算した金額に直ります。要するに、別表4のスタートの金額から確定分の税額を除外し、同額を加算するわけですから、最終の所得金額に変わりはありません。

以上の手順で、最終の別表4ができあがります。

5　法人税等の概算計上

●損益計算書に税金を概算で計上

阪神産業㈱では7年3月末における「未払法人税等」の計上を、確定分の税額どおりの金額で行っています。しかし現実には、次のように概算額で計上する場合もあります。

7年3月　確定分法人税等の未払い計上

　（借）法人税、住民税　580,000,000　　（貸）仮　払　金　306,779,507
　　　　及び事業税

　　　租　税　公　課　　31,689,500　　　　未払法人税等　304,909,993

決算時の課税所得ないし税額計算には誤りがあるかもしれない、あるいは、将来の税務調査で追徴課税されるかもしれないことから、損益計算書の税引前当期純利益に

対する税額を、端数切り上げで丸めた数字（580,000,000円）にするという発想です。

　借方金額が変われば、その分、貸方の未払い計上額も変動し、確定分の納税額と食い違うことになります。このように処理したとき、損益計算書と別表4は次のようになります。

損 益 計 算 書

⋮　　　　　　　　　　⋮

税 引 前 当 期 純 利 益	1,836,825,194
法人税、住民税及び事業税	580,000,000
当 期 純 利 益	1,256,825,194

所得の金額の計算に関する明細書(簡易様式)

事業年度	6・4・1　7・3・31
法人名	阪神産業株式会社

別表四（簡易様式）

区　　　分		総　額 ①	処　分 留　保 ②	処　分 社外流出 ③
当 期 利 益 又 は 当 期 欠 損 の 額	1	1,256,825,194 円	1,176,825,194 円	配当 80,000,000 円 その他
加	損金経理をした法人税及び地方法人税（附帯税を除く。）	2	232,053,800	232,053,800	
	損金経理をした道府県民税及び市町村民税	3	21,544,700	21,544,700	
	損金経理をした納税充当金	4	304,909,993	304,909,993	
	損金経理をした附帯税(利子税を除く。)、加算金、延滞金(延納分を除く。)及び過怠税	5			その他
	減 価 償 却 の 償 却 超 過 額	6			
	役 員 給 与 の 損 金 不 算 入 額	7	16,500,000		その他 16,500,000
	交 際 費 等 の 損 金 不 算 入 額	8	3,930,206		その他 3,930,206
	通 算 法 人 に 係 る 加 算 額				外※
中間申告における繰戻しによる還付に係る災害損失欠損金額の益金算入額	37			※
非適格合併又は残余財産の全部分配等による移転資産等の譲渡利益額又は譲渡損失額	38			※
差　引　計 (34)＋(37)＋(38)	39	1,810,046,225	1,718,517,488	外※ △13,402,016 104,930,753
更生欠損金又は民事再生等評価換えが行われる場合の再生等欠損金の損金算入額(別表七(三)「9」又は「21」)	40	△		※ △
通算対象欠損金額の損金算入額又は通算対象所得金額の益金算入額(別表七の二「5」又は「11」)	41			※
差　引　計 (39)＋(40)±(41)	43	1,810,046,225	1,718,517,488	外※ △13,402,016 104,930,753
欠 損 金 等 の 当 期 控 除 額 (別表七(一)「4の計」)＋(別表七(四)「10」)	44	△		※ △
総　　計 (43)＋(44)	45	1,810,046,225	1,718,517,488	外※ △13,402,016 104,930,753
残余財産の確定の日の属する事業年度に係る事業税及び特別法人事業税の損金算入額	51	△	△	
所 得 金 額 又 は 欠 損 金 額	52	1,810,046,225	1,718,517,488	外※ △13,402,016 104,930,753

●当期純利益が変わっても所得金額は変わらない

　当期純利益の金額が変化し、別表4のスタートの数字が、1,261,784,387円から1,256,825,194円に"4,959,193円"だけ減少します。そうすると、所得金額がその分減少するかといえば、そうではありません。変更後の仕訳において、貸方の「未払法人税等」が同額だけ増加するので、別表4において4欄で加算する金額がその分増加し、結果的に所得金額は変わりません。

　つまり、期末の税金未払い計上額をいくらにしようが、所得金額に変動はない。所得金額は経理処理のいかんにかかわらず、常に同額となります。

6　留保と社外流出

●総額欄の金額を分解

　別表4で「総額」欄の記入が終われば、つぎにその一つひとつの金額を、「留保」と「社外流出」欄に分解します。これは、所得のうち留保した金額、つまり"利益積立金"の構成要素となる金額を計算するための記入です。留保欄に記載した金額が、別表5(1)における利益積立金の増減額の元となります。

　まず、スタートの「利益金額」1,261,784,387円については、「配当」により80,000,000円が流出し、残り1,181,784,387円が内部留保されています。この留保額の内訳は、株主資本等変動計算書（【50ページ】）によれば次のとおりです。

特別償却準備金の増加	7,166,616円
特別償却準備金の減少	△ 27,687,561円
資産圧縮積立金の増加	8,683,000円
資産圧縮積立金の減少	△ 7,556,014円
別 途 積 立 金 の 増 加	700,000,000円
繰越利益剰余金の増加	501,178,346円
差 引 計	1,181,784,387円

●通常、留保項目が多い

　つぎに、2以下の欄について、それぞれの金額を留保または社外流出のいずれかに書き分けます。資金的な出入りがあるかないかで判断しますが、実務的には、いずれかの欄に斜線が引いてあるので、あまり判断に迷うことはありません。自分で追加記入した項目（加算の10以下、減算の21以下）についてのみ、その観点から判断するこ

とになります。

　加減算は一般に留保項目が多く、阪神産業㈱の場合、社外流出欄への記入は次の各項目のみとなっています。

役員給与の損金不算入額	16,500,000円
交際費等の損金不算入額	3,930,206円
受取配当等の益金不算入額	△13,402,016円
寄附金の損金不算入額	1,548,940円
法人税額から控除される所得税額	2,951,607円

　（注）受取配当はマイナスの社外流出、すなわち社外流入項目です。

　第1章の **1** ・ **3** で述べたように、減算の社外流出項目（受取配当など）には「※」のしるしが付けられ、これは「留保金課税」計算の対象とされます。

［一口ゼミ⑦］　特別償却と税額控除の違い

　特別償却が認められる固定資産には、別途、法人税額の特別控除の制度が設けられています。いずれも税の恩典で両者を重ねて適用することは認められず、どちらかを選択適用することになります。

　その際、いずれを選ぶかの判断基準ですが、税額控除は納める税金があればこその恩典で、赤字決算であれば特別償却によらざるを得ません。黒字決算の場合、まずは特別償却で減少する税額と税額控除額との比較です。さらに、税額控除は法人税の減少に連動して住民税も減少しますが、事業税には影響しません。一方、特別償却の方は事業税にも波及するという違いもあります。

　軽減する税額だけで比較すれば、通常、特別償却に軍配が上がります。しかし、もう一つ考慮すべきは"免税"と"課税繰延べ"の違いです。税額控除は免税、すなわち正真正銘の節税措置ですが、特別償却は課税の繰延べにすぎません。

　特別償却で納税額が減少しても、それは国から無利息融資を受けているようなもの。節税額は減価償却計算を通じて、将来、全額が取り戻されてしまいます。一方の税額控除は、節税額は特別償却より少ないものの、減少した税額が将来取り戻されることはありません。

---

2 別表5(1)の記入

阪神産業株式会社の別表5(1)を、**【次ページ】**に掲げているのでご覧ください。

1 利益積立金の分類

●3種類の利益積立金項目

第1章の**2**・**3**で述べたように、利益積立金は次の3種類に分類されます。

利益剰余金項目
税務否認項目
税金関連項目

具体的に、阪神産業㈱の別表5(1)では、次のような分類になります（**【75ページ】**の図表5参照）。

〈利益剰余金項目〉

①	利益準備金	〔1〕	125,000,000円
②	別途積立金	〔2〕	6,262,000,000円
③	特別償却準備金	〔3〕	84,998,101円
④	資産圧縮積立金	〔5〕	125,334,824円
⑤	繰越損益金	〔25〕	897,326,160円

〈税務否認項目〉

①	特別償却準備金認容額	〔4〕	△ 84,998,101円
②	資産圧縮積立金認容額	〔6〕	△ 125,334,824円
③	退職給付引当金	〔7〕	887,019,266円
④	役員退職慰労引当金	〔8〕	209,325,000円
⑤	賞与引当金	〔9〕	39,196,632円
⑥	貸倒引当金	〔10〕	19,142,700円
⑦	一括償却資産	〔11〕	2,324,760円
⑧	繰延資産償却超過額	〔12〕	5,930,104円

利益積立金額及び資本金等の額の計算に関する明細書

| 事業年度 | 6 . 4 . 1 / 7 . 3 . 31 | 法人名 | 阪神産業株式会社 | 別表五(一) |

I　利益積立金額の計算に関する明細書

区　分		期首現在利益積立金額 ①	当期の増減 減 ②	当期の増減 増 ③	差引翌期首現在利益積立金額 ①－②＋③ ④
利 益 準 備 金	1	125,000,000円	円	円	125,000,000円
別 途 積 立 金	2	6,262,000,000		700,000,000	6,962,000,000
特 別 償 却 準 備 金	3	84,998,101	27,687,561	7,166,616	64,477,156
特 別 償 却 準 備 金 認 容 額	4	△84,998,101	△27,687,561	△7,166,616	△64,477,156
資 産 圧 縮 積 立 金	5	125,334,824	7,556,014	8,683,000	126,461,810
資 産 圧 縮 積 立 金 認 容 額	6	△125,334,824	△7,556,014	△8,683,000	△126,461,810
退 職 給 付 引 当 金	7	887,019,266	68,861,500	64,414,210	882,571,976
役 員 退 職 慰 労 引 当 金	8	209,325,000		23,650,000	232,975,000
賞 与 引 当 金	9	39,196,632	39,196,632	37,139,940	37,139,940
貸 倒 引 当 金	10	19,142,700	19,142,700	20,189,330	20,189,330
一 括 償 却 資 産	11	2,324,760	1,563,730	1,771,420	2,532,450
繰 延 資 産 償 却 超 過 額	12	5,930,104	1,959,762		3,970,342
減 価 償 却 超 過 額	13	6,485,019	1,694,352		4,790,667
販 売 促 進 費 引 当 金	14	35,600,000	35,600,000	37,800,000	37,800,000
福 利 厚 生 会 残 高	15	3,100,285	3,100,285	2,537,803	2,537,803
	16				
	17				
	18				
	19				
	20				
	21				
	22				
	23				
	24				
繰 越 損 益 金 （ 損 は 赤 ）	25	897,326,160		501,178,346	1,398,504,506
納 税 充 当 金	26	313,250,600	313,250,600	299,950,800	299,950,800
未納法人税等 未 納 法 人 税 及 び 未 納 地 方 法 人 税 （附帯税を除く。）	27	△238,097,600	△ 470,151,400	中間 △232,053,800 確定 △228,177,900	△228,177,900
未 払 通 算 税 効 果 額 （附帯税の額に係る部分の金額を除く。）	28			中間 確定	
未 納 道 府 県 民 税 （均等割を含む。）	29	△ 4,401,300	△ 8,604,700	中間 △ 4,203,400 確定 △ 4,455,200	△ 4,455,200
未 納 市 町 村 民 税 （均等割を含む。）	30	△ 18,157,800	△ 35,499,100	中間 △ 17,341,300 確定 △ 17,572,900	△ 17,572,900
差 引 合 計 額	31	8,545,043,826	△29,885,639	1,184,827,349	9,759,756,814

II　資本金等の額の計算に関する明細書

区　分		期首現在資本金等の額 ①	当期の増減 減 ②	当期の増減 増 ③	差引翌期首現在資本金等の額 ①－②＋③ ④
資 本 金 又 は 出 資 金	32	500,000,000円	円	円	500,000,000円
資 本 準 備 金	33	184,000,000			184,000,000
	34				
	35				
差 引 合 計 額	36	684,000,000			684,000,000

74

〈図表5　利益積立金の種類〉

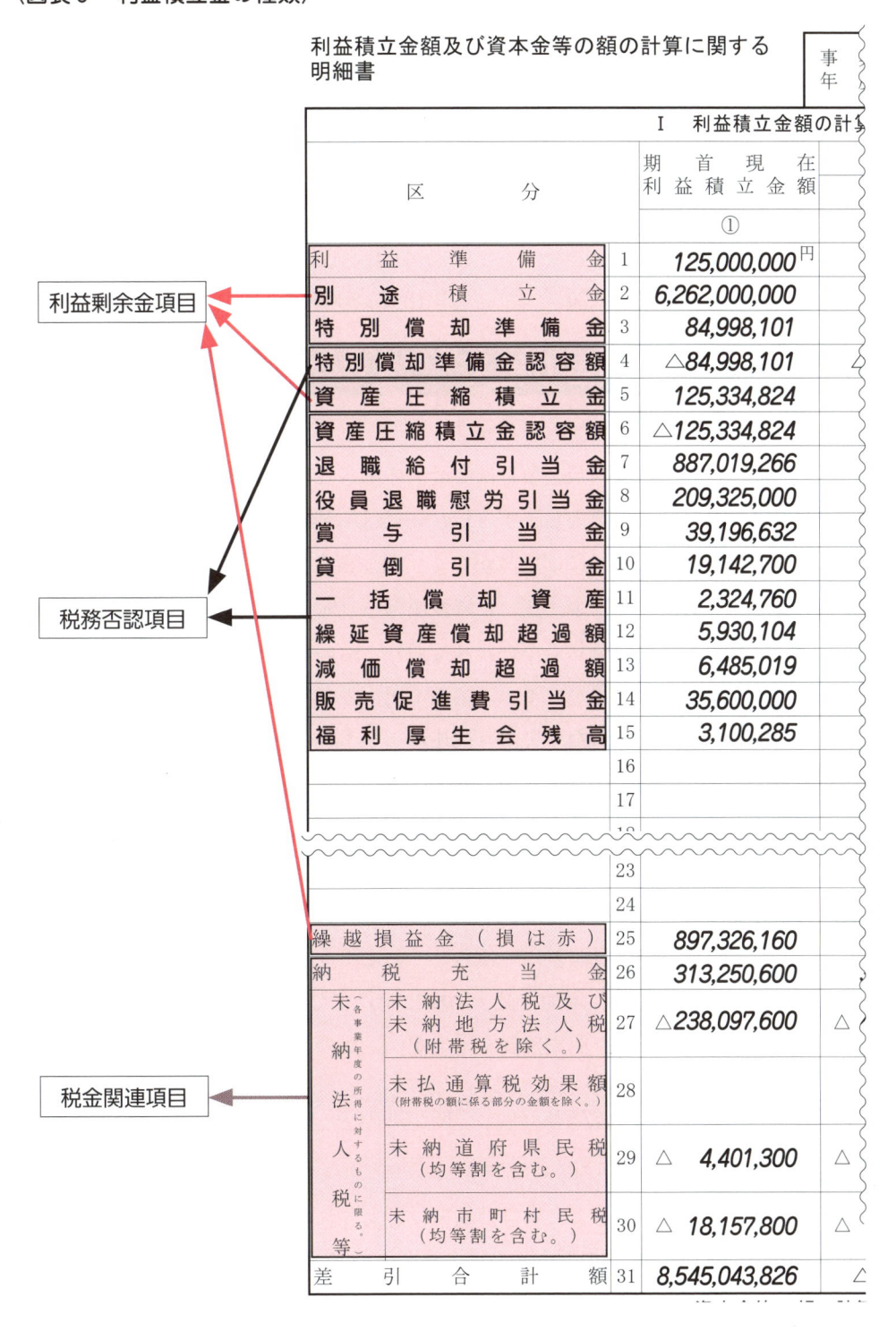

利益積立金額及び資本金等の額の計算に関する明細書

I　利益積立金額の計算

区　　分		期首現在 利益積立金額 ①
利　益　準　備　金	1	125,000,000 円
別　途　積　立　金	2	6,262,000,000
特　別　償　却　準　備　金	3	84,998,101
特別償却準備金認容額	4	△84,998,101
資　産　圧　縮　積　立　金	5	125,334,824
資産圧縮積立金認容額	6	△125,334,824
退　職　給　付　引　当　金	7	887,019,266
役　員　退　職　慰　労　引　当　金	8	209,325,000
賞　与　引　当　金	9	39,196,632
貸　倒　引　当　金	10	19,142,700
一　括　償　却　資　産	11	2,324,760
繰　延　資　産　償　却　超　過　額	12	5,930,104
減　価　償　却　超　過　額	13	6,485,019
販　売　促　進　費　引　当　金	14	35,600,000
福　利　厚　生　会　残　高	15	3,100,285
	16	
	17	
	23	
	24	
繰　越　損　益　金（損は赤）	25	897,326,160
納　税　充　当　金	26	313,250,600
未納法人税等（各事業年度の所得に対するものに限る。）　未　納　法　人　税　及　び　未　納　地　方　法　人　税（附帯税を除く。）	27	△238,097,600 △
未　払　通　算　税　効　果　額（附帯税の額に係る部分の金額を除く。）	28	
未　納　道　府　県　民　税（均等割を含む。）	29	△　4,401,300 △
未　納　市　町　村　民　税（均等割を含む。）	30	△　18,157,800 △
差　引　合　計　額	31	8,545,043,826 △

利益剰余金項目

税務否認項目

税金関連項目

75

| ⑨ | 減価償却超過額（13） | 6,485,019円 |

| ⑩ | 販売促進費引当金（14） | 35,600,000円 |

| ⑪ | 福利厚生会残高（15） | 3,100,285円 |

〈税金関連項目〉

| ① | 納税充当金（26） | 313,250,600円 |

| ② | 未納法人税（27） | △ 238,097,600円 |

| ③ | 未納道府県民税（29） | △ 4,401,300円 |

| ④ | 未納市町村民税（30） | △ 18,157,800円 |

2　利益剰余金項目の記入

●株主資本等変動計算書のとおりに記入

　別表5(1)において、利益剰余金項目は会計上の動きどおり、すなわち株主資本等変動計算書の記載のとおりに記入します（**【次ページ】** 参照）。

　当期中、利益準備金（1）には増減がなく、別途積立金（2）は700,000,000円の増加です。また、特別償却準備金（3）と資産圧縮積立金（5）は、それぞれ当期中に過年度分の取崩しと新たな積立てが行われており、その数字をそのまま転記します。

　なお、4と6の欄にも同額がマイナス金額で記入されていますが、これは利益剰余金ではなく税務否認項目にあたります（後述）。

●繰越損益金の欄は2通りの記入法がある

　25の「繰越損益金」は、会計上の「繰越利益剰余金」に該当する項目で、その科目の残高に一致させねばなりません。株主資本等変動計算書によれば、配当金、積立金、当期純利益を要因として差引き "501,178,346円" 増加しており、その金額を増加欄に記入して、期末残高を貸借対照表に一致させています。

　この25の記入に関しては、増加と減少の欄に両建てで記入するやり方もあります。期首繰越高を減少欄に、また期末残高を増加欄に、次のように記入します。

| 繰越損益金（損は赤） | 25 | 897,326,160 | 897,326,160 | 1,398,504,506 | 1,398,504,506 |
| 納 税 充 当 金 | 26 | | | | |

　いずれの書き方をするにせよ、損益計算書に計上された当期純利益は、税引き後の金額（1,261,784,387円）で25の期末残高に含まれています。

別表5⑴と株主資本等変動計算書のつながり

株主資本等変動計算書

（自令和6年4月1日　至令和7年3月31日）

阪神産業 株式会社

	株　主　資　本				
	利　益　剰　余　金				
	利益準備金	特別償却準備金	資産圧縮積立金	別途積立金	繰越利益剰余金
前 期 末 残 高	125,000,000	84,998,101	125,334,824	6,262,000,000	897,326,160
当 期 変 動 額					
剰余金の配当					△ 80,000,000
剰余金の取崩		△ 27,687,561	△ 7,556,014		35,243,575
剰余金の積立		7,166,616	8,683,000	700,000,000	△ 715,849,616
当 期 純 利 益					1,261,784,387
当期変動額合計	0	△ 20,520,945	1,126,986	700,000,000	501,178,346
当 期 末 残 高	125,000,000	64,477,156	126,461,810	6,962,000,000	1,398,504,506

利益積立金額及び資本金等の額の計算に関する明細書	事業年度	6・4・1 7・3・31	法人名	阪神産業株式会社	別表五（一）

Ⅰ　利益積立金額の計算に関する明細書				
区　　分	期 首 現 在 利 益 積 立 金 額 ①	当 期 の 増 減 減 ②	当 期 の 増 減 増 ③	差引翌期首現在 利 益 積 立 金 額 ①－②＋③ ④
利 益 準 備 金　1	125,000,000 円	円	円	125,000,000 円
別 途 積 立 金　2	6,262,000,000		700,000,000	6,962,000,000
特 別 償 却 準 備 金　3	84,998,101	27,687,561	7,166,616	64,477,156
特別償却準備金認容額　4	△84,998,101	△27,687,561	△7,166,616	△64,477,156
資 産 圧 縮 積 立 金　5	125,334,824	7,556,014	8,683,000	126,461,810
資産圧縮積立金認容額　6	△125,334,824	△7,556,014	△8,683,000	△126,461,810
退 職 給 付 引 当 金　7	887,019,266	68,861,500	64,414,210	882,571,976
繰 越 損 益 金（損は赤）　25	897,326,160		501,178,346	1,398,504,506
納 税 充 当 金　26	313,250,600	313,250,600	299,950,800	299,950,800

3 税務否認項目の記入

●留保所得の増減が利益積立金の増減

　別表4の留保欄で加減算した項目は、次の規則性に従い、別表5(1)において利益積立金の増減として記載されます。

```
　　　別表4　　　別表5(1)
　　　加　算　➡　増加欄
　　　減　算　➡　減少欄
```

●剰余金処分方式の準備金は両建て記載

　④の「特別償却準備金認容」には、すぐ上の③と同じ金額がマイナス数字で記載されています。これは、会計上は特別償却準備金の設定を"剰余金処分方式"で行っているが、税務上は損金算入が認められる、という意味です。

〈図表6　税務否認項目の記入のしかた〉

所得の金額の計算に関する明細書

事業年度	6 ・4 ・1 7 ・3・31	法人名

区　　　　　　　分	総　　　額 ①	処 留　　保 ②
加　退職給付費用の損金不算入額	64,414,210円	64,414,210円
役員退職慰労引当金損金不算入額	23,650,000	23,650,000
賞与引当金損金不算入額	37,139,940	37,139,940
貸倒引当金損金不算入額	20,189,330	20,189,330
販売促進費引当金損金不算入額	37,800,000	37,800,000
福利厚生会残高損金不算入額	2,537,803	2,537,803
減　繰延資産当期認容額	1,959,762	1,959,762
退職給付引当金当期認容額	68,861,500	68,861,500
賞与引当金当期認容額	39,196,632	39,196,632
貸倒引当金当期認容額	19,142,700	19,142,700
販売促進費引当金当期認容額	35,600,000	35,600,000
福利厚生会残高当期認容額	3,100,285	3,100,285

　　つまり、利益剰余金項目として別表5(1)にいったんは計上し（③）、ただし税務上は損金として認容されるため、同額のマイナス利益積立金を計上する（④）ことでそれを取り消しています。

　　逆に、準備金の取崩しについては、会計上、収益計上せず剰余金の戻入れとして処理しますが、税務上は益金に算入され所得金額が増加します。そこで、別表5(1)の減少欄にマイナス計上、つまり利益積立金の増加として記載することになります。

　　資産圧縮積立金についても同様に処理します。

●税務否認項目は別表4の留保欄から転記

　　以下、「退職給付引当金」（⑦）から「福利厚生会残高」（⑮）まで、税務と会計の食い違い項目が並んでいます。いずれも、別表4の留保欄において加算されると、その分、留保所得金額（すなわち利益積立金額）が増加し、逆に、減算した金額分だけ利益積立金額は減少します。これら税務否認項目の増減欄の記入は、上記の規則性に従って、別表4の留保欄からの転記により行われます（図表6参照）。

　　なお、これら税務否認項目の期末残高は、貸借対照表における資産または負債の残高と、数字が密接に結びついています（第4章参照）。

利益積立金額及び資本金等の額の計算に関する明細書		事業年度	6・4・1 7・3・31	法人名	阪神産業株式会社	
I　　利益積立金額の計算に関する明細書						
区　　分		期首現在 利益積立金額 ①	当　期　の　増　減			差引翌期首現在 利益積立金額 ①-②+③
			減 ②		増 ③	④
利　益　準　備　金	1	125,000,000 円	円		円	125,000,000 円
別　途　積　立　金	2	6,262,000,000			700,000,000	6,962,000,000
特　別　償　却　準　備　金	3	84,998,101	27,687,561		7,166,616	64,477,156
特別償却準備金認容額	4	△84,998,101	△27,687,561		△7,166,616	△64,477,156
資　産　圧　縮　積　立　金	5	125,334,824	7,556,014		8,683,000	126,461,810
資産圧縮積立金認容額	6	△125,334,824	△7,556,014		△8,683,000	△126,461,810
退　職　給　付　引　当　金	7	887,019,266	68,861,500		64,414,210	882,571,976
役　員　退　職　慰　労　引　当　金	8	209,325,000			23,650,000	232,975,000
賞　与　引　当　金	9	39,196,632	39,196,632		37,139,940	37,139,940
貸　倒　引　当　金	10	19,142,700	19,142,700		20,189,330	20,189,330
一　括　償　却　資　産	11	2,324,760	1,563,730		1,771,420	2,532,450
繰　延　資　産　償　却　超　過　額	12	5,930,104	1,959,762			3,970,342
減　価　償　却　超　過　額	13	6,485,019	1,694,352			4,790,667
販　売　促　進　費　引　当　金	14	35,600,000	35,600,000		37,800,000	37,800,000
福　利　厚　生　会　残　高	15	3,100,285	3,100,285		2,537,803	2,537,803
	16					
	17					

◉納税充当金イコール未払法人税等

26以下の欄には、税金に関する項目が並んでいます。まず、26の「納税充当金」は、会計上の「未払法人税等」の動きのとおりに記入します。期首繰越高313,250,600円は前期の貸借対照表、期末残高299,950,800円は当期の貸借対照表の金額と一致します。当期中の増減に関しては、総勘定元帳から当該科目の元帳を引っ張り出して、年間の借方合計額を減少欄、貸方合計額を増加欄に記入します（図表7参照）。

〈図表7　納税充当金の記入のしかた〉

未 払 法 人 税 等

阪神産業株式会社 （令和6年4月1日〜令和7年3月31日）

月日		相手科目	摘　　　要	借方金額	貸方金額	残　高
			繰 越 金 額			313,250,600
5	30	普 通 預 金	前期確定分法人税の納付	238,097,600		
		普 通 預 金	前期確定分事業税の納付	52,593,900		
		普 通 預 金	前期確定分県民税の納付	4,401,300		
		普 通 預 金	前期確定分市民税の納付	18,157,800		0
			（月間取引累計）	313,250,600	0	
3	31	法 人 税 等	当期確定分法人税等の未払い計上		299,950,800	299,950,800
			（月間取引累計）	0	299,950,800	
			合　　　　　計	313,250,600	299,950,800	

	23			
	24			
繰 越 損 益 金 （ 損 は 赤 ）	25	897,326,160		501,178,346	1,398,504,506
納 税 充 当 金	26	313,250,600	313,250,600	299,950,800	299,950,800

未納法人税等（各事業年度の所得に対するものに限る。）

未 納 法 人 税 及 び 未 納 地 方 法 人 税 （附帯税を除く。）	27	△238,097,600	△ 470,151,400	中間 △232,053,800 確定 △228,177,900	△228,177,900
未 払 通 算 税 効 果 額 （附帯税の額に係る部分の金額を除く。）	28			中間 確定	
未 納 道 府 県 民 税 （均等割を含む。）	29	△ 4,401,300	△ 8,604,700	中間 △ 4,203,400 確定 △ 4,455,200	△ 4,455,200
未 納 市 町 村 民 税 （均等割を含む。）	30	△ 18,157,800	△ 35,499,100	中間 △ 17,341,300 確定 △ 17,572,900	△ 17,572,900
差 引 合 計 額	31	8,545,043,826	△29,885,639	1,184,827,349	9,759,756,814

◉通常、納税充当金の増減は年2回

　まず、6年5月に前期分の税金を納付する際、4種類の税金合計で313,250,600円を取り崩しており、これが借方合計額です。そこでその金額を、別表5⑴の減少欄に記入します。一方、増加欄の299,950,800円は、7年3月の仕訳で貸方に計上する金額です。

　通常、未払法人税等、すなわち納税充当金の金額が増減する機会は、前期分の納税と当期末における確定分の未払い計上、の2回だけです。それ以外にこの科目に増減があるとすれば、修正申告に伴う追徴税の納付、半期決算や四半期決算に伴う未払い計上とその取崩し、といったケースでしょう。

◉未納法人税等の欄は納税義務に関する記載

　つぎに、「未納法人税等」（27〜30）の説明をします（【74ページ】参照）。別表5⑴を理解するうえでこの箇所が最も難解とされていますが、これらの数字は次の金額を前提としています。

	前期確定分 （6年5月納付）	当期中間分 （6年11月納付）	当期確定分 （7年5月納付）
法 人 税	238,097,600円	232,053,800円	228,177,900円
県 民 税	4,401,300円	4,203,400円	4,455,200円
市 民 税	18,157,800円	17,341,300円	17,572,900円

　（注）法人税額には地方法人税額を含んでいます。

　たとえば未納法人税（27）の場合、前期末（6年3月末）の時点で238,097,600円の納税義務が成立しています。そこで、その金額が「期首現在高」として記入されています。

　つぎに、当期分の法人税のうち中間分232,053,800円は中間期末（6年9月末）、確定分228,177,900円は当期末（7年3月末）に、それぞれ納税義務が成立します。そこで増加欄において、それぞれの金額を二段書きで記入します。

◉減少欄は2回分をまとめて記入

　一方、当期中に納税の機会は2回あり、6年5月に前期分、6年11月に中間分を納付したことで納税義務が消滅するので、そのことを減少欄に記入します。増加欄のように二段書きすれば分かりやすいのですが、減少欄は2回分をまとめて記載することになっています。

　　　238,097,600円 + 232,053,800円 = 470,151,400円

　未納法人税等は、金額欄の頭に“△”と印字されており、利益積立金額から控除す

る項目、すなわちマイナスの利益積立金となります。

　未納道府県民税（㉙）と未納市町村民税（㉚）の欄も、同様に記載します。いずれも"法人税割"と"均等割"の合計額を記入します。

◉未納法人税等はマイナスの利益積立金

　税金関連項目の記載について、もう少し説明を続けます。

　納税充当金と未納法人税等は、片やプラスの利益積立金で、他方はマイナスの利益積立金項目という関係にあります。第1章の **2**・**5** で述べたとおり「納税充当金」は、会計上は負債ですが税務上は資本扱いされます。そこで、利益積立金として別表5⑴に登場します。

　また、「未納法人税等」は経理処理（納税予定額の未払い計上）以前の、納付すべき税額がいくらであるか、という話です。たとえ未払法人税等の科目を計上しなくても、未納法人税等は存在します。利益積立金は"留保"所得を源泉とするので、法人税等として社外流出（納税）する金額を利益積立金額から控除するため、別表5⑴でマイナス計上しています。

◉いったん税引き前に直す

　ところで、利益積立金は"課税済み"の留保所得、つまり税引き後の金額です。その観点で別表5⑴を見たとき、この表は**【次ページ】**のように両建て記載となっています（図表8）。

　①から㉕の欄にかけて税引き後の数字で集計した金額を、㉖でいったん税引き前に戻しています。その後、㉗～㉚においてマイナス計上することで、最終的に「差引合計額」（㉛）は税引き後の数字に直ります。

　第1章の **2**・**5** で述べたとおり、別表5⑴でこのように回りくどい書き方をするのは、別表4における計算構造との関係からで、このことは第3章において、さらに詳しく説明することとします。

〈図表8 納税充当金と未納法人税等〉

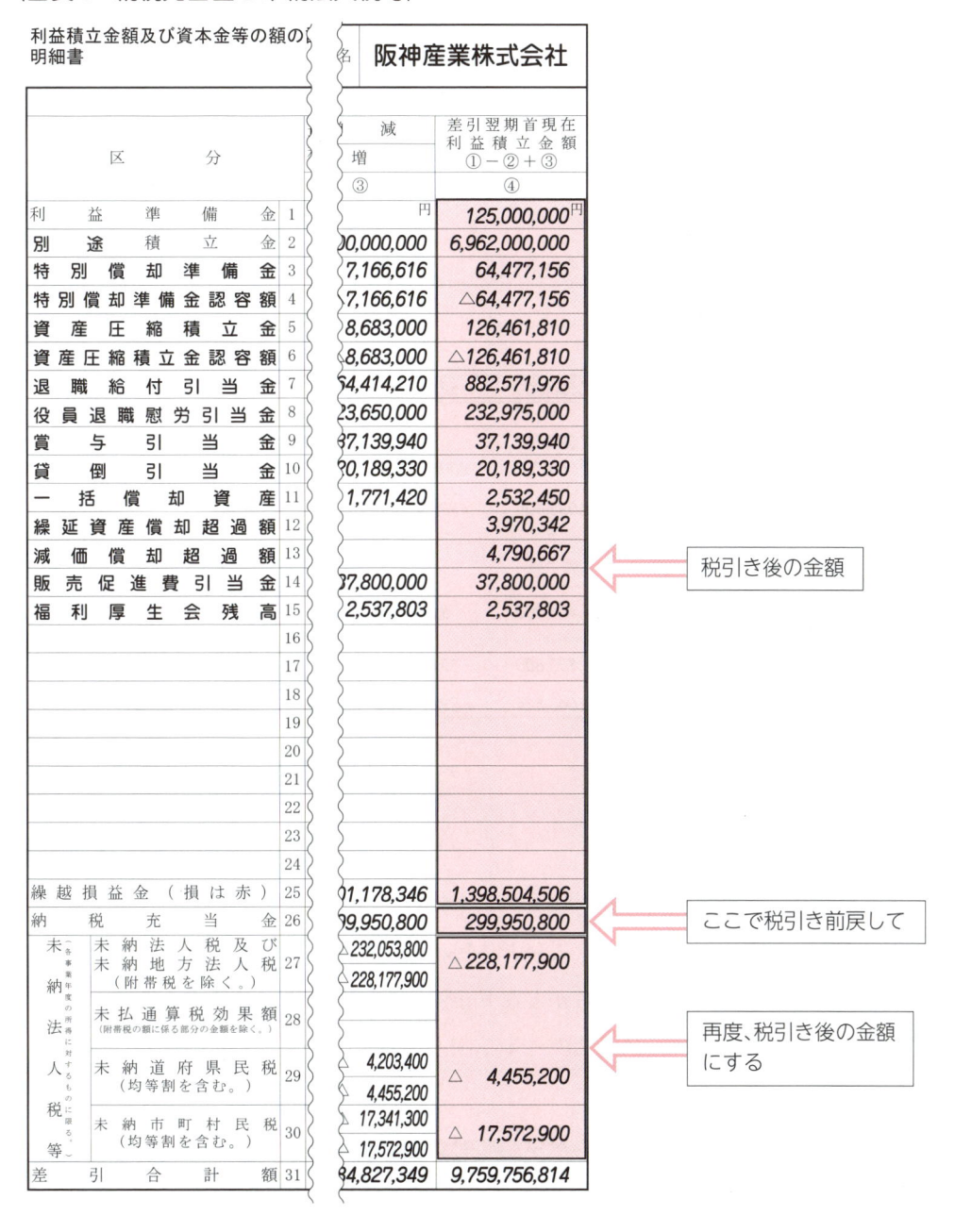

利益積立金額及び資本金等の額の明細書
名 阪神産業株式会社

区　　　分		減 増 ③	差引翌期首現在利益積立金額 ①－②＋③ ④
利　益　準　備　金	1	円	125,000,000 円
別　途　積　立　金	2	)0,000,000	6,962,000,000
特　別　償　却　準　備　金	3	7,166,616	64,477,156
特別償却準備金認容額	4	7,166,616	△64,477,156
資　産　圧　縮　積　立　金	5	8,683,000	126,461,810
資産圧縮積立金認容額	6	8,683,000	△126,461,810
退　職　給　付　引　当　金	7	64,414,210	882,571,976
役員退職慰労引当金	8	23,650,000	232,975,000
賞　与　引　当　金	9	37,139,940	37,139,940
貸　倒　引　当　金	10	20,189,330	20,189,330
一　括　償　却　資　産	11	1,771,420	2,532,450
繰延資産償却超過額	12		3,970,342
減　価　償　却　超　過　額	13		4,790,667
販　売　促　進　費　引　当　金	14	37,800,000	37,800,000
福　利　厚　生　会　残　高	15	2,537,803	2,537,803
	16		
	17		
	18		
	19		
	20		
	21		
	22		
	23		
	24		
繰越損益金（損は赤）	25	01,178,346	1,398,504,506
納　税　充　当　金	26	99,950,800	299,950,800
未納法人税等（各事業年度の所得に対するものに限る。）	未 納 法 人 税 及 び 未 納 地 方 法 人 税 （附帯税を除く。）	27	△232,053,800 △228,177,900	△228,177,900
	未 払 通 算 税 効 果 額 （附帯税の額に係る部分の金額を除く。）	28		
	未 納 道 府 県 民 税 （均等割を含む。）	29	△ 4,203,400 △ 4,455,200	△ 4,455,200
	未 納 市 町 村 民 税 （均等割を含む。）	30	△ 17,341,300 △ 17,572,900	△ 17,572,900
差　引　合　計　額	31	84,827,349	9,759,756,814

税引き後の金額 ←（13行を指す）

ここで税引き前戻して ←（26行を指す）

再度、税引き後の金額にする ←（29行付近を指す）

なお、期末残高欄における⽫〜㉚の合計額は“△250,206,000円”で、㉖の金額と“49,744,800円”だけ一致しませんが、それは確定分の事業税額です。つまり、事業税は損金算入の税金なので未納法人税等にはなりません。しかし、未払い計上の事業税はいまだ損金とならないので納税充当金には含まれることから、その金額分だけ不一致が生じます。

この不一致を正すため、別表5(1)を次のようにする書き方も考えられます。

		21				
		22				
未 払 事 業 税		23	52,593,900	52,593,900	49,744,800	49,744,800
		24				
繰 越 損 益 金 （ 損 は 赤 ）		25	897,326,160		501,178,346	1,398,504,506
納 税 充 当 金		26	260,656,700	260,656,700	250,206,000	250,206,000
未納法人税等	未 納 法 人 税 及 び 未 納 地 方 法 人 税 （附帯税を除く。）	27	△ 238,097,600	△ 470,151,400	中間 △232,053,800 確定 △228,177,900	△ 228,177,900
	未 払 通 算 税 効 果 額 （附帯税の額に係る部分の金額を除く。）	28			中間 確定	
	未 納 道 府 県 民 税 （均等割を含む。）	29	△ 4,401,300	△ 8,604,700	中間 △4,203,400 確定 △4,455,200	△ 4,455,200
	未 納 市 町 村 民 税 （均等割を含む。）	30	△ 18,157,800	△ 35,499,100	中間 △17,341,300 確定 △17,572,900	△ 17,572,900
差 引 合 計 額		31	8,545,043,826	△29,885,639	1,184,827,349	9,759,756,814

合計
△250,206,000

未払事業税を、納税充当金から抜き出して別行に記載することにより、納税充当金の中身を未納法人税等と同じく法人税と住民税だけに限定すれば、㉖と⽫〜㉚の関係がまさに両建てであることが明らかとなります。ただし通常、このような書き方はしません。あくまで㉖欄は、会計上の「未払法人税等」の動きどおりに記入するのが一般的です。

5 　別表5(1)作成の実務

別表5(1)はかなり分かりにくい表で、これを作成する際、どういう順序で記入するか迷います。統一規格の書き方はなく、人によってさまざまな書き方をしています。

利益積立金は課税済みの留保所得なので、別表5(1)の増減欄は別表4の留保欄における加減算と連動しています。そこで、理屈の上では両者のつながりによって、すな

わち、別表 4 の留保欄からの転記で別表 5 (1)を作成することができます。しかし、現実にはそのつながりだけで作成することには無理があり、通常の場合、次のような手順で記入するのが分かりやすいと思います。

利益剰余金項目	◀ 株主資本等変動計算書から転記
税 務 否 認 項 目	◀ 別表 4 の留保欄から転記
納 税 充 当 金	◀ 未払法人税等の元帳から転記
未 納 法 人 税 等	◀ 納税額一覧表（別表 5 (2)）から転記

●利益積立金の種類ごとに基礎資料がある

　利益積立金の種類に応じて、それぞれの増減記入の基礎資料が異なります。すでに、本節の **2 ～ 4** で説明済みですが、ここで再度まとめておくこととします。

　まず、利益剰余金項目の増減は株主資本等変動計算書に記載されていますから、その「当期変動額」欄からの転記により記入します（**【77ページ】**）。

　税務否認項目については、別表 4 の留保欄とのつながりで記入します。「加算→増加」、「減算→減少」の規則性に従って、転記すればいいでしょう（図表 6 ）。

　税金関連項目のうち納税充当金（㉖）については、総勘定元帳から未払法人税等の科目を引っ張り出して、借方合計→減少、貸方合計→増加と記入します（図表 7 ）。

　最後に、未納法人税等（㉗～㉚）の欄については、法人税と住民税に関する当期中の納付状況（前期分および中間分）、さらに当期確定分の納税額を一覧表でまとめておいて（**【81ページ】** 参照）、その記載に基づいて記入します。

　なお、この一覧表は、結局のところ別表 5 (2)と同じ内容ですから、別表 5 (2)を先に作成し、そこからの転記によって別表 5 (1)を作成するのが、本来の書き方です。

3 別表5⑵の記入

阪神産業株式会社の別表5⑵を、【次ページ】に掲げているのでご覧ください。

（注）42以下の欄は、グループ通算制度を選択している法人が使用します。通常の単体納税制度を選択している法人には、一切関係がありません。

1 租税公課の納付状況

●税金の納付状況と未払法人税等の増減をまとめた表

別表5⑵の紙面は、次の2つに大別されます。

　　{ 各種税金の納付状況
　　{ 納税充当金の増減

まずは、法人税、住民税および事業税について、それぞれの納付状況が記載されています。この記入の前提となるのは次の納税額です。

	前期確定分 （6年5月納付）	当期中間分 （6年11月納付）	当期確定分 （7年5月納付）
法 人 税	238,097,600円	232,053,800円	228,177,900円
県 民 税	4,401,300円	4,203,400円	4,455,200円
市 民 税	18,157,800円	17,341,300円	17,572,900円

　（注）法人税額には地方法人税額を含んでいます。

（1）法人税・住民税

●前期分・中間分・確定分に関する記載

「期首現在未納税額」は、期首現在すなわち前期末において納税義務がいくらあったか、ということです。つぎに「当期発生税額」の欄は、当期中に納税義務がいくら成立したかということで、当期の中間分と確定分の税額をそれぞれ記載します。

「当期中の納付税額」の欄には、当期中に納付した前期分と中間分の税額を記入し

阪神産業の別表5⑵

租税公課の納付状況等に関する明細書

事業年度	6・4・1 7・3・31	法人名	阪神産業株式会社	別表五(二)

税目及び事業年度			期首現在未納税額 ①	当期発生税額 ②	当期中の納付税額			期末現在未納税額 ①+②-③-④-⑤ ⑥
					充当金取崩しによる納付 ③	仮払経理による納付 ④	損金経理による納付 ⑤	
法人税及び地方法人税		・ ・ ・ ・	1	円	円	円	円	円	円
		5・4・1 6・3・31	2	238,097,600		238,097,600			0
	当期分	中間	3		232,053,800			232,053,800	0
		確定	4		228,177,900				228,177,900
		計	5	238,097,600	460,231,700	238,097,600	0	232,053,800	228,177,900
道府県民税		・ ・ ・ ・	6						
		5・4・1 6・3・31	7	4,401,300		4,401,300			0
	当期分	中間	8		4,203,400			4,203,400	0
		確定	9		4,455,200				4,455,200
		計	10	4,401,300	8,658,600	4,401,300	0	4,203,400	4,455,200
市町村民税		・ ・ ・ ・	11						
		5・4・1 6・3・31	12	18,157,800		18,157,800			0
	当期分	中間	13		17,341,300			17,341,300	0
		確定	14		17,572,900				17,572,900
		計	15	18,157,800	34,914,200	18,157,800	0	17,341,300	17,572,900
事業税及び特別法人事業税		・ ・ ・ ・	16						
		5・4・1 6・3・31	17		52,593,900	52,593,900			0
	当期中間分		18		50,229,400			50,229,400	0
		計	19	0	102,823,300	52,593,900	0	50,229,400	0
その他	損金算入のもの	利子税	20						
		延滞金（延納に係るもの）	21						
			22						
			23						
	損金不算入のもの	加算税及び加算金	24						
		延滞税	25						
		延滞金（延納分を除く。）	26						
		過怠税	27						
		源泉所得税等	28		2,951,607			2,951,607	0
			29						

納税充当金の計算						
期首納税充当金	30	313,250,600 円	取崩額	その他	損金算入のもの	36	円
繰入額	損金経理をした納税充当金	31	299,950,800		損金不算入のもの	37	
		32				38	
	計 (31)+(32)	33	299,950,800		仮払税金消却	39	
取崩額	法人税額等 (5の③)+(10の③)+(15の③)	34	260,656,700		計 (34)+(35)+(36)+(37)+(38)+(39)	40	313,250,600
	事業税及び特別法人事業税 (19の③)	35	52,593,900	期末納税充当金 (30)+(33)-(40)		41	299,950,800

通算法人の通算税効果額の発生状況等の明細						
事業年度		期首現在未決済額 ①	当期発生額 ②	当期中の決済額		期末現在未決済額 ⑤
				支払額 ③	受取額 ④	
・ ・ ・ ・	42	円		円	円	円
・ ・ ・ ・	43					
当期分	44		中間 円			
			確定			
計	45					

ます。その際、記入欄が次の３つに分かれ、それぞれ書き分けるようになっています。

- 充当金取崩しによる納付（③）
- 仮払経理による納付（④）
- 損金経理による納付（⑤）

●３通りの経理処理のうちいずれで処理したか

上記の３分類は、次のように税金納付の際の経理処理の違いを表しています。

区　分	経理処理	仕　　　訳	
充当金取崩し	負債取崩し	（借）負　　　債　×××	（貸）現 金 預 金　×××
仮 払 経 理	資産計上	（借）資　　　産　×××	（貸）現 金 預 金　×××
損 金 経 理	費用計上	（借）費　　　用　×××	（貸）現 金 預 金　×××

税金の納付に関する処理として、"負債取崩し" "資産計上" および "費用計上" の３通りが考えられます。そこで、いずれの処理を行ったかを、この表で明らかにすることとされています。

●前期分は負債の取崩し

たとえば、法人税に関する記載（1〜5）は次のとおりです。

まず、６年５月に前期分を納付する際、次のように処理しました。

> ６年５月　前期分法人税の納付
>
> （借）未 払 法 人 税 等　238,097,600　　（貸）現 金 預 金　238,097,600

この処理は負債の取崩しです。そこで、別表5⑵において「充当金取崩しによる納付」の欄に記入しています。

なお、前期分の納付に際し、一部は負債の取崩し、残りが費用処理といったケースもありえます。そういう場合、その処理のとおり③と⑤の欄に金額を書き分けることとなります。

●中間分はいったん資産計上

つぎに、中間分は６年11月に納付し、このように仕訳しました。

> ６年11月　中間分法人税の納付
>
> （借）仮　　払　　金　232,053,800　　（貸）現 金 預 金　232,053,800

　これは資産計上の仕訳です。ところが、別表5⑵で「損金経理による納付」の欄に記入しているのはなぜか？——それは、上記の3分類が必ずしも経理処理（仕訳）だけでは決まらないからです。

　決め手となるのは、決算において最終的にその金額がどこに計上されたか、要するに、貸借対照表または損益計算書のいずれに計上されたかという点です。

●最終的に費用処理

　6年11月の仕訳で使用した仮払金は通過勘定で、後日、次のように精算されています。

7年3月　確定分法人税等の未払い計上

　（借）法人税、住民税　232,053,800　　（貸）仮　　払　　金　232,053,800
　　　　及び事業税

　つまり、最終的には費用処理され、損益計算書の借方に計上されたので「損金経理」欄に記入されます。仕訳にとらわれて、「仮払経理による納付」の欄に記載しないようご注意ください。

●貸借対照表に計上すれば仮払経理

　納付した税金が「仮払経理による納付」の欄に記載されるのは、最終的にその税額が貸借対照表の借方に計上されたときです。たとえば、赤字決算のため、予定納税で納めた中間分の税金が翌期に還付されるケースがあります。その際、還付税額を仮払金や未収金の科目で資産計上すれば、それは「仮払経理による納付」ということになります。

●当期確定分は期末残高として残る

　最後に、「期末現在未納税額」は通常、「当期発生税額」欄に確定分として記載した金額がそのまま残ります。なお、修正申告で追徴税額が生じたときは、それが確定した年度に「期首現在未納税額」欄で、対象年度ごとに記載します。そして、その年度中に納付すれば「当期中の納付税額」欄に記入し、納税が翌期にずれ込む場合には「期末現在未納税額」欄に残ることとなります。

　道府県民税（⑥～⑩）や市町村民税（⑪～⑮）も、同様に記入します。

（2）事業税

●事業税は確定分を記載しない

　事業税（⑯～⑲）については、前期分と中間分のみ記入します。当期確定分に関す

る記載箇所は設けられていません。それは、法人税や住民税と違って、事業税は損金に算入され利益積立金を構成しないからです。

　法人税や住民税は、損金不算入の税金なので、確定分の未納税額をマイナスの利益積立金として計上しなければなりません。そこで、その金額をこの表で明らかにしておきます。

　ところが、事業税に関して問題となるのは、当期中に納付した前期分と中間分の税額が、別表4で減算されるかどうかということだけです。確定分を未払い計上したときは損金不算入ですが、その調整は納税充当金の加算として別途行います。

●前期分が当期発生？

　なお、前期分事業税の記載（⑰）に関して、税額（52,593,900円）を「当期発生税額」欄に記入しています（【87ページ】）。どうして法人税や住民税のように「期首現在未納税額」ではないのか──それは事業税の損金算入時期が、納税申告書の提出日を含む事業年度だからです。

　前期確定分の事業税は、当期に入って損金に算入されます。そこで“当期損金算入”をイコール“当期発生”ととらえて、当期中間分（⑱）と同様、当期発生の欄に記入することとされています。

■（3）その他の税金

●印字された税目以外は通常記載しない

　法人税、住民税および事業税以外の税金を記載するため、「その他」の欄が設けられています。「損金算入のもの」と「損金不算入のもの」の2つの欄に区分し、利子税等の税目が印字されています。

　会社で納める税金には、法人税等以外に固定資産税、自動車税、印紙税などいろいろありますが、それらをこの欄に一つひとつ記入する必要はありません。それらの税金は通常、納付時に費用処理し、税務上もその時点で損金に算入されます。税務と会計で食い違うことがないので、わざわざこの表に記載する実益がないからです。

　ただし、両者が食い違うとき、たとえば損金算入の税金を費用処理せず、資産計上ないし負債取崩しの処理をしているときは、別表4で減算が必要です。そのような場合には、別表5⑵でその内容を明らかにしておかねばなりません。

●ペナルティーに関する記載が中心

　この表で最初から印字されている税目は、加算税や延滞税などペナルティーが中心です。国税と区別するため、地方税法では加算金、延滞金のように“金”の言葉で表

現します。「損金不算入のもの」として記載されている税金を、損金経理していれば別表4で加算し、充当金取崩しまたは仮払経理であれば調整不要です。

「損金算入のもの」の欄に記載されている"利子税"等は、申告期限の延長に伴い納付する金利相当額です。これはペナルティーではないので、損金に算入されます。そこでこれらの税金は、損金経理していれば調整不要ですが、充当金取崩しまたは仮払経理のときは減算することになります。

●源泉所得税に関して記載することもある

「その他」欄に記載する税目として、他に"源泉所得税"があります。源泉所得税（復興特別所得税を含む）は本来、損金算入の税金ですが、税額控除をするときは計算技術上の理由で、損金不算入扱いすることになっています。そこで、別表4において加算する"2,951,607円"が28に記入してあります。詳しい計算は別表6(1)で行い、この表には結論だけ記入するので、この記載にはあまり意味がありません。

ただし、株式配当に対する源泉所得税などで、所有期間按分により全額が税額控除の対象とされないケースがあります。そういう場合、たとえば総額100,000円の源泉所得税のうち、80,000円は税額控除されるため損金不算入、残り20,000円は控除されないので損金算入とするようなとき、それぞれを「損金算入のもの」と「損金不算入のもの」に分けて記載しておけば、所得計算や税額計算との関係が明確になります。

2　納税充当金の計算

●租税公課の納付状況欄の数字と関連する

別表5(2)には各種税金の納付状況のほか、納税充当金の増減に関して記載する欄も設けられています。これは、別表5(1)における「納税充当金」（26）の増加と減少の内容を明らかにするためのものです。

「繰入額」に関しては、通常、期末の未払い計上で31に数字が入るだけです。「取崩額」については、上掲の租税公課の納付状況に照らして、記入欄が区分されます。両者の数字の関連は、【次ページ】のとおりです。

●損金算入税金を納付する際の取崩額は減算

別表5(2)において、34には法人税と住民税の納付に際して取り崩した未払法人税等の金額を記入します。35は事業税の納付です。事業税は損金算入の税金で、負債の取崩しで納めた金額は減算が必要なので、法人税や住民税と区別して記入します。

上記以外の税金についても、加算税など損金不算入のものと損金算入のものは区別し、「損金算入のもの」（36）の欄に記入した金額は、別表4で減算することとなります。

別表５⑵の数字の関連

租税公課の納付状況等に関する明細書

| 事業年度 | 6・4・1 / 7・3・31 | 法人名 | 阪神産業株式会社 | 別表五(二) |

税目及び事業年度				期首現在未納税額 ①	当期発生税額 ②	当期中の納付税額 充当金取崩しによる納付 ③	当期中の納付税額 仮払経理による納付 ④	当期中の納付税額 損金経理による納付 ⑤	期末現在未納税額 ①+②-③-④-⑤ ⑥
法人税及び地方法人税		・ ・	1	円		円	円	円	円
		5・4・1 / 6・3・31	2	238,097,600		238,097,600			0
	当期分	中間	3		232,053,800 円			232,053,800	0
		確定	4		228,177,900				228,177,900
		計	5	238,097,600	460,231,700	238,097,600	0	232,053,800	228,177,900
道府県民税		・ ・	6						
		5・4・1 / 6・3・31	7	4,401,300		4,401,300			0
	当期分	中間	8		4,203,400			4,203,400	0
		確定	9		4,455,200				4,455,200
		計	10	4,401,300	8,658,600	4,401,300	0	4,203,400	4,455,200
市町村民税		・ ・	11						
		5・4・1 / 6・3・31	12	18,157,800		18,157,800			0
	当期分	中間	13		17,341,300			17,341,300	0
		確定	14		17,572,900				17,572,900
		計	15	18,157,800	34,914,200	18,157,800	0	17,341,300	17,572,900
事業税及び特別法人事業税		・ ・	16						
		5・4・1 / 6・3・31	17		52,593,900	52,593,900			0
	当期中間分		18		50,229,400			50,229,400	0
		計	19	0	102,823,300	52,593,900	0	50,229,400	0
そ の 他	損金算入のもの	利子税	20						
		延滞金（延納に係るもの）	21						
			22						
			23						
	損金不算入のもの	加算税及び加算金	24						
		延滞税	25						
		延滞金（延納分を除く。）	26						
		過怠税	27						
		源泉所得税等	28		2,951,607			2,951,607	0
			29						

納 税 充 当 金 の 計 算						
期首納税充当金	30	313,250,600 円	取崩額	その他	損金算入のもの	36	円
繰入額	損金経理をした納税充当金	31	299,950,800		損金不算入のもの	37	
		32				38	
	計 (31)+(32)	33	299,950,800		仮払税金消却	39	
取崩額	法人税額等 (5の③)+(10の③)+(15の③)	34	260,656,700		計 (34)+(35)+(36)+(37)+(38)+(39)	40	313,250,600
	事業税及び特別法人事業税 (19の③)	35	52,593,900	期末納税充当金 (30)+(33)-(40)		41	299,950,800

通算法人の通算税効果額の発生状況等の明細

事業年度		期首現在未決済額 ①	当期発生額 ②	当期中の決済額 支払額 ③	当期中の決済額 受取額 ④	期末現在未決済額 ⑤
・ ・	42	円		円	円	円
・ ・	43					
当期分	44		中間 円 / 確定			
計	45					

第3章

別表4・5の関連

1 別表4と5⑵の関連

●別表5⑵からの転記で別表4を作成

第1章の**3**・**1**において、別表5⑵は別表4と5⑴の橋渡しをする表、という説明をしました。実務上、まずは別表5⑵を作成し、この表からの転記によって別表4と5⑴を記入するようにすれば、正確に2枚の表ができあがります。

以下、阪神産業㈱の申告書に基づき、別表5⑵と別表4および5⑴の数字の関連を見ていくことにします。まず、【96ページ】で別表4と5⑵の関連を示しているのでご覧ください。

1 法人税等の関連

●損金経理した法人税は別表4の2で加算

最初に、法人税の関連を見ます。法人税は損金不算入の税金ですから、別表5⑵の当期中の納付税額で「損金経理」欄（⑤）に記入されている中間分の税額（232,053,800円）は、加算が必要です。そこで、この金額を別表4の2で加算します。

中間分以外でも、前期分あるいは修正申告に伴う過年度分を当期に損金経理で納付したときは、同様に別表4の2で加算します。したがって、法人税に関して、2枚の表は次のような関係にあります。

> 別表5⑵の1～3の⑤ ➡ 別表4の2

一方、別表5⑵の「充当金取崩し」（③）と「仮払経理」（④）の欄に記入している金額は、税務上の取扱いと食い違わないので調整は不要で、別表4には現れません。

●損金経理した住民税は別表4の3で加算

住民税に関する関連も法人税と同様です。「充当金取崩し」（③）と「仮払経理」（④）は調整不要ですが、「損金経理」欄（⑤）に記入している金額は、加算が必要です。住民税を別表4で加算する際、合計額で3にて加算することになっています。

> 別表5⑵の6～8、11～13の⑤ ➡ 別表4の3

●損金経理以外の事業税は別表4の⒀で減算

つぎに事業税の関連ですが、これは法人税や住民税とは異なります。事業税は現金主義で損金に算入されますから、当期中の納付税額のうち「充当金取崩し」（③）と「仮払経理」（④）の欄に記入した金額が、別表4における調整対象となります。

阪神産業㈱は、前期確定分52,593,900円を当期に納付した際、「未払法人税等」の取崩しで処理しています。損金算入なので減算が必要とされ、その調整は別表4の⒀で行います。

以上に対して、「損金経理」欄（⑤）に記入している金額は食い違いがないので、別表4には現れません。

> 別表5⑵の⒃〜⒅の③・④　➡　別表4の⒀

2　その他税金の関連

●損金算入の税金は損金経理以外のものを別表4で減算

別表5⑵に記載される法人税、住民税および事業税以外の税金については、「損金算入のもの」と「損金不算入のもの」とで関連性を異にします。

まず、利子税など損金算入のもの（⒇〜㉓）については、事業税と同様、「充当金取崩し」（③）と「仮払経理」（④）の欄に記入した金額が、別表4で減算として現れます。とくに定まった記載箇所はないので、減算欄の㉑以下の任意の箇所（社外流出欄）に記入します。

●損金不算入の税金は損金経理したものを別表4の⑤・㉙で加算

一方、加算税など損金不算入のもの（㉔〜㉙）は、法人税や住民税と同じように、「損金経理」欄（⑤）に記入してある金額を、別表4で加算することになります。記入箇所は、"源泉所得税"が㉙、その他（各種ペナルティー）は⑤とされています。

> 別表5⑵の㉔〜㉙の⑤　➡　別表4の⑤・㉙

租税公課の納付状況等に関する明細書

事業年度	6・4・1 7・3・31	法人名	阪神産業株式会社

別表五(二)

税　目　及　び　事　業　年　度			期首現在未納税額 ①	当期発生税額 ②	当期中の納付税額			期末現在未納税額 ①+②-③-④-⑤ ⑥
					充当金取崩しによる納付 ③	仮払経理による納付 ④	損金経理による納付 ⑤	
法人税及び地方法人税		・　・ ・　・	1	円		円	円	円	円
		5・4・1 6・3・31	2	238,097,600		238,097,600			0
	当期分	中　間	3		232,053,800 円			232,053,800	0
		確　定	4		228,177,900				228,177,900
		計	5	238,097,600	460,231,700	238,097,600	0	232,053,800	228,177,900
道府県民税		・　・ ・　・	6						
		5・4・1 6・3・31	7	4,401,300		4,401,300			0
	当期分	中　間	8		4,203,400			4,203,400	0
		確　定	9		4,455,200				4,455,200
		計	10	4,401,300	8,658,600	4,401,300	0	4,203,400	4,455,200
市町村民税		・　・ ・　・	11						
		5・4・1 6・3・31	12	18,157,800		18,157,800			0
	当期分	中　間	13		17,341,300			17,341,300	0
		確　定	14		17,572,900				17,572,900
		計	15	18,157,800	34,914,200	18,157,800	0	17,341,300	17,572,900
事業税及び特別法人事業税		・　・ ・　・	16						
		5・4・1 6・3・31	17		52,593,900	52,593,900			0
	当　期　中　間　分		18		50,229,400			50,229,400	
		計	19	0	102,823,300	52,593,900	0	50,229,400	
その他	損金算入のもの	利　子　税	20						
		延滞金（延納に係るもの）	21						
			22						
			23						
	損金不算入のもの	加算税及び加算金	24						
		延　滞　税	25						
		延滞金（延納分を除く。）	26						
		過　怠　税	27						
		源泉所得税等	28		2,951,607			2,951,607	0
			29						

（減算）

納　税　充　当　金　の　計　算				
期首納税充当金	30	313,250,600 円		
繰入額	損金経理をした納税充当金	31	299,950,800	
		32		
	計 (31)+(32)	33	299,950,800	
取崩額	法人税額等 (5の③)+(10の③)+(15の③)	34	260,656,700	
	事業税及び特別法人事業税 (19の③)	35	52,593,900	

取崩額	その他	損金算入のもの	36	円
		損金不算入のもの	37	
			38	
		仮払税金消却	39	
	計 (34)+(35)+(36)+(37)+(38)+(39)	40	313,250,600
期末納税充当金 (30)+(33)-(40)	41	299,950,800

通算法人の通算税効果額の発生状況等の明細						
事　業　年　度		期首現在未決済額 ①	当期発生額 ②	当期中の決済額		期末現在未決済額 ⑤
				支払額 ③	受取額 ④	
・　・ ・　・	42	円		円	円	円
・　・ ・　・	43					
当　期　分	44		中間 円 確定			
計	45					

所得の金額の計算に関する明細書（簡易様式）

事 業 年 度	6・4・1 〜 7・3・31	法人名	阪神産業株式会社

別表四（簡易様式）

区　　　　分		総　額 ①	処　　　分		
			留　保 ②	社 外 流 出	③
当 期 利 益 又 は 当 期 欠 損 の 額	1	円 1,261,784,387	円 1,181,784,387	配当 その他	80,000,000 円
加	損 金 経 理 を し た 法 人 税 及 び 地 方 法 人 税（附帯税を除く。）	2	232,053,800	232,053,800		
	損金経理をした道府県民税及び市町村民税	3	21,544,700	21,544,700		
	損 金 経 理 を し た 納 税 充 当 金	4	299,950,800	299,950,800		
	損金経理をした附帯税（利子税を除く。）、加算金、延滞金（延納分を除く。）及び過怠税	5			その他	
	減 価 償 却 の 償 却 超 過 額	6				
	役 員 給 与 の 損 金 不 算 入 額	7	16,500,000		その他	16,500,000
	交 際 費 等 の 損 金 不 算 入 額	8	3,930,206		その他	3,930,206
	通 算 法 人 に 係 る 加 算 額（別表四付表「5」）	9			外 ※	
	一 括 償 却 資 産 損 金 不 算 入 額	10	1,771,420	1,771,420		
	特 別 償 却 準 備 金 取 崩 額		27,687,561	27,687,561		
算	資 産 圧 縮 積 立 金 取 崩 額		7,556,014	7,556,014		
	次 葉 合 計		185,731,283	185,731,283		
	小　　　　計	11	796,725,784	776,295,578	外 ※	20,430,206
減	減 価 償 却 超 過 額 の 当 期 認 容 額	12	1,694,352	1,694,352		
	納税充当金から支出した事業税等の金額	13	52,593,900	52,593,900		
	受 取 配 当 等 の 益 金 不 算 入 額（別表八（一）「5」）	14	13,402,016		※	13,402,016
	外国子会社から受ける剰余金の配当等の益金不算入額（別表八（二）「26」）	15			※	
	受 贈 益 の 益 金 不 算 入 額	16			※	
	適格現物分配に係る益金不算入額	17			※	
	法 人 税 等 の 中 間 納 付 額 及 び 過 誤 納 に 係 る 還 付 金 額	18				
	所 得 税 額 等 及 び 欠 損 金 の 繰 戻 し に よ る 還 付 金 額 等	19			※	
	通 算 法 人 に 係 る 減 算 額（別表四付表「10」）	20			※	
	一 括 償 却 資 産 当 期 認 容 額	21	1,563,730	1,563,730		
	特 別 償 却 準 備 金 当 期 認 容 額		7,166,616	7,166,616		
算	資 産 圧 縮 積 立 金 当 期 認 容 額		8,683,000	8,683,000		
	次 葉 合 計		167,860,879	167,860,879		
	小　　　　計	22	252,964,493	239,562,477	外 ※	13,402,016 0
仮　　　計 （1）+（11）−（22）	23	1,805,545,678	1,718,517,488	外 ※	△13,402,016 100,430,206
対 象 純 支 払 利 子 等 の 損 金 不 算 入 額（別表十七（二の二）「29」又は「34」）	24			その他	
超 過 利 子 額 の 損 金 算 入 額（別表十七（二の三）「10」）	25	△		※	△
仮　　　計 （（23）から（25）までの計）	26	1,805,545,678	1,718,517,488	外 ※	△13,402,016 100,430,206
寄 附 金 の 損 金 不 算 入 額（別表十四（二）「24」又は「40」）	27	1,548,940		その他	1,548,940
法 人 税 額 か ら 控 除 さ れ る 所 得 税 額（別表六（一）「6の③」）	29	2,951,607		その他	2,951,607
税 額 控 除 の 対 象 と な る 外 国 法 人 税 の 額（別表六（二の二）「7」）	30			その他	
分 配 時 調 整 外 国 税 相 当 額 及 び 外 国 関 係 会 社 等 に 係 る 控 除 対 象 所 得 税 額 等 相 当 額（別表六（五の二）「5の②」）+（別表十七（三の六）「1」）	31			その他	
合　　　計 （26）+（27）+（29）+（30）+（31）	34	1,810,046,225	1,718,517,488	外 ※	△13,402,016 104,930,753
中 間 申 告 に お け る 繰 戻 し に よ る 還 付 に 係 る 災 害 損 失 欠 損 金 額 の 益 金 算 入 額	37			※	
非適格合併又は残余財産の全部分配等による移転資産等の譲渡利益額又は譲渡損失額	38			※	
差　 引　 計 （34）+（37）+（38）	39	1,810,046,225	1,718,517,488	外 ※	△13,402,016 104,930,753
更生欠損金又は民事再生等評価換えが行われる場合の再生等欠損の損金算入額（別表七（三）「9」又は「21」）	40	△		※	△
通算対象欠損金額の損金算入額又は通算対象所得金額の益金算入額（別表七の二「5」又は「11」）	41			※	
差　 引　 計 （39）+（40）±（41）	43	1,810,046,225	1,718,517,488	外 ※	△13,402,016 104,930,753
欠 損 金 等 の 当 期 控 除 額（別表七（一）「4の計」）+（別表七（四）「10」）	44	△		※	△
総　　　計 （43）+（44）	45	1,810,046,225	1,718,517,488	外 ※	△13,402,016 104,930,753
残余財産の確定の日の属する事業年度に係る事業税及び特別法人事業税の損金算入額	51	△	△		
所 得 金 額 又 は 欠 損 金 額	52	1,810,046,225	1,718,517,488	外 ※	△13,402,016 104,930,753

3 納税充当金の関連

●損金経理で計上した納税充当金は別表４の④で加算

別表5(2)の「納税充当金の計算」に関する箇所（30以下）についても、別表４との関連性があります。それは、31の金額（299,950,800円）が別表４の④に現れるという点です。確定分の法人税等を期末に損金経理で未払い計上したとき、その金額は事業税を含めて損金不算入ですから、別表４で加算しなければなりません。

別表5(2)の31　➡　別表４の④

●別表5(2)の32は別表４とつながらない

32には、損金経理以外の処理による未払法人税等の計上額を記入します。資産計上、あるいは負債の振替処理などのケースですが、実際問題として、この欄を使用することはめったにありません。もしそういうケースがあったとしても、その処理によって税務と会計が食い違うことはないので、この欄の金額は別表４には現れません。

●取崩額の欄では別表４との結びつきを考えない

納税充当金の計算の「取崩額」欄（34～40）と別表４との間には、直接的な数字の結びつきはありません。本来は、たとえば納税充当金を取り崩して事業税を納めたとき（35）、別表４で減算（13）が生じます。ところが、その結びつき（転記）は17（③）欄で、すでに行っています。

つまり、納税充当金の取崩額に関する別表４との関連付けは、「租税公課の納付状況」の欄において行うので、この欄では結びつきを考えません。

［一口ゼミ⑧］　税法条文の読み方(2)

本書の内容には直接関係ありませんが、税法の条文を読む際の留意点を説明しておきます。

(1)　以上、以下、超える、未満、以前、以後、前、後

「以」の字のついた表現は、起算点の数量・日時等を含みます。すなわち、「100万円以上（以下）」は100万円を含み、「4月1日以前（以後）」は4月1日を含みます。

一方、起算点を含まないときは、「100万円を超える（未満）」「4月1日前（後）」と表現します。したがって、「販売日の属する事業年度後の事業年度」といえば、販売日の属する事業年度の翌期以降の事業年度を意味します。

(2)　及び、並びに

並立する複数の名詞や動詞を連結するための接続詞で、通常は「及び」を用いて、「A及びB」「A、B及びC」のように表現します。「並びに」を使用するのは、もっと大きな接続を行う場合で、「A、B及びC並びにX及びY」といえば、A・B・CとX・Yがそれぞれ同一グループとして並立（小並び）し、次に2つのグループを並立（大並び）させる表現の仕方です。

したがって、「並びに」という言葉が条文中にあれば、その前と後を切り離して、それぞれ別の号と考えて読んでください。

(3)　又は、若しくは

選択的な連結を表現する接続詞ですが、通常は「又は」を用いて、「A又はB」「A、B又はC」のように表現します。「若しくは」を使用するのは、より小さな選択を行う場合で、「A、B若しくはC又はX若しくはY」といえば、A・B・CとX・Yのそれぞれのグループ内での選択を先に行い、次に2つのグループのいずれかを選択することになります。

したがって、「及び」「並びに」の場合と同様に、大きい接続を示す「又は」の前後で条文を区切って、それぞれのグループの中のどちらかを選択します。

「資産の販売若しくは譲渡、工事の請負又は役務の提供をした場合において……」であれば、「販売若しくは譲渡」「工事の請負」「役務の提供」の3つからの選択となります。

＜［122ページ］に続く＞

2 別表5(1)と5(2)の関連

別表5(2)には、「租税公課の納付状況」および「納税充当金の計算」の2つのことが記載されていますが、それらは別表5(1)の26以下の各欄の記入に関係します。

1 未納法人税等の関連

●別表5(2)の各欄を合計して別表5(1)に記入

まず、別表5(2)の「租税公課の納付状況」のうち1～15の欄と、別表5(1)の「未納法人税等」(27～30) の欄の関連を、【次ページ】に示しています。

別表5(2)では、税目ごとに当期中の未納税額の増減が記入されています。いずれも同じ要領ですが、2枚の表の記載は次の関係にあります。

別表5(2)の「期首現在未納税額」 ➡ 別表5(1)の「未納法人税等(期首現在額)」

〃 「当期発生税額」 ➡ 〃 「未納法人税等(増加額)」

〃 「当期納付税額」 ➡ 〃 「未納法人税等(減少額)」

〃 「期末現在未納税額」 ➡ 〃 「未納法人税等(期末現在額)」

別表5(2)では、税目ごとに中間分、確定分等の内訳が記載されています。別表5(1)に記入する際、発生税額(＝増加額)は二段書きしますが、その他は合計額で記入します。

2 納税充当金の関連

●別表5(1)における増減額の内訳を別表5(2)で示す

別表5(2)の「納税充当金の計算」(30～41) の欄と、別表5(1)の「納税充当金」(26) の欄についても、【102ページ】のような関連があります。

当然のことながら、期首と期末の残高欄には、2枚の表でそれぞれ同じ金額が入ります。そして繰入額と取崩額に関しては、別表5(2)で内訳を明らかにした上で、別表5(1)にはそれぞれの合計額を記入します。

別表5(2)の33 ➡ 別表5(1)の26・③

〃 40 ➡ 〃 26・②

別表5⑴と別表5⑵の関連（その1）

租税公課の納付状況等に関する明細書

事業年度	6 ・ 4 ・ 1　7 ・ 3 ・ 31	法人名	阪神産業株式会社	別表五（二）

税　目　及　び　事　業　年　度		期首現在未納税額 ①	当期発生税額 ②	当期中の納付税額			期末現在未納税額 ①+②-③-④-⑤ ⑥
				充当金取崩しによる納付 ③	仮払経理による納付 ④	損金経理による納付 ⑤	
法人税法及び地方法人税	1	円		円	円	円	円
	5 ・ 4 ・ 1　6 ・ 3 ・ 31　2	238,097,600		238,097,600			0
当期分　中　間　3			232,053,800			232,053,800	0
当期分　確　定　4			228,177,900				228,177,900
計　5		238,097,600	460,231,700	238,097,600	0	232,053,800	228,177,900
道府県民税	6						
	5 ・ 4 ・ 1　6 ・ 3 ・ 31　7	4,401,300		4,401,300			0
当期分　中　間　8			4,203,400			4,203,400	0
当期分　確　定　9			4,455,200				4,455,200
計　10		4,401,300	8,658,600	4,401,300	0	4,203,400	4,455,200
市町村民税	11						
	5 ・ 4 ・ 1　6 ・ 3 ・ 31　12	18,157,800		18,157,800			0
当期分　中　間　13			17,341,300			17,341,300	0
当期分　確　定　14			17,572,900				17,572,900
計　15		18,157,800	34,914,200	18,157,800	0	17,341,300	17,572,900

利益積立金額及び資本金等の額の計算に関する明細書

事業年度	6 ・ 4 ・ 1　7 ・ 3 ・ 31	法人名	阪神産業株式会社	別表五（一）

I　利益積立金額の計算に関する明細書

区　分		期首現在利益積立金額 ①	当期の増減 減 ②	当期の増減 増 ③	差引翌期首現在利益積立金額 ①-②+③ ④
	24				
繰越損益金（損は赤）	25	897,326,160		501,178,346	1,398,504,506
納　税　充　当　金	26	313,250,600	313,250,600	299,950,800	299,950,800
未納法人税等　未納法人税及び未納地方法人税（附帯税を除く。）	27	△ 238,097,600	△ 470,151,400	中間 △232,053,800　確定 △228,177,900	△ 228,177,900
未払通算税効果額（附帯税の額に係る部分の金額を除く。）	28			中間　確定	
未納道府県民税（均等割を含む。）	29	△ 4,401,300	△ 8,604,700	中間 △ 4,203,400　確定 △ 4,455,200	△ 4,455,200
未納市町村民税（均等割を含む。）	30	△ 18,157,800	△ 35,499,100	中間 △17,341,300　確定 △17,572,900	△ 17,572,900
差　引　合　計　額	31	8,545,043,826	△29,885,639	1,184,827,349	9,759,756,814

別表5⑴と別表5⑵の関連（その2）

租税公課の納付状況等に関する明細書

| 事業年度 | 6・4・1 7・3・31 | 法人名 | 阪神産業株式会社 | 別表五(二) |

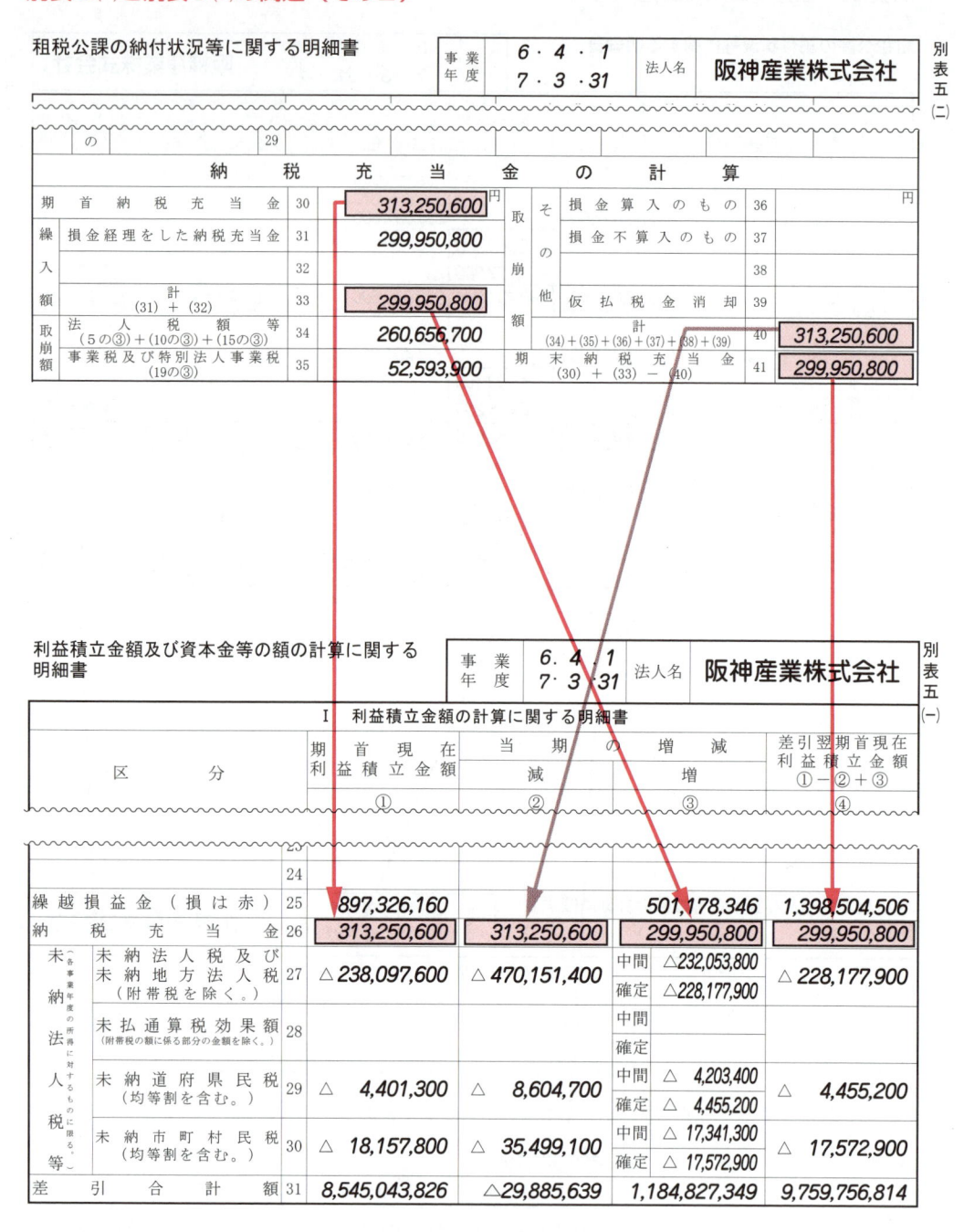

納税充当金の計算

期首納税充当金	30	313,250,600 円		取	損金算入のもの	36	円
繰入額	損金経理をした納税充当金	31	299,950,800	その他	損金不算入のもの	37	
		32		崩		38	
	計 (31)＋(32)	33	299,950,800	額 他	仮払税金消却	39	
取崩額	法人税額等 (5の③)＋(10の③)＋(15の③)	34	260,656,700		計 (34)＋(35)＋(36)＋(37)＋(38)＋(39)	40	313,250,600
	事業税及び特別法人事業税 (19の③)	35	52,593,900	期末納税充当金 (30)＋(33)－(40)		41	299,950,800

利益積立金額及び資本金等の額の計算に関する明細書

| 事業年度 | 6・4・1 7・3・31 | 法人名 | 阪神産業株式会社 | 別表五(一) |

I 利益積立金額の計算に関する明細書

区分	期首現在利益積立金額 ①	当期の増減 減 ②	当期の増減 増 ③	差引翌期首現在利益積立金額 ①－②＋③ ④
	24			
繰越損益金（損は赤） 25	897,326,160		501,178,346	1,398,504,506
納税充当金 26	313,250,600	313,250,600	299,950,800	299,950,800
未納法人税等 未納法人税及び未納地方法人税（附帯税を除く。） 27	△238,097,600	△470,151,400	中間 △232,053,800 確定 △228,177,900	△228,177,900
未払通算税効果額（附帯税の額に係る部分の金額を除く。） 28			中間 確定	
未納道府県民税（均等割を含む。） 29	△ 4,401,300	△ 8,604,700	中間 △ 4,203,400 確定 △ 4,455,200	△ 4,455,200
未納市町村民税（均等割を含む。） 30	△ 18,157,800	△ 35,499,100	中間 △ 17,341,300 確定 △ 17,572,900	△ 17,572,900
差引合計額 31	8,545,043,826	△29,885,639	1,184,827,349	9,759,756,814

3 別表4と別表5⑴の関連

　"課税済み留保所得＝利益積立金" という関連上、別表4の留保欄と別表5⑴の増減欄は密接な関係にあります。結論からいうと、両者の数字は次の規則性に従い、1対1で対応しています。

> 別表4の加算金額　⇒　別表5⑴の増加欄
>
> 別表4の減算金額　⇒　別表5⑴の減少欄

　以下、そのことを利益積立金の種類ごとに見ていくことにします。

■ 1　利益剰余金項目の関連

●利益剰余金項目は当期利益と結びつく

　阪神産業㈱の別表5⑴において、利益剰余金は以下の5項目です。

　　①　利益準備金（ 1 ）

　　②　別途積立金（ 2 ）

　　③　特別償却準備金（ 3 ）

　　④　資産圧縮積立金（ 5 ）

　　⑤　繰越損益金（ 25 ）

　各項目の当期増減額は、別表4の「当期利益」（留保額）と結びつき、**【次ページ】** においてその関連を示しています。

　当期利益の総額1,261,784,387円から、社外流出した株主配当額80,000,000円を差し引いた残額1,181,784,387円（留保額）の内訳は、株主資本等変動計算書によれば**【106ページ】** のとおりです。

　それぞれの利益剰余金ごとに、増減の内訳が別表5⑴に記載されています。なお、繰越利益剰余金（＝繰越損益金）については、内訳が多岐にわたるため、別表5⑴には純増額（501,178,346円）を記入しています。

利益剰余金項目に関する関連

所得の金額の計算に関する明細書（簡易様式）

事業年度	6・4・1 7・3・31	法人名	阪神産業株式会社

別表四（簡易様式）

区　　　分		総　　額 ①	処　　　　　　　　　分		
			留　　保 ②	社　外　流　出 ③	
当期利益又は当期欠損の額	1	1,261,784,387 円	1,181,784,387 円	配当	80,000,000 円
				その他	
損金経理をした法人税及び地方法人税（附帯税を除く。）	2	232,053,800	232,053,800		
損金経理をした道府県民税及び市町村民税	3	21,544,700	21,544,700		
損金経理をした納税充当金	4	299,950,800	299,950,800		
損金経理をした附帯税（利子税を除く。）、加算金、延滞金（延納分を除く。）及び過怠税	5			その他	
減価償却の償却超過額	6				

別途積立金積立	700,000,000
特別償却準備金取崩	△ 27,687,561
同　上　　積立	7,166,616
資産圧縮積立金取崩	△ 7,556,014
同　上　　積立	8,683,000
繰越利益剰余金増加	501,178,346
合　計	1,181,784,387

利益積立金額及び資本金等の額の計算に関する明細書

事業年度	6.4.1 7.3.31	法人名	阪神産業株式会社	別表五(一)

Ⅰ　利益積立金額の計算に関する明細書

区　分		期首現在 利益積立金額 ①	当期の増減 減 ②	当期の増減 増 ③	差引翌期首現在 利益積立金額 ①-②+③ ④
利　益　準　備　金	1	125,000,000 円	円	円	125,000,000 円
別　途　積　立　金	2	6,262,000,000		700,000,000	6,962,000,000
特　別　償　却　準　備　金	3	84,998,101	27,687,561	7,166,616	64,477,156
特別償却準備金認容額	4	△84,998,101	△27,687,561	△7,166,616	△64,477,156
資　産　圧　縮　積　立　金	5	125,334,824	7,556,014	8,683,000	126,461,810
資産圧縮積立金認容額	6	△125,334,824	△7,556,014	△8,683,000	△126,461,810
退　職　給　付　引　当　金	7	887,019,266	68,861,500	64,414,210	882,571,976
役員退職慰労引当金	8	209,325,000		23,650,000	232,975,000
賞　　与　　引　　当　　金	9	39,196,632	39,196,632	37,139,940	37,139,940
貸　　倒　　引　　当　　金	10	19,142,700	19,142,700	20,189,330	20,189,330
一　括　償　却　資　産	11	2,324,760	1,563,730	1,771,420	2,532,450
繰　延　資　産　償　却　超　過　額	12	5,930,104	1,959,762		3,970,342
減　価　償　却　超　過　額	13	6,485,019	1,694,352		4,790,667
販　売　促　進　費　引　当　金	14	35,600,000	35,600,000	37,800,000	37,800,000
福　利　厚　生　会　残　高	15	3,100,285	3,100,285	2,537,803	2,537,803
	16				
	17				
	18				
	19				
	20				
	21				
	22				
	23				
	24				
繰越損益金（損は赤）	25	897,326,160		501,178,346	1,398,504,506
納　　税　　充　　当　　金	26	313,250,600	313,250,600	299,950,800	299,950,800
未納法人税等 未納法人税及び未納地方法人税（附帯税を除く。）	27	△238,097,600	△470,151,400	中間 △232,053,800 確定 △228,177,900	△228,177,900
未払通算税効果額（附帯税の額に係る部分の金額を除く。）	28			中間 確定	
未納道府県民税（均等割を含む。）	29	△4,401,300	8,604,700	中間 △4,203,400 確定 △4,455,200	△4,455,200
未納市町村民税（均等割を含む。）	30	△18,157,800	△35,499,100	中間 △17,341,300 確定 △17,572,900	△17,572,900
差　　引　　合　　計　　額	31	8,545,043,826	△29,885,639	1,184,827,349	9,759,756,814

Ⅱ　資本金等の額の計算に関する明細書

区　分		期首現在 資本金等の額 ①	当期の増減 減 ②	当期の増減 増 ③	差引翌期首現在 資本金等の額 ①-②+③ ④
資　本　金　又　は　出　資　金	32	500,000,000 円	円	円	500,000,000 円
資　本　準　備　金	33	184,000,000			184,000,000
	34				
	35				
差　　引　　合　　計　　額	36	684,000,000			684,000,000

株主資本等変動計算書

(自令和6年4月1日　至令和7年3月31日)

阪神産業　株式会社

(単位：円)

	株　　主　　資　　本				
	利　益　剰　余　金				株主資本合計
	特別償却準備金	資産圧縮積立金	別途積立金	繰越利益剰余金	
前 期 末 残 高	84,998,101	125,334,824	6,262,000,000	897,326,160	8,178,659,085
当 期 変 動 額					
剰余金の配当				△80,000,000	△ 80,000,000
剰余金の取崩	△ 27,687,561	△ 7,556,014		35,243,575	0
剰余金の積立	7,166,616	8,683,000	700,000,000	△ 715,849,616	0
当 期 純 利 益				1,261,784,387	1,261,784,387
当期変動額合計	△ 20,520,945	1,126,986	700,000,000	501,178,346	1,181,784,387
当 期 末 残 高	64,477,156	126,461,810	6,962,000,000	1,398,504,506	9,360,443,472

特別償却準備金	取崩	△ 27,687,561	円
	積立	7,166,616	円
資産圧縮積立金	取崩	△ 7,556,014	円
	積立	8,683,000	円
別 途 積 立 金	積立	700,000,000	円
繰越利益剰余金	配当	△ 80,000,000	円
	取崩	35,243,575	円
	積立	△ 715,849,616	円
	利益	1,261,784,387	円
差 引 計		1,181,784,387	円

2　税務否認項目の関連

●税務否認項目は加減算項目と結びつく

阪神産業㈱の別表5(1)では、以下の11項目が税務否認項目です。

① 　特別償却準備金認容（④）

② 　資産圧縮積立金認容（⑥）

③ 　退職給付引当金（⑦）

④ 　役員退職慰労引当金（⑧）

⑤ 　賞与引当金（⑨）

⑥ 　貸倒引当金（⑩）

⑦ 　一括償却資産（⑪）

⑧ 　繰延資産償却超過額（⑫）

⑨ 　減価償却超過額（⑬）

⑩ 　販売促進費引当金（⑭）

⑪ 　福利厚生会残高（⑮）

各項目の当期増減額は、別表4の留保欄の加算・減算の金額と結びつき、**【109ページ】**においてその関連を示しています。

それぞれ加算→増加、減算→減少の規則性に従い、2枚の表の数字が1対1で対応していることが見てとれるはずです。

3 税金関連項目の関連

◉数字がうずもれていて関連付けが困難

納税充当金および未納法人税等に関する別表4と別表5(1)の関連は、若干複雑です。結論として、これらも1対1で対応しているのですが、数字がうずもれているため、そのままでは関連が分かりません。

そこで、該当箇所の数字を分解して2枚の表のつながりを示せば、【110ページ】のようになります。

◉納税充当金の増加はそのままつながる

まず、別表4の④の金額（299,950,800円）は、別表5(1)における㉖の増加欄と結びついています（【111ページ】図のⓐ）。別表4で加算していますから、別表5(1)では増加として現れます。

つぎに、別表4の②の金額（232,053,800円）について、別表5(1)の㉗の増加欄の上段に同じ金額が登場しますが、これはつながっていません。なぜなら、㉗欄には"△"が付され、マイナスの金額となっています。増加欄にマイナスで計上していますから、これは利益積立金の減少を意味します。別表4で加算しているのなら、その金額は別表5(1)では増加しなければならず、両者につながりはありません。

別表4の②とつながる金額は、実は、他の箇所に隠されています。同様に、③・⑬と関連する金額も表面には出てきておらず、そこでその金額を引っ張り出すこととします。

◉別表5(1)の減少欄の数字を分解

注目するのは、別表5(1)の減少欄です。㉖で納税充当金の減少、㉗〜㉚で未納法人税等の減少の金額が記入されていますが、それぞれ次の金額を合計した数字です。

利益積立金額及び資本金等の額の計算に関する明細書

| 事業年度 | 6 . 4 . 1 〜 7 . 3 . 31 | 法人名 | 阪神産業株式会社 |

別表五(一)

Ⅰ　利益積立金額の計算に関する明細書

区　分		期首現在利益積立金額 ①	当期の増減 減 ②	当期の増減 増 ③	差引翌期首現在利益積立金額 ①−②+③ ④
利　益　準　備　金	1	125,000,000円	円	円	125,000,000円
別　　　途				700,000,000	6,962,000,000
特　別　償			27,687,561	7,166,616	64,477,156
特　別　償　却			27,687,561	△7,166,616	△64,477,156
資　産　圧			7,556,014	8,683,000	126,461,810
資　産　圧縮			△7,556,014	△8,683,000	△126,461,810
退　職　給			68,861,50	64,414,210	882,571,976
役　員　退				23,650,000	232,975,000
賞　　　与			39,196,63	37,139,940	37,139,940
貸　倒　引　当　金	10	19,142,700	19,142,700	20,189,330	20,189,330
一　括　償　却　資産	11	3,334,760	1,563,730	1,771,420	2,532,450
繰　延　資			1,959,762		3,970,342
減　価　償			1,694,352		4,790,667
販　売　促			35,600,000	37,800,000	37,800,000
福　利　厚			3,100,285	2,537,803	2,537,803
	24				
繰越損益金（損は赤）	25	897,326,160		501,178,346	1,398,504,506
納　税　充　当　金	26	313,250,600	313,250,600	299,950,800	299,950,800
未納法人税等 未納法人税及び未納地方法人税（附帯税を除く。）	27	△238,097,600	△ 470,151,400	中間 △232,053,800 確定 △228,177,900	△228,177,900
未払通算税効果額（附帯税の額に係る部分の金額を除く。）	28			中間 確定	
未納道府県民税（均等割を含む。）	29	△ 4,401,300	△ 8,604,700	中間 △ 4,203,400 確定 △ 4,455,200	△ 4,455,200
未納市町村民税（均等割を含む。）	30	△ 18,157,800	△ 35,499,100	中間 △ 17,341,300 確定 △ 17,572,900	△ 17,572,900
差　引　合　計　額	31	8,545,043,826	△29,885,639	1,184,827,349	9,759,756,814

（重ね表示された吹き出し）

法人税納付　238,097,600
県民税納付　4,401,300
市民税納付　18,157,800
事業税納付　52,593,900
合　計　313,250,600

相殺

前期確定分
　法人税　△238,097,600
　県民税　△　4,401,300
　市民税　△　18,157,800
当期中間分
　法人税　△232,053,800
　県民税　△　4,203,400
　市民税　△　17,341,300

Ⅱ　資本金等の額の計算に関する明細書

区　分		期首現在資本金等の額 ①	当期の増減 減 ②	当期の増減 増 ③	差引翌期首現在資本金等の額 ①−②+③ ④
資本金又は出資金	32	500,000,000円	円	円	500,000,000円
資　本　準　備　金	33	184,000,000			184,000,000
	34				
	35				
差　引　合　計　額	36	684,000,000			684,000,000

〈納税充当金26・②〉

前期確定分の納付税額

法 人 税	238,097,600円
県 民 税	4,401,300円
市 民 税	18,157,800円
事 業 税	52,593,900円
合 計	313,250,600円

〈未納法人税27・②〉

前期確定分の納付	△ 238,097,600円
当期中間分の納付	△ 232,053,800円
合 計	△ 470,151,400円

〈未納県民税29・②〉

前期確定分の納付	△ 4,401,300円
当期中間分の納付	△ 4,203,400円
合 計	△ 8,604,700円

〈未納市民税30・②〉

前期確定分の納付	△ 18,157,800円
当期中間分の納付	△ 17,341,300円
合 計	△ 35,499,100円

　納税充当金の減少は、6年5月に前期分の税金を納めるときに生じています。また、未納法人税等の減少欄には、当期中に納付した金額が合計で記入されています。6年5月に前期分、6年11月に中間分を納付し、その合計額となっています。

●減少欄のマイナス計上は増加額

　以上の分析により、別表4とつながる数字が浮かび上がってきました。まず、未納法人税（27）の減少欄に含まれる「当期中間分の納付」232,053,800円、これが別表4の2とつながります（【110ページ】図の⑥）。

> 別表4の2　➡　別表5(1)の27の一部

　別表4で加算しているのに、どうして利益積立金の減少欄なのか——それはこの数字の頭に"△"が付いているからです。減少欄でマイナスということは、利益積立金の増加を意味し、加算→増加の規則性はきちんと保たれています。

　県民税と市民税についても同様に、2枚の表で次のように数字がつながっています

（【110ページ】図の©）。

> 別表4の③　➡　別表5⑴の㉙＋㉚の一部

●事業税に関する減算は利益積立金の減少

つぎに、別表4の⑬で減算している金額（52,593,900円）は、別表5⑴の㉖欄の減少額に含まれています。総額313,250,600円のうちに事業税の納付額52,593,900円が含まれており、それが別表4とつながる数字です（【110ページ】図の⓪）。

> 別表4の⑬　➡　別表5⑴の㉖の一部

●前期分の法人税と住民税を両建て計上

以上で、別表4の留保欄における税金関連項目は、すべて別表5⑴とつながりました。あと、別表5⑴において先ほど分解した数字のうち、次のものがまだ関連付けできずに残されています。

　〈納税充当金㉖・②〉

　　　前期確定分の納付税額

　　　法 人 税　　　238,097,600円

　　　県 民 税　　　　4,401,300円

　　　市 民 税　　　 18,157,800円

　〈未納法人税等㉗〜㉚・②〉

　　　前期確定分の納付税額

　　　法 人 税　　△ 238,097,600円

　　　県 民 税　　△ 4,401,300円

　　　市 民 税　　△ 18,157,800円

法人税と住民税の前期確定分の税額ですが、これらは同額ずつプラスとマイナスで計上されており、相殺すれば消えます。つまり、別表5⑴の減少欄において、㉖と㉗〜㉚にプラスとマイナスで両建て計上されているだけのことです。

●未納法人税等の増加欄のつながりは？

以上で一応、税金関連項目に関する別表4と別表5⑴の数字の関連を確かめましたが、最後に、別表5⑴の㉗以下（未納法人税等）の"増加欄"（③）について説明します。この欄に関しては、いまだ別表4との関連付けがなされていません。

					中間・確定	
繰越損益金（損は赤）	25	897,326,160			501,178,346	1,398,504,506
納税充当金	26	313,250,600	313,250,600		299,950,800	299,950,800
未納法人税及び未納地方法人税（附帯税を除く。）	27	△ 238,097,600	△ 470,151,400	中間 △ 232,053,800 確定 △ 228,177,900		△ 228,177,900
未払通算税効果額（附帯税の額に係る部分の金額を除く。）	28			中間 確定		
未納道府県民税（均等割額を含む。）	29	△ 4,401,300	△ 8,604,700	中間 △ 4,203,400 確定 △ 4,455,200		4,455,200
未納市町村民税（均等割額を含む。）	30	△ 18,157,800	△ 35,499,100	中間 △ 17,341,300 確定 △ 17,572,900		△ 17,572,900
差引合計額	31	8,545,043,826	△29,885,639		1,184,827,349	9,759,756,814

※27〜30行目の左端には「退職年金等積立金に対するものを除く」「未納法人税等」の縦書きの見出しがある。

この欄（上記アミかけ部分）に記載されているのは、法人税および住民税の中間分と確定分の税額です。いずれもマイナスの数字で、増加欄にマイナス計上ですから利益積立金の減少を意味します。もしも、規則性（減算→減少）に従ってこれらの金額をつなげるとすれば、別表4では減算することになります。

◉未納法人税等の増加欄だけは別表4とつながらない

ところが、そんなことをすると理屈がおかしくなります。この欄の数字は当期分の法人税および住民税の年額で、それを減算するということは、法人税および住民税を損金算入することになってしまいます。

法人税と住民税は損金不算入なので、別表4の②〜④で加算したのに、その加算が取り消されてしまいます。そこで結論として、別表5(1)の増減欄のうちこの欄（未納法人税等の増加欄）だけは別表4とつながらない、というよりもつなげてはダメ、ということです。逆にいえば、この欄を除いて、他の増減欄の数字はすべて別表4とつながる——これが、別表4と別表5(1)の関連性に関する結論です。

4 別表4と別表5(1)の関係の別解

◉書き方を工夫すれば数字の分解は不要

上記3で述べたように、納税充当金や未納法人税等について別表4と別表5(1)の金額を結びつけるためには、通常、別表5(1)の減少欄の数字を分解することになります。ところが、ここで一工夫すれば、そのような無理なことをしなくても、ストレートに数字がつながります。

【116ページ】をご覧ください。税金関連項目が別表4と別表5(1)でそのままつながっています。

◉別表4で前期分を両建て計上

　ここでは、別表4の加減算に少し工夫を凝らしています。先ほどの【110ページ】の別表4と違うのは、②と③の金額です。通常ここには中間分の金額を記入しますが、そこに前期分を加えています。

		前　期　分	中　間　分	合　　計
法　人　税		238,097,600円	232,053,800円	470,151,400円
住民税	県民税	4,401,300円	4,203,400円	8,604,700円
	市民税	18,157,800円	17,341,300円	35,499,100円
	計	22,559,100円	21,544,700円	44,103,800円

　つぎに、前期分の税額を加算しそのままだと、その分だけ所得金額が増加してしまうので、同額を減算します。㉑欄の「納税充当金取崩額」313,250,600円がそれです。要するに、負債の取崩しで納めたので加算は不要という意味です。なお、⑬で減算していた事業税もこの欄に含めて記入します。

法　人　税	238,097,600円
県　民　税	4,401,300円
市　民　税	18,157,800円
事　業　税	52,593,900円
合　　計	313,250,600円

◉一般にこのような書き方はしない

　別表4をこのように書けば、別表5⑴の記載どおり数字がストレートにつながります。要は、別表5⑴における未納法人税等の減少欄の金額が、前期分と中間分の合計額で記載されているので、別表4もそれに合わせた記載に改めるという工夫です。そして同額を減算する際に、事業税の金額も含めて記入するという、もう一つの工夫を凝らせば、納税充当金に関しても2枚の表で、直接数字がつながります。

　ただし、実務上このような書き方は一般にしません。通常は【110ページ】のような書き方をします。あくまで2枚の表の関係を理解する上で、このように工夫すれば分かりやすい、ということで参考になさってください。

別表４と別表５⑴の関連（別解）

所得の金額の計算に関する明細書（簡易様式）

事 業 年 度	6・4・1　7・3・31	法人名	阪神産業株式会社

区　　　　分		総　額①	処　分 留　保②	社外流出③
当 期 利 益 又 は 当 期 欠 損 の 額	1	1,261,784,387 円	1,181,784,387 円	配当 80,000,000 円 / その他
加	損金経理をした法人税及び地方法人税（附帯税を除く。）	2	470,151,400	470,151,400	
	損金経理をした道府県民税及び市町村民税	3	44,103,800	44,103,800	
	損金経理をした納税充当金	4	299,950,800	299,950,800	
	損金経理をした附帯税（利子税を除く。）、加算金、延滞金（延納分を除く。）及び過怠税	5			その他
	減 価 償 却 の 償 却 超 過 額	6			
	役 員 給 与 の 損 金 不 算 入 額	7	16,500,000		その他 16,500,000
	交 際 費 等 の 損 金 不 算 入 額	8	3,930,206		その他 3,930,206
	通算法人に係る加算額（別表四付表「5」）	9			外※
	一括償却資産損金不算入額	10	1,771,420	1,771,420	
	特別償却準備金取崩額		27,687,561	27,687,561	
算	資産圧縮積立金取崩額		7,556,014	7,556,014	
	次　葉　合　計		185,731,283	185,731,283	
	小　　　計	11	1,057,382,484	1,036,952,278	外※ 20,430,206
減	減価償却超過額の当期認容額	12	1,694,352	1,694,352	
	納税充当金から支出した事業税等の金額	13			
	受取配当等の益金不算入額（別表八（一）「5」）	14	13,402,016		※ 13,402,016
	外国子会社から受ける剰余金の配当等の益金不算入額（別表八（二）「26」）	15			※
	受 贈 益 の 益 金 不 算 入 額	16			※
	適格現物分配に係る益金不算入額	17			※
	法人税等の中間納付額及び過誤納に係る還付金額	18			
	所得税額等及び欠損金の繰戻しによる還付金額等	19			※
	通算法人に係る減算額（別表四付表「10」）	20			※
	納 税 充 当 金 取 崩 額	21	313,250,600	313,250,600	
	一括償却資産当期認容額		1,563,730	1,563,730	
算	特別償却準備金当期認容額		7,166,616	7,166,616	
	次　葉　合　計		176,543,879	176,543,879	
	小　　　計	22	513,621,193	500,219,177	外※ 13,402,016 / 0
仮　計 (1)+(11)-(22)		23	1,805,545,678	1,718,517,488	外※ △13,402,016 / 100,430,206
対象純支払利子等の損金不算入額（別表十七（二の二）「29」又は「34」）		24			その他
超過利子額の損金算入額（別表十七（二の三）「10」）		25	△		※ △
仮　計 ((23)から(25)までの計)		26	1,805,545,678	1,718,517,488	外※ △13,402,016 / 100,430,206
寄附金の損金不算入額（別表十四（二）「24」又は「40」）		27	1,548,940		その他 1,548,940
法人税額から控除される所得税額（別表六（一）「6の③」）		29	2,951,607		その他 2,951,607
税額控除の対象となる外国法人税の額（別表六（二の二）「7」）		30			その他
分配時調整外国税相当額及び外国関係会社等に係る控除対象所得税額等相当額（別表六（五の二）「5の②」）+（別表十七（三の六）「1」）		31			その他
合　計 (26)+(27)+(29)+(30)+(31)		34	1,810,046,225	1,718,517,488	外※ △13,402,016 / 104,930,753
中間申告における繰戻しによる還付に係る災害損失欠損金額の益金算入額		37			※
非適格合併又は残余財産の全部分配等による移転資産等の譲渡利益額又は譲渡損失額		38			※
差　引　計 (34)+(37)+(38)		39	1,810,046,225	1,718,517,488	外※ △13,402,016 / 104,930,753
更生欠損金又は民事再生等評価換えが行われる場合の再生等欠損金の損金算入額（別表七（三）「9」又は「21」）		40	△		※ △
通算対象欠損金額の損金算入額又は通算対象所得金額の益金算入額（別表七の二「5」又は「11」）		41			※
差　引　計 (39)+(40)±(41)		43	1,810,046,225	1,718,517,488	外※ △13,402,016 / 104,930,753
欠損金等の当期控除額（別表七（一）「4の計」）+（別表七（四）「10」）		44	△		※ △
総　計 (43)+(44)		45	1,810,046,225	1,718,517,488	外※ △13,402,016 / 104,930,753
残余財産の確定の日の属する事業年度に係る事業税及び特別法人事業税の損金算入額		51	△	△	
所 得 金 額 又 は 欠 損 金 額		52	1,810,046,225	1,718,517,488	外※ △13,402,016 / 104,930,753

利益積立金額及び資本金等の額の計算に関する明細書

| 事業年度 | 6.4.1　7.3.31 | 法人名 | 阪神産業株式会社 | 別表五（一） |

Ⅰ 利益積立金額の計算に関する明細書

区　分		期首現在利益積立金額 ①	当期の増減 減 ②	当期の増減 増 ③	差引翌期首現在利益積立金額 ①－②＋③ ④
利 益 準 備 金	1	125,000,000円	円	円	125,000,000円
別 途 積 立 金	2	6,262,000,000		700,000,000	6,962,000,000
特 別 償 却 準 備 金	3	84,998,101	27,687,561	7,166,616	64,477,156
特 別 償 却 準 備 金 認 容 額	4	△84,998,101	△27,687,561	△7,166,616	△64,477,156
資 産 圧 縮 積 立 金	5	125,334,824	7,556,014	8,683,000	126,461,810
資 産 圧 縮 積 立 金 認 容 額	6	△125,334,824	△7,556,014	△8,683,000	△126,461,810
退 職 給 付 引 当 金	7	887,019,266	68,861,500	64,414,210	882,571,976
役 員 退 職 慰 労 引 当 金	8	209,325,000		23,650,000	232,975,000
賞 与 引 当 金	9	39,196,632	39,196,632	37,139,940	37,139,940
貸 倒 引 当 金	10	19,142,700	19,142,700	20,189,330	20,189,330
一 括 償 却 資 産	11	2,324,760	1,563,730	1,771,420	2,532,450
繰 延 資 産 償 却 超 過 額	12	5,930,104	1,959,762		3,970,342
減 価 償 却 超 過 額	13	6,485,019	1,694,352		4,790,667
販 売 促 進 費 引 当 金	14	35,600,000	35,600,000	37,800,000	37,800,000
福 利 厚 生 会 残 高	15	3,100,285	3,100,285	2,537,803	2,537,803
	16				
	17				
	18				
	19				
	20				
	21				
	22				
	23				
	24				
繰 越 損 益 金 （ 損 は 赤 ）	25	897,326,160		501,178,346	1,398,504,506
納 税 充 当 金	26	313,250,600	313,250,600	299,950,800	299,950,800
未納法人税等 未納法人税及び未納地方法人税（附帯税を除く。）	27	△238,097,600	△470,151,400	中間 △232,053,800 確定 △228,177,900	△228,177,900
未払通算税効果額（附帯税の額に係る部分の金額を除く。）	28			中間 確定	
未納道府県民税（均等割を含む。）	29	△4,401,300	△8,604,700	中間 △4,203,400 確定 △4,455,200	△4,455,200
未納市町村民税（均等割を含む。）	30	△18,157,800	△35,499,100	中間 △17,341,300 確定 △17,572,900	△17,572,900
差 引 合 計 額	31	8,545,043,826	△29,885,639	1,184,827,349	9,759,756,814

Ⅱ 資本金等の額の計算に関する明細書

区　分		期首現在資本金等の額 ①	当期の増減 減 ②	当期の増減 増 ③	差引翌期首現在資本金等の額 ①－②＋③ ④
資 本 金 又 は 出 資 金	32	500,000,000円	円	円	500,000,000円
資 本 準 備 金	33	184,000,000			184,000,000
	34				
	35				
差 引 合 計 額	36	684,000,000			684,000,000

5　別表5⑴の検算式

●申告書用紙に印刷された検算式

別表5⑴の用紙には、左欄外に次のような注意書きが記されています（**【74ページ】**参照）。

> 御注意　この表は、通常の場合には次の算式により検算ができます。
>
> 期首現在利益積立金額合計「31」①　＋　別表4留保所得金額又は欠損金額「52」
>
> −　中間分・確定分の法人税等、道府県民税及び市町村民税の合計額　±　中間分・確定分の通算税効果額の合計額　＝　差引翌期首現在利益積立金額合計「31」④

法人税申告書のうち別表5⑴というのは、なかなか難解な表です。書いてはみたものの、正しく記載できているかどうか自信がもてない、というケースも多々あります。

そこで、上記のような検算式が与えられており、実務では書き上げた後、たいていの人がこの検算をしています。

以下、この検算式はどういう意味なのか、この検算が合えばどうしてOKなのか、ということを考えます。

●中間・確定分の税額は別表5⑴に記載

まず、阪神産業㈱に関して、上記の検算をしてみます。

期　首 Ⓐ　　　　　留保所得Ⓑ　　　中間・確定税額Ⓒ　　　　期　末 Ⓓ
8,545,043,826円　＋　1,718,517,488円　−　503,804,500円　＝　9,759,756,814円

Ⓐ・Ⓑ・Ⓒのそれぞれの金額は、別表5⑴および別表4から抜き出した数字です（**【120ページ】**図表9）。ここで、Ⓒの金額については、別表5⑴の「未納法人税等」（㉗～㉚）の増加欄に記載されている金額を合計したものです。

●別表4の留保欄は別表5⑴の増減欄と結びつく

以上の検算により、阪神産業㈱の別表5⑴は正しく書けていますが、どうしてそうなるのかを検討します。

別表4と別表5⑴の関係は、加算→増加、減算→減少の規則性にあります。だとすれば、上記の検算式において、"別表4留保所得「52」"の金額は、別表5⑴の増減欄とつながっているはず。厳密にいえば、「未納法人税等」（㉗～㉚）の"増加欄"だけはつながりませんが、その他の増減欄において加算または減算した金額が、1対1で

結びついているはずです。

ということは、【121ページ】の図表10に示す別表５(1)の**Ⓑ**のエリアに、別表４の留保欄の数字はすべて転記されているはずで、実際に**Ⓑ**のエリア内の数字を合計すると、別表４の留保所得金額に一致します。

●別表４の数字をからめて別表５(1)の検算

つぎに、検算式における"中間分、確定分法人税県市民税の合計額"は、図表10（【121ページ】）の**Ⓒ**のエリアに記載され、これは別表５(1)においてはマイナスの金額です。

そう考えると、結局のところ検算式は、別表５(1)において**Ⓐ**の合計額からスタートして、**Ⓑ**と**Ⓒ**の金額を加え（**Ⓒ**はマイナスの数字なので控除）、その合計額が**Ⓓ**の合計額となるかどうかを確かめているに過ぎません。つまり、別表５(1)を左から右に検算しているだけのことです。ただし、単純に別表５(1)だけで数字を確かめるのでなく、そこに別表４の数字をからめて検算しているところが、この検算式の"みそ"です。

現実に、別表４の留保欄と別表５(1)の増減欄の対応関係が崩れていると、この検算が合いません。

●不一致のときは一つひとつ見直す

検算式が合わないとき、どこかで２枚の表の関連性が遮断されています。そういうときはそのまま放置せず、不一致の原因を確かめなければなりません。そのためには、これまで説明してきた要領で、１対１の対応を確かめることです。別表４の留保欄と別表５(1)の増減欄の対応で、関連付けができず残ってしまう項目を明らかにしなければなりません。

別表５(1)の計算に誤りがあっても、別表４が正しければ、留保金課税などを除き納税額は変わりません。しかし、別表４の申告調整を間違えている場合には、正しく計算し直さなければなりません。

第１章の**2**・7において説明した"税務版の複式計算"とは、この検算式を使った所得計算の検証のことをいっています。

〈図表9 別表5⑴の検算①〉

| 期首現在利益積立金額合計「31」① | + | 別表4留保所得金額又は欠損金額「52」 | − | 中間分・確定分の法人税等、道府県民税及び市町村民税の合計額 | ± | 中間分・確定分の通算税効果額の合計額 | = | 差引翌期首現在利益積立金額合計「31」④ |

期　首Ⓐ　　　　留保所得Ⓑ　　　中間・確定税額Ⓒ　　　期末Ⓓ

8,545,043,826円　＋　1,718,517,488円　−　503,804,500円　＝　9,759,756,814円

利益積立金額及び資本金等の額の計算に関する明細書

| 事業年度 | 6・4・1 7・3・31 | 法人名 | 阪神産業株式会社 | 別表五（一） |

Ⅰ 利益積立金額の計算に関する明細書

区　　分		期首現在利益積立金額 ①	当期の増減		差引翌期首現在利益積立金額 ①−②+③ ④
			減 ②	増 ③	
利　益　準　備　金	1	125,000,000 円	円	円	125,000,000 円
別　途　積　立　金	2	6,262,000,000		700,000,000	6,962,000,000
特　別　償　却　準　備　金	3	84,998,101	27,687,561	7,166,616	64,477,156
特別償却準備金認容額	4	△84,998,101	△27,687,561	△7,166,616	△64,477,156
資産圧縮積立金	5	125,334,824	7,556,014	8,683,000	126,461,810
	24				
繰越損益金（損は赤）	25	897,326,160		501,178,346	1,398,504,506
納　税　充　当　金	26	313,250,600	313,250,600	299,950,800	299,950,800
未納法人税及び未納地方法人税（附帯税を除く。）中間・確定	27	△238,097,600	△470,151,400	中間 △232,053,800 / 確定 △228,177,900	△228,177,900
未払通算税効果額（附帯税の額に係る部分の金額を除く。）中間・確定	28			中間 / 確定	
未納道府県民税（均等割を含む。）中間・確定	29	△ 4,401,300	△ 8,604,700	中間 △ 4,203,400 / 確定 △ 4,455,200	△ 4,455,200
未納市町村民税（均等割を含む。）中間・確定	30	△ 18,157,800	△ 35,499,100	中間 △ 17,341,300 / 確定 △ 17,572,900	△ 17,572,900
差　引　合　計　額	31	8,545,043,826 Ⓐ	△29,885,639	1,184,827,349	9,759,756,814 Ⓓ

Ⓒ計503,804,500

所得の金額の計算に関する明細書（簡易様式）

| 事業年度 | 6・4・1 7・3・31 | 法人名 | 阪神産業株式会社 | 別表四（簡易様式） |

区　　分		総　額 ①	処分		
			留　保 ②	社外流出 ③	
当期利益又は当期欠損の額	1	1,261,784,387 円	1,181,784,387 円	配当 80,000,000 円 / その他	
損金経理をした法人税及び地方法人税（附帯税を除く。）	2	232,053,800	232,053,800		
損金経理をした道府県民税及び市町村民税	3				
加 損金経理をした納税充当金	4				
合　計 (26)+(27)+(29)+(30)+(31)	34	1,810,046,225	1,718,517,488	外※ △13,402,016 / 104,930,753	
中間申告における繰戻しによる還付に係る災害損失欠損金額の益金算入額	37			※	
非適格合併又は残余財産の全部分配等による移転資産等の譲渡利益額又は譲渡損失額	38			※	
差　引　計 (34)+(37)+(38)	39	1,810,046,225	1,718,517,488	外※ △13,402,016 / 104,930,753	
更生欠損金又は民事再生等評価換えが行われる場合の再生等欠損金の損金算入額（別表七（三）「9」又は「21」）	40	△		※	
通算対象欠損金額の損金算入額又は通算対象所得金額の益金算入額（別表七の二「5」又は「11」）	41			※	
差　引　計 (39)+(40)±(41)	43	1,810,046,225	1,718,517,488	外※ △13,402,016 / 104,930,753	
欠損金等の当期控除額（別表七（一）「4の計」+（別表七（四）「10」）	44	△		※	
総　計 (43)+(44)	45	1,810,046,225	1,718,517,488	外※ △13,402,016 / 104,930,753	
残余財産の確定の日の属する事業年度に係る事業税及び特別法人事業税の損金算入額	51	△	△		
所得金額又は欠損金額	52	1,810,046,225 Ⓑ	1,718,517,488	外※ △13,402,016 / 104,930,753	

〈図表10　別表5⑴の検算②〉

利益積立金額及び資本金等の額の計算に関する明細書

事業年度　6・4・1　7・3・31　法人名　阪神産業株式会社

別表五(一)　令六・四・一以後終了事業年度分

I　利益積立金額の計算に関する明細書

区分		期首現在利益積立金額 ①	当期の増減 減 ②	当期の増減 増 ③	差引翌期首現在利益積立金額 ①-②+③ ④
利益準備金	1	125,000,000			125,000,000
別途積立金	2	6,262,000,000		700,000,000	6,962,000,000
特別償却準備金	3	84,998,101	27,687,561	7,166,616	64,477,156
特別償却準備金認容額	4	△84,998,101	△27,687,561	△7,166,616	△64,477,156
資産圧縮積立金	5	125,334,824	7,556,014	8,683,000	126,461,810
資産圧縮積立金認容額	6	△125,334,824	△7,556,014	△8,683,000	△126,461,810
退職給付引当金	7	887,019,266	68,861,500	64,414,210	882,571,976
役員退職慰労引当金	8	209,325,000		23,650,000	232,975,000
賞与引当金	9	39,196,632	39,196,632	37,139,940	37,139,940
貸倒引当金	10	19,142,700	19,142,700	20,189,330	20,189,330
一括償却資産	11	2,324,760	1,563,730	1,771,420	2,532,450
繰延資産償却超過額	12	5,930,104	1,959,762		3,970,342
減価償却超過額	13	6,485,019	1,694,352		4,790,667
販売促進費引当金	14	35,600,000	35,600,000	37,800,000	37,800,000
福利厚生会残高	15	3,100,285	3,100,285	2,537,803	2,537,803
	16				
	17				
	18				
	19	Ⓐ	Ⓑ		Ⓓ
	20				
	21				
	22				
	23				
	24				
繰越損益金（損は赤）	25	897,326,160		501,178,346	1,398,504,506
納税充当金	26	313,250,600	313,250,600	299,950,800	299,950,800
未納法人税及び未納地方法人税（附帯税を除く。）	27	△238,097,600	△470,151,400	中間 △232,053,800／確定 △228,177,900	△228,177,900
未払通算税効果額（附帯税の額に係る部分の金額を除く。）	28			中間／確定 Ⓒ	
未納道府県民税（均等割を含む。）	29	△4,401,300	△8,604,700	中間 △4,203,400／確定 △4,455,200	△4,455,200
未納市町村民税（均等割を含む。）	30	△18,157,800	△35,499,100	中間 △17,341,300／確定 △17,572,900	△17,572,900
差引合計額	31	8,545,043,826	△29,885,639	1,184,827,349	9,759,756,814

Ⓑ欄の金額

増加：700,000,000 + 7,166,616 − 7,166,616 + 8,683,000 − 8,683,000 + 64,414,210 + 23,650,000 + 37,139,940 + 20,189,330 + 1,771,420 + 37,800,000 + 2,537,803 + 501,178,346 + 299,950,800 = 1,688,631,849

減少：27,687,561 − 27,687,561 + 7,556,014 − 7,556,014 + 68,861,500 + 39,196,632 + 19,142,700 + 1,563,730 + 1,959,762 + 1,694,352 + 35,600,000 + 3,100,285 + 313,250,600 − 470,151,400 − 8,604,700 − 35,499,100 = △29,885,639

差引：1,688,631,849 + 29,885,639 = 1,718,517,488
　　　留保所得と一致

121

［一口ゼミ⑨］　税法条文の読み方(3)

　［99ページ］の続きです。

(4)　場合、とき、時

　仮定的な条件を示す言葉として「場合」を使います。「とき」も同様ですが、「場合」よりも前提条件が小さいときに使います。つまり、仮定的条件を重ねて用いる場合に、先行する大きな条件を「場合」、小さい条件を「とき」で表現します。

　以上の仮定的条件に対して、「時」は時間的な一定点を示します（「事業年度終了の時において……」）。

(5)　者、物、もの

　「者」は法律上の人格を持つ主体をいい、自然人および法人の双方に用います。一方、「物」は人格ではなく有体物を総称する言葉として使います。

　「者」または「物」で表現することのできない、抽象的な存在を示すときには「もの」で表現します。たとえば「別段の定めがあるものを除き……」のような使い方をしますが、このほか「……の者で……するもの」のように、ある特定の者をさらに限定的に説明する際に用いる場合もあります。

(6)　同、前、次

　「同」は、直前の条文等に示された条、項、号と同一の対象を示すときに用います（「同条」、「同項」、「同号」）。前出と同じ条等ではなく、ある条文からみた直前または直後の条、項、号を示すときには「前条」「次条」等と表現します。たとえば第5条において「前条」という言葉が使われているとき、それは第4条の意味です。

　なお、前に位置する複数の条、項、号を示すときには、「前2条」「前3項」「前各号」と表現し、たとえば第5条において「前2条」という言葉が使われているとき、それは第2条のことではなく、第3条と第4条を意味します。

第4章

別表4・5と
決算書の関連

1 別表4と決算書の関連

別表4と決算書とのつながりを、【126ページ】に示しているのでご覧ください。

◉ **当期利益金額は損益計算書および株主資本等変動計算書と一致**

別表4における所得計算は、決算で確定した利益金額からスタートしますから、当然のごとく①の「当期利益」1,261,784,387円は、損益計算書の最終行「当期純利益」に一致します。

当期純利益は株主資本等変動計算書にも記載されており、その金額とも一致していなければなりません。また、①の社外流出欄の「配当」80,000,000円は、株主資本等変動計算書に「剰余金の配当」として記載されている金額と一致します。

さらに、株主資本等変動計算書の「株主資本合計」欄における当期変動額合計1,181,784,387円が、別表4の①の留保欄の金額と一致しています。

◉ **加減算と決算書とのつながり**

別表4の②以下は、会計上の収益・費用と税務上の益金・損金の食い違いを調整する欄です。したがって、損益計算書ないし株主資本等変動計算書の数字と、次のような関係にあります。

会計上		税務上	別表4
費 用 計 上	：	損金不算入 ➡	加 算
収 益 計 上	：	益金不算入 ➡	減 算
費用不計上	：	損 金 算 入 ➡	減 算
収益不計上	：	益 金 算 入 ➡	加 算

◉ **別表4の法人税等プラス中間分事業税が損益計算書に一致**

法人税等の金額に関して、中小法人（資本金1億円以下）では、原則として次のようにつながります（第2章の **1**・**3**参照）。

別表4（②＋③＋④＋㉙）＋中間分事業税＝損益計算書（「法人税、住民税及び事業税」）

　ところが、外形標準課税で事業税を納付している大法人の場合は、話がもう少し複雑です。

　阪神産業㈱の場合、損益計算書の「法人税、住民税及び事業税」に、販売費及び一般管理費に計上した「租税公課」に含まれる事業税（付加価値割と資本割）を加えた金額は、次のように606,730,307円となります。

$$\underset{\text{法人税等}}{\text{損益計算書：575,040,807円}} + \underset{\text{租税公課}}{31,689,500円} = 606,730,307円$$

　一方、別表4で加算した法人税等の金額は、次のように556,500,907円です。

$$\boxed{2} + \boxed{3} + \boxed{4} + \boxed{29} = 556,500,907円$$

　中間分の事業税（所得割・付加価値割・資本割・地方法人特別税の合計）は50,229,400円（別表5(2)の$\boxed{18}$）ですから、それを上記金額に加えると、損益計算書の金額と一致します（【128ページ】）。

$$556,500,907円 + \underset{\text{中間分事業税}}{50,229,400円} = 606,730,307円$$

●源泉所得税が不一致の場合もある

　法人税等のつながりでもうひとつ注意すべきは、$\boxed{29}$（源泉所得税）の金額に関して、費用計上額と損金不算入額が食い違う場合があるという点です。つまり、源泉所得税はもともと損金算入の税金です。損金不算入扱いして別表4で加算する金額は、税額控除を受ける金額に限られます。

　株式配当に対する源泉所得税などで、元本の所有期間に照らして税額控除が認められない部分の金額は、別表4で加算せずそのまま損金算入します。そのような場合には、上記の計算結果と損益計算書計上額が一致しません。

●特別償却準備金等の積立額・取崩額もつながる

　つぎに、阪神産業㈱は特別償却と圧縮記帳を剰余金の処分で行っており、特別償却準備金および資産圧縮積立金の積立額と取崩額が、株主資本等変動計算書に計上されています。

　積立額については、会計上費用に計上されていないが、税務上は損金に算入されるので別表4で減算します。取崩額は、会計上は収益計上されませんが、税務上益金に算入されるため、別表4で加算しています。以上の関係を【129ページ】の図表11で示しています。

別表４と決算書の関連

（自令和６年４月１日　至令和７年３月31日）

阪神産業　株式会社　　　　　　　　　　　　　　（単位：円）

売上高	18,736,671,878
売上原価	12,815,623,851
売上総利益	5,921,048,027

雑損失	47,202,286	128,357,961
経常利益		1,836,825,194
税引前当期純利益		1,836,825,194
法人税、住民税及び事業税		575,040,807
当期純利益		1,261,784,387

所得の金額の計算に関する明細書（簡易様式）

| 事業年度 | 6・4・1　7・3・31 | 法人名 | 阪神産業株式会社 |

別表四（簡易様式）

区分		総額 ①	処分	
			留保 ②	社外流出 ③
当期利益又は当期欠損の額	1	円 1,261,784,387	円 1,181,784,387	配当 80,000,000 円 / その他
加	損金経理をした法人税及び地方法人税（附帯税を除く。）	2	232,053,800	232,053,800	
	損金経理をした道府県民税及び市町村民税	3	21,544,700	21,544,700	
	損金経理をした納税充当金	4	299,950,800	299,950,800	
	損金経理をした附帯税（利子税を除く。）、加算金、延滞金（延納分を除く。）及び過怠税	5			その他
	減価償却の償却超過額	6			
	役員給与の損金不算入額	7	16,500,000		その他 16,500,000
	交際費等の損金不算入額	8	3,930,206		その他 3,930,206
	通算法人に係る加算額（別表四付表「5」）	9			外※
	一括償却資産損金不算入額	10	1,771,420	1,771,420	
算					

更生欠損金又は民事再生等評価換えが行われる場合の再生等欠損金の損金算入額（別表七（三）「9」又は「21」）	40	△		※	△
通算対象欠損金額の損金算入額又は通算対象所得金額の益金算入額（別表七の二「5」又は「11」）	41			※	
差引計 (39)+(40)±(41)	43	1,810,046,225	1,718,517,488	外※	△13,402,016 / 104,930,753
欠損金等の当期控除額 (別表七（一）「4の計」）+（別表七（四）「10」）	44	△		※	△
総計 (43)+(44)	45	1,810,046,225	1,718,517,488	外※	△13,402,016 / 104,930,753
残余財産の確定の日の属する事業年度に係る事業税及び特別法人事業税の損金算入額	51	△	△		
所得金額又は欠損金額	52	1,810,046,225	1,718,517,488	外※	△13,402,016 / 104,930,753

株 主 資 本 等 変 動 計 算 書

（自令和6年4月1日　至令和7年3月31日）

阪神産業　株式会社　　　　　　　　　　　　　　　　　　　　　　　　　　（単位：円）

	株　　主　　資　　本				
	資　本　金	資本剰余金	利　益　剰　余　金		
		資本準備金	利益準備金	特別償却準備金	資産圧縮積立金
前 期 末 残 高	500,000,000	184,000,000	125,000,000	84,998,101	125,334,824
当 期 変 動 額					
剰余金の配当					
剰余金の取崩				△ 27,687,561	△ 7,556,014
剰余金の積立				7,166,616	8,683,000
当 期 純 利 益					
当期変動額合計	0	0	0	△ 20,520,945	1,126,986
当 期 末 残 高	500,000,000	184,000,000	125,000,000	64,477,156	126,461,810

	株　　主　　資　　本			純資産合計
	利　益　剰　余　金		株主資本合計	
	別途積立金	繰越利益剰余金		
前 期 末 残 高	6,262,000,000	897,326,160	8,178,659,085	8,178,659,085
当 期 変 動 額				
剰余金の配当		△ 80,000,000	△ 80,000,000	△ 80,000,000
剰余金の取崩		35,243,575	0	0
剰余金の積立	700,000,000	△ 715,849,616	0	0
当 期 純 利 益		1,261,784,387	1,261,784,387	1,261,784,387
当期変動額合計	700,000,000	501,178,346	1,181,784,387	1,181,784,387
当 期 末 残 高	6,962,000,000	1,398,504,506	9,360,443,472	9,360,443,472

法人税等の関連

所得の金額の計算に関する明細書（簡易様式）

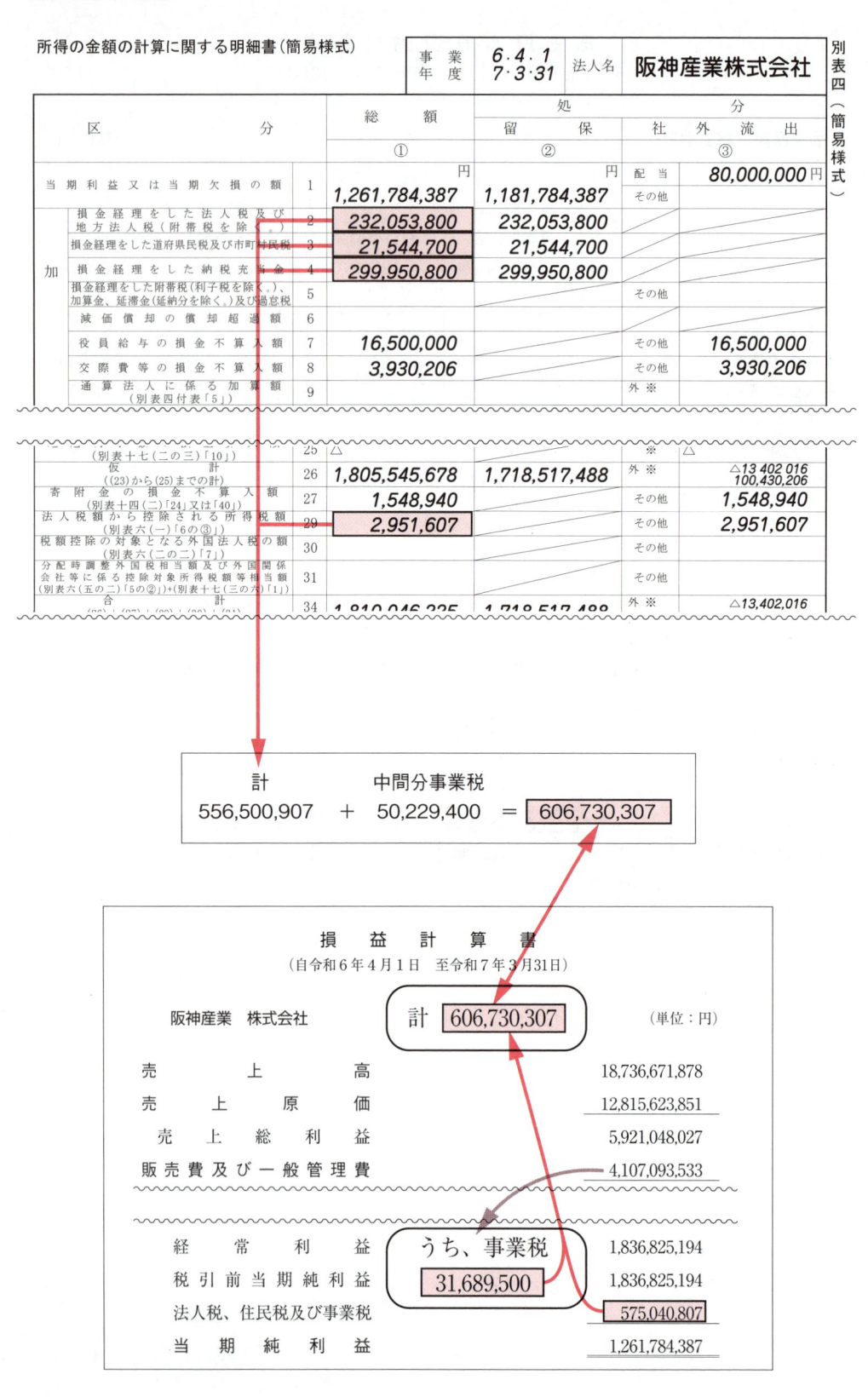

事業年度 6・4・1 7・3・31 法人名 阪神産業株式会社

別表四（簡易様式）

区　　　　分		総　額	処　　　分	
		①	留　保 ②	社　外　流　出 ③
当 期 利 益 又 は 当 期 欠 損 の 額	1	1,261,784,387 円	1,181,784,387 円	配当 80,000,000 円 その他
損金経理をした法人税及び地方法人税（附帯税を除く。）	2	232,053,800	232,053,800	
損金経理をした道府県民税及び市町村民税	3	21,544,700	21,544,700	
損金経理をした納税充当金	4	299,950,800	299,950,800	
損金経理をした附帯税（利子税を除く。）、加算金、延滞金（延納分を除く。）及び過怠税	5			その他
減 価 償 却 の 償 却 超 過 額	6			
役 員 給 与 の 損 金 不 算 入 額	7	16,500,000		その他 16,500,000
交 際 費 等 の 損 金 不 算 入 額	8	3,930,206		その他 3,930,206
通 算 法 人 に 係 る 加 算 額（別表四付表「5」）	9			外 ※

（別表十七（二の三）「10」）	25	△		
仮　　　計（(23)から(25)までの計）	26	1,805,545,678	1,718,517,488	外 ※ △13,402,016 100,430,206
寄 附 金 の 損 金 不 算 入 額（別表十四（二）「24」又は「40」）	27	1,548,940		その他 1,548,940
法人税額から控除される所得税額（別表六（一）「6の③」）	29	2,951,607		その他 2,951,607
税額控除の対象となる外国法人税の額（別表六（二の二）「7」）	30			その他
分配時調整外国税相当額及び外国関係会社等に係る控除対象所得税額等相当額（別表六（五の二）「5の②」)+(別表十七（三の六）「1」）	31			その他
合　　　計	34	1,810,046,225	1,718,517,488	外 ※ △13,402,016

計　　　中間分事業税
556,500,907　＋　50,229,400　＝　606,730,307

損　益　計　算　書
（自令和6年4月1日　至令和7年3月31日）

阪神産業　株式会社　　　計 606,730,307　　　（単位：円）

売　　上　　高	18,736,671,878
売　　上　原　価	12,815,623,851
売　上　総　利　益	5,921,048,027
販売費及び一般管理費	4,107,093,533
経　常　利　益	うち、事業税 1,836,825,194
税引前当期純利益	31,689,500　　1,836,825,194
法人税、住民税及び事業税	575,040,807
当　期　純　利　益	1,261,784,387

〈図表11　特別償却準備金等の関連〉

所得の金額の計算に関する明細書（簡易様式）　　事業年度　6 7

区　　　　　分		総　額 ①
		円
当 期 利 益 又 は 当 期 欠 損 の 額	1	1,261,784,387
損金経理をした法人税及び地方法人税（附帯税を除く。）	2	232,053,800
損金経理をした道府県民税及び市町村民税	3	21,544,700
損金経理をした納税充当金	4	299,950,800
損金経理をした附帯税（利子税を除く。）、加算金、延滞金（延納分を除く。）及び過怠税	5	
減 価 償 却 の 償 却 超 過 額	6	
役員給与の損金不算入額	7	16,500,000
交 際 費 等 の 損 金 不 算 入 額	8	3,930,206
通算法人に係る加算額（別表四付表「5」）	9	
一括償却資産損金不算入額	10	1,771,420
特別償却準備金取崩額		27,687,561
資産圧縮積立金取崩額		7,556,014
次　葉　合　計		185,731,283
小　　　　　計	11	796,725,784
減価償却超過額の当期認容額	12	1,694,352
納税充当金から支出した事業税等の金額	13	52,593,900
受取配当等の益金不算入額（別表八（一）「5」）	14	13,402,016
外国子会社から受ける剰余金の配当等の益金不算入額（別表八（二）「26」）	15	
受贈益の益金不算入額	16	
適格現物分配に係る益金不算入額	17	
法人税等の中間納付額及び過誤納に係る還付金額	18	
所得税額等及び欠損金の繰戻しによる還付金額等	19	
通算法人に係る減算額（別表四付表「10」）	20	
一括償却資産当期認容額	21	1,563,730
特別償却準備金当期認容額		7,166,616
資産圧縮積立金当期認容額		8,683,000
次　葉　合　計		167,860,879
小　　　　　計	22	252,964,493
仮　　　計 (1)+(11)−(22)	23	1,805,545,678
対象純支払利子等の損金不算入額（別表十七（二の二）「29」又は「34」）	24	
超過利子額の損金算入額（別表十七（二の三）「10」）	25	△
仮　　　計 (23)から(25)までの計	26	1,805,545,678
寄附金の損金不算入額（別表十四（二）「24」又は「40」）	27	1,548,940
法人税額から控除される所得税額（別表六（一）「6の③」）	29	2,951,607
税額控除の対象となる外国法人税の額（別表六（二の二）「7」）	30	
分配時調整外国税相当額及び外国関係会社等に係る控除対象所得税額等相当額（別表六（五の二）「5の②」)+（別表十七（三の六）「1」)	31	
合　　　計 (26)+(27)+(29)+(30)+(31)	34	1,810,046,225
中間申告における繰戻しによる還付に係る災害損失欠損金額の益金算入額	37	
非適格合併又は残余財産の全部分配等による移転資産等の譲渡利益額又は譲渡損失額	38	
差　引　計 (34)+(37)+(38)	39	1,810,046,225
更生欠損金又は民事再生等評価換えが行われる場合の再生等欠損金の損金算入額（別表七「9」又は「21」)	40	△
通算対象欠損金額の損金算入額又は通算対象所得金額の益金算入額（別表七の二「5」又は「11」)	41	
差　引　計 (39)+(40)±(41)	43	1,810,046,225
欠損金等の当期控除額（別表七（一）「4の計」)+（別表七（四）「10」)	44	△
総　　　計 (43)+(44)	45	1,810,046,225
残余財産の確定の日の属する事業年度に係る事業税及び特別法人事業税の損金算入額	51	△
所 得 金 額 又 は 欠 損 金 額	52	1,810,046,225

株主資本等変動計算書

	株　主　資　本	
	利　益　剰　余　金	
	特別償却準備金	資産圧縮積立金
前 期 末 残 高	84,998,101	125,334,824
当 期 変 動 額		
剰余金の配当		
剰余金の取崩	△ 27,687,561	△ 7,556,014
剰余金の積立	7,166,616	8,683,000
当 期 純 利 益		
当期変動額合計	△ 20,520,945	1,126,986
当 期 末 残 高	64,477,156	126,461,810

●全額加算する項目は費用明細等で突き合わせ

その他、減価償却費の償却超過額、役員給与の損金不算入額、交際費の損金不算入額など、別表4の加算項目については、通常、まず会計上の費用計上があって、その全部または一部が損金とならないため調整しています。

したがって、全額を加算している次のような項目に関しては、損益計算書の費用明細等で突き合わせることが可能です。

- ・「役員退職慰労引当金の損金不算入額」
- ・「賞与引当金の損金不算入額」
- ・「販売促進費引当金の損金不算入額」

●減算項目で突き合わせのできるケースはまれ

一方、減算項目に関しては、損益計算書の数字とずばり一致するケースはまれです。「受取配当等の益金不算入額」（⑭）にしても、損益計算書計上額そのものではなく、別表8⑴（受取配当等の益金不算入に関する明細書）において所定の調整を加えた数字です。

一致するケースとして考えられるのは、洗替え処理の引当金につき、戻入額の全額をそのまま損益計算書に収益として表示している場合ぐらいのものでしょう。

2 別表５(1)と決算書の関連

1 貸借対照表との関連

◉**別表５(1)と貸借対照表は密接につながる**

　別表４と損益計算書との関連と比べて、別表５(1)と貸借対照表との関連はより顕著です（【次ページ】）。まず、「資本金等の額の計算に関する明細書」における資本金500,000,000円と資本準備金184,000,000円は、貸借対照表に記載のとおりです。また、

　「利益積立金額の計算に関する明細書」についても、多くの項目で残高が貸借対照表と一致しています。

　利益積立金のうち"利益剰余金項目"は、貸借対照表の純資産の部に計上されている利益準備金、特別償却準備金、資産圧縮積立金、別途積立金、繰越利益剰余金と同額です。

　また、別表５(1)における"納税充当金"は、会計上の未払法人税等と同義ですから、当然のごとく両者の残高は一致します。

◉**特別償却準備金認容は利益積立金の取り消し**

　"特別償却準備金認容"△64,477,156円と"資産圧縮積立金認容"△126,461,810円は、会計上の利益剰余金が、税務上は損金に算入されることで負債扱いされ、それをマイナスの利益積立金として計上しているものです。つまり、利益剰余金として記載している"特別償却準備金"および"資産圧縮積立金"と同額をマイナス計上することにより、それらを利益積立金項目から取り消す処理を行っています。

◉**税務否認項目と負債計上額の一致**

　"税務否認項目"のうちには、貸借対照表の負債計上額と一致する項目がいくつかあります。賞与引当金、販売促進費引当金、役員退職慰労引当金については、税務上は全額が損金不算入であるため、貸借対照表計上額と同じ数字で別表５(1)と突き合わせることができます。

　なお、退職給付引当金も賞与引当金などと同じく、引当額は全額が損金不算入です

利益積立金額及び資本金等の額の計算に関する明細書

| 事 業 年 度 | 6 ・ 4 ・ 1 7 ・ 3 ・31 | 法人名 | 阪神産業株式会社 | 別表五(一) |

Ⅰ　利益積立金額の計算に関する明細書

区　分		期首現在利益積立金額 ①	当期の増減 減 ②	当期の増減 増 ③	差引翌期首現在利益積立金額 ①−②+③ ④
利 益 準 備 金	1	125,000,000円	円	円	125,000,000円
別 途 積 立 金	2	6,262,000,000		700,000,000	6,962,000,000
特 別 償 却 準 備 金	3	84,998,101	27,687,561	7,166,616	64,477,156
特別償却準備金認容額	4	△84,998,101	△27,687,561	△7,166,616	△64,477,156
資 産 圧 縮 積 立 金	5	125,334,824	7,556,014	8,683,000	126,461,810
資産圧縮積立金認容額	6	△125,334,824	△7,556,014	△8,683,000	△126,461,810
退 職 給 付 引 当 金	7	887,019,266	68,861,500	64,414,210	882,571,976
役員退職慰労引当金	8	209,325,000		23,650,000	232,975,000
賞 与 引 当 金	9	39,196,632	39,196,632	37,139,940	37,139,940
貸 倒 引 当 金	10	19,142,700	19,142,700	20,189,330	20,189,330
一 括 償 却 資 産	11	2,324,760	1,563,730	1,771,420	2,532,450
繰 延 資 産 償 却 超 過 額	12	5,930,104	1,959,762		3,970,342
減 価 償 却 超 過 額	13	6,485,019	1,694,352		4,790,667
販 売 促 進 費 引 当 金	14	35,600,000	35,600,000	37,800,000	37,800,000
福 利 厚 生 会 残 高	15	3,100,285	3,100,285	2,537,803	2,537,803
	16				
	17				
	18				
	19				
	20				
	21				
	22				
	23				
	24				
繰 越 損 益 金（損 は 赤）	25	897,326,160		501,178,346	1,398,504,506円
納 税 充 当 金	26	313,250,600	313,250,600	299,950,800	299,950,800
未納法人税等（附帯税を除く。）に対するものに限る。	未 納 法 人 税 及 び 未 納 地 方 法 人 税 （附帯税を除く。）	27	△238,097,600	△470,151,400	中間 △232,053,800 確定 △228,177,900	△228,177,900
	未 払 通 算 税 効 果 額 （附帯税の額に係る部分の金額を除く。）	28			中間 確定	
	未 納 道 府 県 民 税 （均等割を含む。）	29	△ 4,401,300	△ 8,604,700	中間 △ 4,203,400 確定 △ 4,455,200	△ 4,455,200
	未 納 市 町 村 民 税 （均等割を含む。）	30	△ 18,157,800	△ 35,499,100	中間 △ 17,341,300 確定 △ 17,572,900	△ 17,572,900
差 引 合 計 額	31	8,545,043,826	△29,885,639	1,184,827,349	9,759,756,814

Ⅱ　資本金等の額の計算に関する明細書

区　分		期首現在資本金等の額 ①	当期の増減 減 ②	当期の増減 増 ③	差引翌期首現在資本金等の額 ①−②+③ ④
資 本 金 又 は 出 資 金	32	500,000,000円	円	円	500,000,000円
資 本 準 備 金	33	184,000,000			184,000,000
	34				
	35				
差 引 合 計 額	36	684,000,000			684,000,000

貸借対照表

（令和7年3月31日現在）

（単位：円）

阪神産業 株式会社

資産の部 科目	金額	負債の部／純資産の部 科目	金額
（資産の部）		（負債の部）	
流動資産	7,571,311,952	流動負債	4,669,239,571
現金預金	874,456,649	支払手形	715,594,381
受取手形	297,990,910	買掛金	261,416,797
売掛金	3,907,300,650	短期借入金	1,568,000,000
製品及び商品	597,898,380	1年以内返済予定長期借入金	620,800,000
仕掛品	917,956,958	未払金	801,203,261
原材料	312,686,714	未払法人税等	299,950,800
貯蔵品	59,391,533	未払消費税等	65,084,200
その他	619,216,138	未払費用	125,135,453
貸倒引当金	△15,585,980	預り金	82,309,329
固定資産	9,787,036,248	賞与引当金	37,139,940
有形固定資産	7,712,129,229	返品調整引当金	25,555,198
建物	2,987,570,803	販売促進費引当金	37,800,000
構築物	391,038,257	その他	29,250,212
機械装置	3,006,226,635	固定負債	3,328,665,157
車両運搬具	10,767,440	長期借入金	2,210,400,000
工具器具備品	456,422,923	退職給付引当金	885,290,157
土地	812,000,871	役員退職慰労引当金	232,975,000
建設仮勘定	48,107,300	負債合計	7,997,904,728
無形固定資産	12,403,661	（純資産の部）	
投資その他の資産	2,062,503,358	株主資本	9,360,443,472
投資有価証券	438,364,025	資本金	500,000,000
子会社株式	373,128,194	資本剰余金	184,000,000
出資金	11,500,000	資本準備金	184,000,000
差入保証金	197,604,868	利益剰余金	8,676,443,472
長期貸付金	870,000,000	利益準備金	125,000,000
長期前払費用	23,944,950	特別償却準備金	64,477,156
その他	152,564,671	資産圧縮積立金	126,461,810
貸倒引当金	△4,603,350	別途積立金	6,962,000,000
		繰越利益剰余金	1,398,504,506
		純資産合計	9,360,443,472
資産合計	17,358,348,200	負債及び純資産合計	17,358,348,200

が、退職年金の掛金の支払いがあれば、その支払額が損金に算入されます。その際、退職給付会計では下記のように処理するため、順送りで加算と減算が起こります。そのため、退職給付引当金の残高については、別表5(1)と貸借対照表の金額が一致しない場合があります（詳細は第9章・**2**参照）。

〈期末時〉

（借）退 職 給 付 費 用　×××　　　（貸）退 職 給 付 引 当 金　×××
損金不算入→加算

〈掛金拠出時〉（減算）

（借）退 職 給 付 引 当 金　×××　　　（貸）現　　金　　預　　金　×××

　　　　退 職 年 金 掛 金　×××　　　　　　現　　金　　預　　金　×××

　　　　退 職 給 付 引 当 金　×××　　　　　退職給付引当金戻入　×××

益金不算入 → 減算

◉一部が不一致のものはつながらない

　第1章の**2**で述べたように、そもそも利益積立金には純資産の裏付けが必要です。そこで利益積立金相当額は、貸借対照表において"負債"または"資産のマイナス"として計上されているはずです。

　しかし、税務否認項目のうち限度超過額のように、計上額の一部が不一致のものについては、貸借対照表と突き合わせることはできません。

　阪神産業㈱の場合、直接突き合せのできない項目は、次のようなかたちで貸借対照表に計上されています。

　① **減価償却超過額**　4,790,667円

　　　会計上過大に償却したことにより、貸借対照表における固定資産勘定の残高がその分過小となっています。つまりこの金額は、貸借対照表では資産のマイナスとして計上されています。

　② **繰延資産償却超過額**　3,970,342円

　　　①と同様です。具体的には"長期前払費用"として計上されている税務上の繰延資産の金額が過小となっています。

　③ **一括償却資産**　2,532,450円

　　　税務上3年均等償却すべきものを、会計上は取得年度に全額を費用処理しています。そこで、償却超過相当額が簿外資産（資産のマイナス）となっています。

　④ **福利厚生会残高**　2,537,803円

　　　会計上は、従業員親睦団体に補助金を支払った時点で、全額を"福利厚生費"

に計上しています。税務上は、厚生会の期末の現預金残高相当額は費用化せず資産として残ると考え、その金額が貸借対照表では簿外となっています。

●別表5(1)と科目内訳書の関連にも留意

　別表5(1)の利益積立金額と貸借対照表とのつながりを考える際、法人税申告書に添付して提出する「科目内訳書」にも配慮しなければなりません。

　たとえば、何らかの費用を未払い計上し、税務上その未払い計上が認められないときは、別表4で加算します。その結果、別表5(1)に利益積立金で計上されますが、それは貸借対照表では"未払費用"として計上されています。

　未払費用がその項目だけなら、両者はずばり一致しますが、通常そうはならないでしょう。そこで科目内訳書を見ます。未払費用の内訳としてその項目が計上されている、あるいは計上されているはず、という状況が考えられます。

　申告書を作成する際、科目内訳書と別表5(1)の関連にも十分ご留意ください。

2　株主資本等変動計算書との関連

●当期変動額が別表5(1)の増減額

　別表5(1)の増減欄については、一部に株主資本等変動計算書との関連が見られます（【次ページ】）。すなわち、利益積立金のうちの利益剰余金項目に関して、次のような対応関係があります。

株主資本等変動計算書		別表5(1)
剰余金の積立	➡	増　加
剰余金の取崩	➡	減　少

　なお、繰越利益剰余金（繰越損益金）については、株主資本等変動計算書における当期変動額の内訳が複雑なため、差引き合計の変動額で別表5(1)とつながっています。

別表5(1)と株主資本等変動計算書の関連

利益積立金額及び資本金等の額の計算に関する明細書

| 事業年度 | 6 . 4 . 1　7 . 3 . 31 | 法人名 | 阪神産業株式会社 | 別表五(一) |

I　利益積立金額の計算に関する明細書

区分		期首現在利益積立金額 ①	当期の増減 減 ②	当期の増減 増 ③	差引翌期首現在利益積立金額 ①-②+③ ④
利　益　準　備　金	1	125,000,000円	円	円	125,000,000円
別　途　積　立　金	2	6,262,000,000		700,000,000	6,962,000,000
特　別　償　却　準　備　金	3	84,998,101	27,687,561	7,166,616	64,477,156
特別償却準備金認容額	4	△84,998,101	△27,687,561	△7,166,616	△64,477,156
資　産　圧　縮　積　立　金	5	125,334,824	7,556,014	8,683,000	126,461,810
資産圧縮積立金認容額	6	△125,334,824	△7,556,014	△8,683,000	△126,461,810
退　職　給　付　引　当　金	7	887,019,266	68,861,500	64,414,210	882,571,976
役員退職慰労引当金	8	209,325,000		23,650,000	232,975,000
賞　与　引　当　金	9	39,196,632	39,196,632	37,139,940	37,139,940
貸　倒　引　当　金	10	19,142,700	19,142,700	20,189,330	20,189,330
一　括　償　却　資　産	11	2,324,760	1,563,730	1,771,420	2,532,450
繰延資産償却超過額	12	5,930,104	1,959,762		3,970,342
減　価　償　却　超　過　額	13	6,485,019	1,694,352		4,790,667
販　売　促　進　費　引　当　金	14	35,600,000	35,600,000	37,800,000	37,800,000
福　利　厚　生　会　残　高	15	3,100,285	3,100,285	2,537,803	2,537,803
	16				
	17				
	18				
	19				
	20				
	21				
	22				
	23				
	24				
繰越損益金（損は赤）	25	897,326,160		501,178,346	1,398,504,506
納　税　充　当　金	26	313,250,600	313,250,600	299,950,800	299,950,800
未納法人税等　未納法人税及び未納地方法人税（附帯税を除く。）	27	△238,097,600	△470,151,400	中間 △232,053,800　確定 △228,177,900	△228,177,900
未払通算税効果額（附帯税の額に係る部分の金額を除く。）	28			中間　確定	
未納道府県民税（均等割を含む。）	29	△4,401,300	△8,604,700	中間 △4,203,400　確定 △4,455,200	△4,455,200
未納市町村民税（均等割を含む。）	30	△18,157,800	△35,499,100	中間 △17,341,300　確定 △17,572,900	△17,572,900
差　引　合　計　額	31	8,545,043,826	△29,885,639	1,184,827,349	9,759,756,814

II　資本金等の額の計算に関する明細書

区分		期首現在資本金等の額 ①	当期の増減 減 ②	当期の増減 増 ③	差引翌期首現在資本金等の額 ①-②+③ ④
資本金又は出資金	32	500,000,000円	円	円	500,000,000円
資　本　準　備　金	33	184,000,000			184,000,000
	34				
	35				
差　引　合　計　額	36	684,000,000			684,000,000

株 主 資 本 等 変 動 計 算 書

（自令和6年4月1日　至令和7年3月31日）

阪神産業 株式会社　　　　　　　　　　　　　　　　　　　　　　　　　（単位：円）

		株　主　資　本				
	資　本　金	資本剰余金	利　益　剰　余　金			
		資本準備金	利益準備金	特別償却準備金	資産圧縮積立金
前 期 末 残 高	500,000,000	184,000,000	125,000,000	84,998,101	125,334,824
当 期 変 動 額					
剰 余 金 の 配 当					
剰 余 金 の 取 崩				△ 27,687,561	△ 7,556,014
剰 余 金 の 積 立				7,166,616	8,683,000
当 期 純 利 益					
当 期 変 動 額 合 計	0	0	0	△ 20,520,945	1,126,986
当 期 末 残 高	500,000,000	184,000,000	125,000,000	64,477,156	126,461,810

	株　主　資　本			純資産合計
	利　益　剰　余　金		株主資本合計	
	別途積立金	繰越利益剰余金		
前 期 末 残 高	6,262,000,000	897,326,160	8,178,659,085	8,178,659,085
当 期 変 動 額				
剰 余 金 の 配 当		△ 80,000,000	△ 80,000,000	△ 80,000,000
剰 余 金 の 取 崩		35,243,575	0	0
剰 余 金 の 積 立	700,000,000	△ 715,849,616	0	0
当 期 純 利 益		1,261,784,387	1,261,784,387	1,261,784,387
当 期 変 動 額 合 計	700,000,000	501,178,346	1,181,784,387	1,181,784,387
当 期 末 残 高	6,962,000,000	1,398,504,506	9,360,443,472	9,360,443,472

［一口ゼミ⑩］　会計基準による圧縮記帳の処理

　「株主資本等変動計算書に関する会計基準の適用指針25」では、税法上の積立金（たとえば圧縮積立金）は、直接減額方式ではなく積立金方式で処理すべきものとされています。

　その際、圧縮積立金等の税法上の積立金の積立ておよび取崩しは、会社法452条（剰余金についてのその他の処分）の規定ではなく、会社計算規則153条により「株主総会の決議を経ないで剰余金の項目に係る額の増加又は減少をなすべき場合」として行われます。そこで税務上も、決算確定の日（株主総会または取締役会の日）までに経理処理を行った剰余金処分による積立額は、前事業年度の損金に算入することを認めています。

　なお、税効果会計を適用する場合、剰余金の処分による圧縮積立金等の積立額は、税効果相当額を控除した金額となりますが（第9章の①参照）、その場合でも税務上は、剰余金の処分による積立額とこれに対応する税効果相当額との合計額を、圧縮積立金等として積み立てたものとして取り扱います。

第5章

還付申告と
別表4・5

1 源泉税の還付を受ける場合

1 2通りの経理方式

◉いずれの処理を行うかで申告書の記載が異なる

　赤字法人にあっては通常、住民税の均等割のみ納付し、受取利息や受取配当金に対する源泉所得税が還付されます。納付時に損金不算入扱いされた源泉所得税の還付額は、二重課税とならないよう益金に算入されません。

　ところで、還付税金の経理に関しては、期末に未収金（または仮払金）で資産計上する処理と、翌期の還付時点において雑収入等の科目で収益計上する処理の2つがあります。いずれの処理を行うかで、別表4と別表5(1)の記載が異なります。

2 損金経理方式

　均等割を納付した時点で費用計上し、源泉所得税が還付された時点で収益計上するやり方を、次の 設例 で考えることとします。

設例1

　A社の損益計算書（第1期および第2期分）は次のとおりです。

	第1期	第2期
⋮	⋮	⋮
当 期 純 損 益	△　300万円	200万円

　同社は税金に関する取引について、次のように処理しています。

[第1期] 利息受取り	（借）現 金 預 金　119,000　　（貸）受 取 利 息　140,000 　　　租 税 公 課　 21,000

[第2期]									
均等割納付	（借）租 税 公 課	70,000	（貸）現 金 預 金	70,000
源泉税還付	（借）現 金 預 金	21,000	（貸）雑 収 入	21,000
利息受取り	（借）現 金 預 金	153,000	（貸）受 取 利 息	180,000
	租 税 公 課	27,000		

(注) 便宜上、復興特別所得税は考慮外とします。

計 算

A社における所得金額の計算は、次のようになります。

[第1期]

当 期 純 損 失		3,000,000円
加算	損金経理した源泉所得税額	21,000円
欠 損 金 額		2,979,000円

[第2期]

当 期 純 利 益		2,000,000円
加算	損金経理した住民税額	70,000円
	損金経理した源泉所得税額	27,000円
減算	源泉所得税の還付金額	21,000円
	欠損金の繰越控除額	2,076,000円
所 得 金 額		0円

申告書記入例

申告書の別表4と別表5(1)の記入例を、【142・143ページ】に示しています。

●損金算入した源泉税を加算

別表4の㉙欄で、損金不算入の源泉所得税（21,000円）を加算します。源泉所得税は社外流出項目のため、別表5(1)に転記されません。

●源泉所得税の還付は社外流出項目なので要注意

つぎに、第2期の申告書をご覧ください（【144・145ページ】）。

第2期においては、均等割（70,000円）を納付し損金経理しているので、それを別表4の③欄で加算します。また、源泉所得税の還付額を収益計上していますが、これらは益金不算入とされるため、⑲欄で減算します。

損金経理方式の別表4〈第1期〉

所得の金額の計算に関する明細書（簡易様式）

事業年度	第1期	法人名	A 社

区　分		総　額 ①	処　分		
			留　保 ②	社　外　流　出 ③	
当 期 利 益 又 は 当 期 欠 損 の 額	1	円 △3,000,000	円 △3,000,000	配当	円
				その他	
加	損 金 経 理 を し た 法 人 税 及 び 地 方 法 人 税 (附 帯 税 を 除 く 。)	2			
	損 金 経 理 を し た 道 府 県 民 税 及 び 市 町 村 民 税	3			
	損 金 経 理 を し た 納 税 充 当 金	4			
	損金経理をした附帯税(利子税を除く。)、加算金、延滞金(延納分を除く。)及び過怠税	5		その他	
	減 価 償 却 の 償 却 超 過 額	6			
	役 員 給 与 の 損 金 不 算 入 額	7		その他	
	交 際 費 等 の 損 金 不 算 入 額	8		その他	
	通 算 法 人 に 係 る 加 算 額 (別表四付表「5」)	9		外 ※	
算		10			
	小　　　計	11		外 ※	
減	減 価 償 却 超 過 額 の 当 期 認 容 額	12			
	納税充当金から支出した事業税等の金額	13			
	受 取 配 当 等 の 益 金 不 算 入 額 (別表八(一)「5」)	14		※	
	外国子会社から受ける剰余金の配当等の益金不算入額(別表八(二)「26」)	15		※	
	受 贈 益 の 益 金 不 算 入 額	16		※	
	適 格 現 物 分 配 に 係 る 益 金 不 算 入 額	17		※	
	法 人 税 等 の 中 間 納 付 額 及 び 過 誤 納 に 係 る 還 付 金 額	18			
	所 得 税 額 等 及 び 欠 損 金 の 繰 戻 し に よ る 還 付 金 額 等	19		※	
	通 算 法 人 に 係 る 減 算 額 (別表四付表「10」)	20		※	
算		21			
	小　　　計	22		外 ※	
仮　　　　　計 (1)+(11)-(22)	23	△3,000,000	△3,000,000	外 ※	
対象純支払利子等の損金不算入額 (別表十七(二の二)「29」又は「34」)	24			その他	
超 過 利 子 額 の 損 金 算 入 額 (別表十七(二の三)「10」)	25	△		※	△
仮　　　計 ((23)から(25)までの計)	26	△3,000,000	△3,000,000	外 ※	
寄 附 金 の 損 金 不 算 入 額 (別表十四(二)「24」又は「40」)	27			その他	
法 人 税 額 か ら 控 除 さ れ る 所 得 税 額 (別表六(一)「6の③」)	29	21,000		その他	21,000
税額控除の対象となる外国法人税の額 (別表六(二の二)「7」)	30			その他	
分配時調整外国税相当額及び外国関係会社等に係る控除対象所得税額等相当額 (別表六(五の二)「5の②」)+(別表十七(三の六)「1」)	31			その他	
合　　　計 (26)+(27)+(29)+(30)+(31)	34	△2,979,000	△3,000,000	外 ※	21,000
中 間 申 告 に お け る 繰 戻 し に よ る 還 付 に 係 る 災 害 損 失 欠 損 金 額 の 益 金 算 入 額	37			※	
非 適 格 合 併 又 は 残 余 財 産 の 全 部 分 配 等 に よ る 移 転 資 産 等 の 譲 渡 利 益 額 又 は 譲 渡 損 失 額	38			※	
差　引　計 (34)+(37)+(38)	39	△2,979,000	△3,000,000	外 ※	21,000
更生欠損金又は民事再生等評価換えが行われる場合の再生等欠損金の損金算入額(別表七(三)「9」又は「21」)	40	△		※	△
通算対象欠損金額の損金算入額又は通算対象所得金額の益金算入額(別表七の二「5」又は「11」)	41			※	
差　引　計 (39)+(40)±(41)	43	△2,979,000	△3,000,000	外 ※	21,000
欠 損 金 等 の 当 期 控 除 額 (別表七(一)「4の計」)+(別表七(四)「10」)	44	△		※	△
総　　　計 (43)+(44)	45	△2,979,000	△3,000,000	外 ※	21,000
残余財産の確定の日の属する事業年度に係る事業税及び特別法人事業税の損金算入額	51	△	△		
所 得 金 額 又 は 欠 損 金 額	52	△2,979,000	△3,000,000	外 ※	21,000

損金経理方式の別表5(1) 〈第1期〉

利益積立金額及び資本金等の額の計算に関する明細書

| 事業年度 | 第1期 | 法人名 | A社 |

I 利益積立金額の計算に関する明細書

区分	期首現在利益積立金額 ①	当期の増減 減 ②	当期の増減 増 ③	差引翌期首現在利益積立金額 ①-②+③ ④
利益準備金 1	円	円	円	円
積立金 2				
3				
4				
5				
6				
7				
8				
9				
10				
11				
12				
13				
14				
15				
16				
17				
18				
19				
20				
21				
22				
23				
24				
繰越損益金（損は赤） 25			△3,000,000	△3,000,000
納税充当金 26				
未納法人税及び未納地方法人税（附帯税を除く。） 27	△	中間 △　確定 △		△
未払通算税効果額（附帯税の額に係る部分の金額を除く。） 28		中間　確定		
未納道府県民税（均等割を含む。） 29	△	中間 △　確定 △	20,000	△ 20,000
未納市町村民税（均等割を含む。） 30	△	中間 △　確定 △	50,000	△ 50,000
差引合計額 31			△3,070,000	△3,070,000

II 資本金等の額の計算に関する明細書

区分	期首現在資本金等の額 ①	当期の増減 減 ②	当期の増減 増 ③	差引翌期首現在資本金等の額 ①-②+③ ④
資本金又は出資金 32	円	円	円	円
資本準備金 33				
34				
35				
差引合計額 36				

別表五(一)

損金経理方式の別表４〈第２期〉

所得の金額の計算に関する明細書（簡易様式）

事業年度	第２期	法人名	A 社

別表四（簡易様式）

区　　　分		総　額 ①	処　分		
			留　保 ②	社 外 流 出 ③	
当 期 利 益 又 は 当 期 欠 損 の 額	1	2,000,000 円	2,000,000 円	配当	円
				その他	
加　算	損金経理をした法人税及び地方法人税(附帯税を除く。)	2				
	損金経理をした道府県民税及び市町村民税	3	70,000	70,000		
	損 金 経 理 を し た 納 税 充 当 金	4				
	損金経理をした附帯税(利子税を除く。)、加算金、延滞金(延納分を除く。)及び過怠税	5			その他	
	減 価 償 却 の 償 却 超 過 額	6				
	役 員 給 与 の 損 金 不 算 入 額	7			その他	
	交 際 費 等 の 損 金 不 算 入 額	8			その他	
	通 算 法 人 に 係 る 加 算 額(別表四付表「5」)	9			外 ※	
		10				
	小　　　計	11	70,000	70,000	外 ※	
減　算	減 価 償 却 超 過 額 の 当 期 認 容 額	12				
	納税充当金から支出した事業税等の金額	13				
	受 取 配 当 等 の 益 金 不 算 入 額(別表八(一)「5」)	14			※	
	外国子会社から受ける剰余金の配当等の益金不算入額(別表八(二)「26」)	15			※	
	受 贈 益 の 益 金 不 算 入 額	16			※	
	適 格 現 物 分 配 に 係 る 益 金 不 算 入 額	17			※	
	法 人 税 等 の 中 間 納 付 額 及 び 過 誤 納 に 係 る 還 付 金 額	18				
	所 得 税 額 等 及 び 欠 損 金 の 繰 戻 し に よ る 還 付 金 額 等	19	21,000		※	21,000
	通 算 法 人 に 係 る 減 算 額(別表四付表「10」)	20			※	
		21				
	小　　　計	22	21,000		外 ※	21,000
仮　　　計(1)＋(11)－(22)		23	2,049,000	2,070,000	外 ※	△21,000
対象純支払利子等の損金不算入額(別表十七(二の二)「29」又は「34」)		24			その他	
超 過 利 子 額 の 損 金 算 入 額(別表十七(二の三)「10」)		25	△		※	△
仮　　　計(23)から(25)までの計		26	2,049,000	2,070,000	外 ※	△21,000
寄 附 金 の 損 金 不 算 入 額(別表十四(二)「24」又は「40」)		27			その他	
法 人 税 額 か ら 控 除 さ れ る 所 得 税 額(別表六(一)「6の③」)		29	27,000		その他	27,000
税額控除の対象となる外国法人税の額(別表六(二の二)「7」)		30			その他	
分配時調整外国税相当額及び外国関係会社等に係る控除対象所得税額等相当額(別表六(五の二)「5の②」)＋(別表十七(三の六)「1」)		31			その他	
合　　　計(26)＋(27)＋(29)＋(30)＋(31)		34	2,076,000	2,070,000	外 ※	△21,000 27,000
中間申告における繰戻しによる還付に係る災害損失欠損金額の益金算入額		37			※	
非適格合併又は残余財産の全部分配等による移転資産等の譲渡利益額又は譲渡損失額		38			※	
差　引　計(34)＋(37)＋(38)		39	2,076,000	2,070,000	外 ※	△21,000 27,000
更生欠損金又は民事再生等評価換えが行われる場合の再生等欠損金の損金算入額(別表七(三)「9」又は「21」)		40	△		※	△
通算対象欠損金額の損金算入額又は通算対象所得金額の益金算入額(別表七の二「5」又は「11」)		41			※	
差　引　計(39)＋(40)±(41)		43	2,076,000	2,070,000	外 ※	△21,000 27,000
欠 損 金 等 の 当 期 控 除 額(別表七(一)「4の計」)＋(別表七(四)「10」)		44	△ 2,076,000		※	△ 2,076,000
総　　　計(43)＋(44)		45	0	2,070,000	外 ※	△2,097,000 27,000
残余財産の確定の日の属する事業年度に係る事業税及び特別法人事業税の損金算入額		51	△	△		
所 得 金 額 又 は 欠 損 金 額		52	0	2,070,000	外 ※	△2,097,000 27,000

144

損金経理方式の別表５⑵〈第２期〉

利益積立金額及び資本金等の額の計算に関する明細書	事業年度	第２期	法人名	Ａ　社	別表五(一)

Ⅰ　利益積立金額の計算に関する明細書

区　　分		期首現在利益積立金額 ①	当期の増減 減 ②		当期の増減 増 ③		差引翌期首現在利益積立金額 ①－②＋③ ④
利　益　準　備　金	1	円	円		円		円
積　立　金	2						
	3						
	4						
	5						
	6						
	7						
	8						
	9						
	10						
	11						
	12						
	13						
	14						
	15						
	16						
	17						
	18						
	19						
	20						
	21						
	22						
	23						
	24						
繰越損益金（損は赤）	25	△3,000,000			2,000,000		△1,000,000
納　税　充　当　金	26						
未納法人税等（各事業年度の所得に対するものに限る。） 未納法人税及び未納地方法人税（附帯税を除く。）	27	△	△	中間	△		△
				確定	△		
未払通算税効果額（附帯税の額に係る部分の金額を除く。）	28			中間			
				確定			
未納道府県民税（均等割を含む。）	29	△　　20,000	△　　20,000	中間	△		△　　20,000
				確定	△ 20,000		
未納市町村民税（均等割を含む。）	30	△　　50,000	△　　50,000	中間	△		△　　50,000
				確定	△ 50,000		
差　引　合　計　額	31	△3,070,000	△70,000		1,930,000		△1,070,000

Ⅱ　資本金等の額の計算に関する明細書

区　　分		期首現在資本金等の額 ①	当期の増減 減 ②	当期の増減 増 ③	差引翌期首現在資本金等の額 ①－②＋③ ④
資本金又は出資金	32	円	円	円	円
資　本　準　備　金	33				
	34				
	35				
差　引　合　計　額	36				

19欄の源泉所得税の還付は社外流出です。別表5(1)とのつながりがないため、うっかり減算をし忘れないようご注意ください。

◉**損金経理方式なら別表4と別表5(1)の関連は分かりやすい**

損金経理方式の場合、別表4と別表5(1)の数字の関連は、きわめてシンプルです（【148ページ】）。

別表4の留保欄で、スタート（1）の当期利益金額（2,000,000円）は、別表5(1)の26の増加欄に計上されています。また、別表4の3の留保欄に記載されている均等割額（70,000円）は、別表5(1)では減少欄の29・30の金額と一致しています。両表の関連の規則性（加算→増加、減算→減少）どおりにつながっており、何らむずかしい話はありません。

3 仮払経理方式

つぎに、還付される源泉税を費用でなく資産計上し、納付する均等割を未払い計上する場合の申告調整を、次の 設例 により考えることとします。

設例2

A社において税金に関する取引を次のように処理すれば、損益計算書（第1期および第2期分）は次のように変わります。

[第1期]		
利息受取り	（借）現 金 預 金 119,000 　　　仮　払　金 21,000	（貸）受 取 利 息 140,000
均等割の未払い計上	（借）法 人 税 等 70,000	（貸）未払法人税等 70,000
[第2期]		
均等割納付	（借）未払法人税等 70,000	（貸）現 金 預 金 70,000
源泉税還付	（借）現 金 預 金 21,000	（貸）仮　払　金 21,000
利息受取り	（借）現 金 預 金 153,000 　　　仮　払　金 27,000	（貸）受 取 利 息 180,000
均等割の未払い計上	（借）法 人 税 等 70,000	（貸）未払法人税等 70,000

	第1期	第2期
⋮	⋮	⋮
法 人 税 等	7万円	7万円
当 期 純 損 益	△　304.9万円	200.6万円

（注）設例1と比べて当期純損益の金額は、次のように変わります。

[第1期]　△300万円 ＋ 2.1万円（源泉税） － 7万円（均等割）＝△304.9万円

[第2期]　200万円 －（2.1万円 － 2.7万円）（源泉税）＋（7万円 － 7万円）（均等割）＝200.6万円

計算

　A社における所得金額の計算は、次のように変わります。

[第1期]

当 期 純 損 失		3,049,000円
加算	損金経理した納税充当金	70,000円
	損金経理した源泉所得税額	21,000円
減算	仮払税金の損金算入　（注）	21,000円
欠 損 金 額		2,979,000円

　　（注）仮払金に計上した「源泉所得税」を、いったん損金経理したものとみて減算し、あら
　　　　ためて通常どおり損金不算入の扱いで加算しています。

[第2期]

当 期 純 利 益		2,006,000円
加算	損金経理した納税充当金	70,000円
	損金経理した源泉所得税額	27,000円
	仮払税金の消却　（注）	21,000円
減算	源泉所得税の還付金額	21,000円
	仮払税金の損金算入	27,000円
	欠損金の繰越控除額	2,076,000円
所 得 金 額		0円

　　（注）源泉税の還付時に、仮払金の取崩しで経理している（収益計上していない）ので本来、
　　　　減算は不要です。そこで減算を取り消すために同額だけ加算しています。

別表４と別表５⑴の関連（損金経理の場合）

所得の金額の計算に関する明細書（簡易様式）

事業年度	第２期	法人名	Ａ　社

区　　　　分		総　　額	処　　　　　　分		
			留　保	社　外　流　出	
		①	②	③	
当 期 利 益 又 は 当 期 欠 損 の 額	1	円 2,000,000	円 2,000,000	配当	円
				その他	
加	損金経理をした法人税及び地方法人税（附帯税を除く。）	2				
	損金経理をした道府県民税及び市町村民税	3	70,000	70,000		
	損 金 経 理 を し た 納 税 充 当 金	4				
	損金経理をした附帯税（利子税を除く。）、加算金、延滞金（延納分を除く。）及び過怠税	5			その他	
	減 価 償 却 の 償 却 超 過 額	6				
	役 員 給 与 の 損 金 不 算 入 額	7			その他	
	交 際 費 等 の 損 金 不 算 入 額	8			その他	
	通 算 法 人 に 係 る 加 算 額（別表四付表「5」）	9			外 ※	
		10				
算						
	小　　　　　計	11	70,000	70,000	外 ※	
減	減価償却超過額の当期認容額	12				
	納税充当金から支出した事業税等の金額	13				
	受 取 配 当 等 の 益 金 不 算 入 額（別表八（一）「5」）	14			※	
	外国子会社から受ける剰余金の配当等の益金不算入額（別表八（二）「26」）	15			※	
	受 贈 益 の 益 金 不 算 入 額	16			※	
	適格現物分配に係る益金不算入額	17			※	
	法 人 税 等 の 中 間 納 付 額 及 び 過 誤 納 に 係 る 還 付 金 額	18				
	所 得 税 額 等 及 び 欠 損 金 の 繰 戻 し に よ る 還 付 金 額 等	19	21,000		※	21,000
	通 算 法 人 に 係 る 減 算 額（別表四付表「10」）	20			※	
		21				
算						
	小　　　　　計	22	21,000		外 ※	21,000
仮　　　計 (1)＋(11)－(22)		23	2,049,000	2,070,000	外 ※	△21,000
対象純支払利子等の損金不算入額（別表十七（二の二）「29」又は「34」）		24			その他	
超 過 利 子 額 の 損 金 算 入 額（別表十七（二の三）「10」）		25	△		※	△
仮　　　計 ((23)から(25)までの計)		26	2,049,000	2,070,000	外 ※	△21,000
寄 附 金 の 損 金 不 算 入 額（別表十四（二）「24」又は「40」）		27			その他	
法 人 税 額 か ら 控 除 さ れ る 所 得 税 額（別表六（一）「6の③」）		29	27,000		その他	27,000
税額控除の対象となる外国法人税の額（別表六（二の二）「7」）		30			その他	
分配時調整外国税相当額及び外国関係会社等に係る控除対象所得税額等相当額（別表六（五の二）「5の②」）＋（別表十七（三の六）「1」）		31			その他	
合　　　計 (26)＋(27)＋(29)＋(30)＋(31)		34	2,076,000	2,070,000	外 ※	△21,000 27,000
中間申告における繰戻しによる還付に係る災害損失欠損金額の益金算入額		37			※	
非適格合併又は残余財産の全部分配等による移転資産等の譲渡利益額又は譲渡損失額		38			※	
差　　引　　計 (34)＋(37)＋(38)		39	2,076,000	2,070,000	外 ※	△21,000 27,000
更生欠損金又は民事再生等評価換えが行われる場合の再生等欠損金の損金算入額（別表七（三）「9」又は「21」）		40	△		※	△
通算対象欠損金額の損金算入額又は通算対象所得金額の益金算入額（別表七の二「5」又は「11」）		41			※	
差　　引　　計 (39)＋(40)±(41)		43	2,076,000	2,070,000	外 ※	△21,000 27,000
欠 損 金 等 の 当 期 控 除 額（別表七（一）「4の計」）＋（別表七（四）「10」）		44	△ 2,076,000		※	△ 2,076,000
総　　　計 (43)＋(44)		45	0	2,070,000	外 ※	△2,097,000 27,000
残余財産の確定の日の属する事業年度に係る事業税及び特別法人事業税の損金算入額		51	△	△		
所 得 金 額 又 は 欠 損 金 額		52	0	2,070,000	外 ※	△2,097,000 27,000

148

利益積立金額及び資本金等の額の計算に関する明細書

事 業 年 度	第2期	法人名	A　社	別表五 (一)

Ⅰ　利益積立金額の計算に関する明細書

区　　　分		期 首 現 在 利 益 積 立 金 額 ①	当 期 の 増 減 減 ②	当 期 の 増 減 増 ③	差引翌期首現在 利 益 積 立 金 額 ①−②+③ ④
利 益 準 備 金	1	円	円	円	円
積 立 金	2				
	3				
	4				
	5				
	6				
	7				
	8				
	9				
	10				
	11				
	12				
	13				
	14				
	15				
	16				
	17				
	18				
	19				
	20				
	21				
	22				
	23				
	24				
繰 越 損 益 金 （ 損 は 赤 ）	25	△3,000,000		2,000,000	△1,000,000
納 税 充 当 金	26				
未納法人税等（各事業年度の所得に対するものに限る。）　未 納 法 人 税 及 び 未 納 地 方 法 人 税 （ 附 帯 税 を 除 く 。 ）	27	△	△	中間 △　確定 △	△
未 払 通 算 税 効 果 額 （附帯税の額に係る部分の金額を除く。）	28			中間　確定	
未 納 道 府 県 民 税 （ 均 等 割 を 含 む 。 ）	29	△　20,000	△　20,000	中間 △　確定 △　20,000	△　20,000
未 納 市 町 村 民 税 （ 均 等 割 を 含 む 。 ）	30	△　50,000	△　50,000	中間 △　確定 △　50,000	△　50,000
差 引 合 計 額	31	△3,070,000	△70,000	1,930,000	△1,070,000

Ⅱ　資本金等の額の計算に関する明細書

区　　　分		期 首 現 在 資 本 金 等 の 額 ①	当 期 の 増 減 減 ②	当 期 の 増 減 増 ③	差引翌期首現在 資 本 金 等 の 額 ①−②+③ ④
資 本 金 又 は 出 資 金	32	円	円	円	円
資 本 準 備 金	33				
	34				
	35				
差 引 合 計 額	36				

申告書の別表4と別表5(1)の記入例を、【**次ページ以下**】に示しています。

●所得金額は変わらない

上記で計算したように、損金経理の場合と比べて、別表4のスタートの金額が変化しています。しかし、最終の所得金額は、第1期、第2期とも変わりません。

仮払経理の場合の申告調整では、加算と減算が次のように両建てとなっています。

〈第1期〉

加算	源泉所得税額	29	21,000円
減算	仮払税金	21	21,000円

〈第2期〉

加算	源泉所得税額	29	27,000円
	仮払税金還付額	10	21,000円
	計		48,000円
減算	源泉所得税還付額	19	21,000円
	仮払税金認定損	21	27,000円
	計		48,000円

仮払経理方式の別表４〈第１期〉

所得の金額の計算に関する明細書（簡易様式）

事業年度	第１期	法人名	A 社	別表四（簡易様式）

区　　　分			総　額	処　　　　　分		
				留　保	社　外　流　出	
			①	②	③	
当 期 利 益 又 は 当 期 欠 損 の 額		1	△3,049,000 円	△3,049,000 円	配当	円
					その他	
加	損金経理をした法人税及び地方法人税（附帯税を除く。）	2				
	損金経理をした道府県民税及び市町村民税	3				
	損 金 経 理 を し た 納 税 充 当 金	4	70,000	70,000		
	損金経理をした附帯税（利子税を除く。）、加算金、延滞金（延納分を除く。）及び過怠税	5			その他	
	減 価 償 却 の 償 却 超 過 額	6				
	役 員 給 与 の 損 金 不 算 入 額	7			その他	
	交 際 費 等 の 損 金 不 算 入 額	8			その他	
	通 算 法 人 に 係 る 加 算 額（別表四付表「5」）	9			外 ※	
算		10				
	小　　　　計	11	70,000	70,000	外 ※	
減	減 価 償 却 超 過 額 の 当 期 認 容 額	12				
	納税充当金から支出した事業税等の金額	13				
	受 取 配 当 等 の 益 金 不 算 入 額（別表八（一）「5」）	14			※	
	外国子会社から受ける剰余金の配当等の益金不算入額（別表八（二）「26」）	15			※	
	受 贈 益 の 益 金 不 算 入 額	16			※	
	適格現物分配に係る益金不算入額	17			※	
	法 人 税 等 の 中 間 納 付 額 及 び 過 誤 納 に 係 る 還 付 金 額	18				
	所得税額等及び欠損金の繰戻しによる還付金額等	19			※	
	通 算 法 人 に 係 る 減 算 額（別表四付表「10」）	20			※	
	仮 払 税 金 認 定 損	21	21,000	21,000		
算						
	小　　　　計	22	21,000	21,000	外 ※	
仮　　　　計（1）+（11）-（22）		23	△3,000,000	△3,000,000	外 ※	
対象純支払利子等の損金不算入額（別表十七（二の二）「29」又は「34」）		24			その他	
超 過 利 子 額 の 損 金 算 入 額（別表十七（二の三）「10」）		25	△		※	△
仮　　　　計（23）から（25）までの計		26	△3,000,000	△3,000,000	外 ※	
寄 附 金 の 損 金 不 算 入 額（別表十四（二）「24」又は「40」）		27			その他	
法 人 税 額 か ら 控 除 さ れ る 所 得 税 額（別表六（一）「6の③」）		29	21,000		その他	21,000
税額控除の対象となる外国法人税の額（別表六（二の二）「7」）		30			その他	
分配時調整外国税相当額及び外国関係会社等に係る控除対象所得税額等相当額（別表六（五の二）「5の②」）+（別表六（三の六）「1」）		31			その他	
合　　　　計（26）+（27）+（29）+（30）+（31）		34	△2,979,000	△3,000,000	外 ※	21,000
中間申告における繰戻しによる還付に係る災害損失欠損金額の益金算入額		37			※	
非適格合併又は残余財産の全部分配等による移転資産等の譲渡利益額又は譲渡損失額		38			※	
差　　引　　計（34）+（37）+（38）		39	△2,979,000	△3,000,000	外 ※	21,000
更生欠損金又は民事再生等評価換えが行われる場合の再生等欠損金の損金算入額（別表七（三）「9」又は「21」）		40	△		※	△
通算対象欠損金額の損金算入額又は通算対象所得金額の益金算入額（別表七の二「5」又は「11」）		41			※	
差　　引　　計（39）+（40）±（41）		43	△2,979,000	△3,000,000	外 ※	21,000
欠 損 金 等 の 当 期 控 除 額（別表七（一）「4の計」）+（別表七（四）「10」）		44	△		※	△
総　　　　計（43）+（44）		45	△2,979,000	△3,000,000	外 ※	21,000
残余財産の確定の日の属する事業年度に係る事業税及び特別法人事業税の損金算入額		51	△	△		
所 得 金 額 又 は 欠 損 金 額		52	△2,979,000	△3,000,000	外 ※	21,000

仮払経理方式の別表5(1)〈第1期〉

利益積立金額及び資本金等の額の計算に関する明細書

事業年度	第1期	法人名	A 社

別表五(一)

Ⅰ　利益積立金額の計算に関する明細書

区　　　　分		期首現在利益積立金額 ①	当期の増減 減 ②	当期の増減 増 ③	差引翌期首現在利益積立金額 ①－②＋③ ④
利　益　準　備　金	1	円	円	円	円
積　立　金	2				
仮　払　税　金	3			△21,000	△21,000
	4				
	5				
	6				
	7				
	8				
	9				
	10				
	11				
	12				
	13				
	14				
	15				
	16				
	17				
	18				
	19				
	20				
	21				
	22				
	23				
	24				
繰越損益金（損は赤）	25			△3,049,000	△3,049,000
納　税　充　当　金	26			70,000	70,000
未納法人税等（各事業年度の所得に対するものに限る。）　未納法人税及び未納地方法人税（附帯税を除く。）	27	△	△	中間 △ 確定 △	△
未払通算税効果額（附帯税の額に係る部分の金額を除く。）	28			中間 確定	
未納道府県民税（均等割を含む。）	29	△	△	中間 △ 確定 △ 20,000	△ 20,000
未納市町村民税（均等割を含む。）	30	△	△	中間 △ 確定 △ 50,000	△ 50,000
差　引　合　計　額	31			△3,070,000	△3,070,000

Ⅱ　資本金等の額の計算に関する明細書

区　　　　分		期首現在資本金等の額 ①	当期の増減 減 ②	当期の増減 増 ③	差引翌期首現在資本金等の額 ①－②＋③ ④
資本金又は出資金	32	円	円	円	円
資　本　準　備　金	33				
	34				
	35				
差　引　合　計　額	36				

仮払経理方式の別表4〈第2期〉

所得の金額の計算に関する明細書（簡易様式）

| | | | 事業年度 | 第2期 | 法人名 | A 社 | 別表四（簡易様式） |

区　分			総　額 ①	処　分		
				留　保 ②	社　外　流　出 ③	
当 期 利 益 又 は 当 期 欠 損 の 額	1		2,006,000 円	2,006,000 円	配当	円
					その他	
加	損金経理をした法人税及び地方法人税（附帯税を除く。）	2				
	損金経理をした道府県民税及び市町村民税	3				
	損 金 経 理 を し た 納 税 充 当 金	4	70,000	70,000		
	損金経理をした附帯税（利子税を除く。）、加算金、延滞金（延納分を除く。）及び過怠税	5			その他	
	減 価 償 却 の 償 却 超 過 額	6				
	役 員 給 与 の 損 金 不 算 入 額	7			その他	
	交 際 費 等 の 損 金 不 算 入 額	8			その他	
	通 算 法 人 に 係 る 加 算 額（別表四付表「5」）	9			外 ※	
	仮 払 税 金 還 付 額	10	21,000	21,000		
算						
	小　計	11	91,000	91,000	外 ※	
減	減 価 償 却 超 過 額 の 当 期 認 容 額	12				
	納税充当金から支出した事業税等の金額	13				
	受 取 配 当 等 の 益 金 不 算 入 額（別表八（一）「5」）	14			※	
	外国子会社から受ける剰余金の配当等の益金不算入額（別表八（二）「26」）	15			※	
	受 贈 益 の 益 金 不 算 入 額	16			※	
	適格現物分配に係る益金不算入額	17			※	
	法 人 税 等 の 中 間 納 付 額 及 び 過 誤 納 に 係 る 還 付 金 額	18				
	所 得 税 額 等 及 び 欠 損 金 の 繰 戻 し に よ る 還 付 金 額 等	19	21,000		※	21,000
	通 算 法 人 に 係 る 減 算 額（別表四付表「10」）	20			※	
	仮 払 税 金 認 定 損	21	27,000	27,000		
算						
	小　計	22	48,000	27,000	外 ※	21,000
仮　計 (1)+(11)-(22)		23	2,049,000	2,070,000	外 ※	△21,000
対 象 純 支 払 利 子 等 の 損 金 不 算 入 額（別表十七（二の二）「29」又は「34」）		24			その他	
超 過 利 子 額 の 損 金 算 入 額（別表十七（二の三）「10」）		25	△		※	△
仮　計 ((23)から(25)までの計)		26	2,049,000	2,070,000	外 ※	△21,000
寄 附 金 の 損 金 不 算 入 額（別表十四（二）「24」又は「40」）		27			その他	
法 人 税 額 か ら 控 除 さ れ る 所 得 税 額（別表六（一）「6の③」）		29	27,000		その他	27,000
税 額 控 除 の 対 象 と な る 外 国 法 人 税 の 額（別表六（二の二）「7」）		30			その他	
分配時調整外国税相当額及び外国関係会社等に係る控除対象所得税額等相当額（別表六（五の二）「5の②」)+(別表十七（三の六）「1」）		31			その他	
合　計 (26)+(27)+(29)+(30)+(31)		34	2,076,000	2,070,000	外 ※	△21,000 / 27,000
中 間 申 告 に お け る 繰 戻 し に よ る 還 付 に 係 る 災 害 損 失 欠 損 金 額 の 益 金 算 入 額		37			※	
非適格合併又は残余財産の全部分配等による移転資産等の譲渡利益額又は譲渡損失額		38			※	
差　引　計 (34)+(37)+(38)		39	2,076,000	2,070,000	外 ※	△21,000 / 27,000
更生欠損金又は民事再生等評価換えが行われる場合の再生等欠損金の損金算入額（別表七（三）「9」又は「21」）		40	△		※	△
通算対象欠損金額の損金算入額又は通算対象所得金額の益金算入額（別表七の二「5」又は「11」）		41			※	
差　引　計 (39)+(40)±(41)		43	2,076,000	2,070,000	外 ※	△21,000 / 27,000
欠 損 金 等 の 当 期 控 除 額（別表七（一）「4の計」)+(別表七（四）「10」）		44	△ 2,076,000		※	△ 2,076,000
総　計 (43)+(44)		45	0	2,070,000	外 ※	△2,097,000 / 27,000
残余財産の確定の日の属する事業年度に係る事業税及び特別法人事業税の損金算入額		51	△	△		
所 得 金 額 又 は 欠 損 金 額		52	0	2,070,000	外 ※	△2,097,000 / 27,000

仮払経理方式の別表5⑴〈第2期〉

利益積立金額及び資本金等の額の計算に関する明細書

| | | 事業年度 | **第2期** | 法人名 | **A 社** | 別表五(一) |

Ⅰ 利益積立金額の計算に関する明細書

区　　　分		期首現在利益積立金額 ①	当期の増減 減 ②	当期の増減 増 ③	差引翌期首現在利益積立金額 ①−②+③ ④
利　益　準　備　金	1	円	円	円	円
積　　立　　金	2				
仮　払　税　金	3	△21,000	△21,000	△27,000	△27,000
	4				
	5				
	6				
	7				
	8				
	9				
	10				
	11				
	12				
	13				
	14				
	15				
	16				
	17				
	18				
	19				
	20				
	21				
	22				
	23				
	24				
繰越損益金（損は赤）	25	△3,049,000		2,006,000	△1,043,000
納　税　充　当　金	26	70,000	70,000	70,000	70,000
未納法人税等（その事業年度の所得に対するものに限る。） 未納法人税及び未納地方法人税（附帯税を除く。）	27	△	△	中間 △ / 確定 △	△
未払通算税効果額（附帯税の額に係る部分の金額を除く。）	28			中間 / 確定	
未納道府県民税（均等割を含む。）	29	△ 20,000	△ 20,000	中間 △ / 確定 △ 20,000	△ 20,000
未納市町村民税（均等割を含む。）	30	△ 50,000	△ 50,000	中間 △ / 確定 △ 50,000	△ 50,000
差　引　合　計　額	31	△3,070,000	△21,000	1,979,000	△1,070,000

Ⅱ 資本金等の額の計算に関する明細書

区　　　分		期首現在資本金等の額 ①	当期の増減 減 ②	当期の増減 増 ③	差引翌期首現在資本金等の額 ①−②+③ ④
資本金又は出資金	32	円	円	円	円
資　本　準　備　金	33				
	34				
	35				
差　引　合　計　額	36				

●税額控除額は別表4に記載しなければならない

第2期の場合、㉙の金額を㉑欄で取り消しています。また、⑲の金額が⑩欄とイコールです。

あれこれ加減算が出てきますが、所得金額に影響するのは、結局のところ④欄で行っている未払い計上の均等割70,000円に関する調整だけです。

ところで、どうして両建てになるかといえば、㉙欄において「法人税額から控除される所得税額」を記載することとされているからです。つまり、別表1(1)で法人税額の控除をするためには、その金額が別表4に記載（加算）されていなければなりません。ところが仮払経理の場合、本来その加算は必要ない、そこで同額を減算するというしだいです。

●経理処理の違いが所得金額に影響することはない

損金経理と仮払経理のいずれによるかで、決算数字は変わります。しかし、経理方式の違いが所得金額に影響することはありません。どのように経理処理しようが所得金額は変わらない、という点にご留意ください。

●仮払税金は納税充当金のマイナス項目

つぎに、別表5(1)を検討します。損金経理との違いは、利益積立金が一つ（仮払税金）余計に登場する点です。この「仮払税金」は、3種類ある利益積立金のうち“税金関連項目”で、いわば納税充当金のマイナス項目としての性格を持っています。すなわち、貸借対照表においてマイナスの「未払法人税等」として資産計上（仮払金または未収金）されているので、別表5(1)ではマイナスの利益積立金となります。

経理処理に合わせて、第1期に21,000円を計上し、第2期はそれを取り崩して改めて27,000円を仮払計上しています。

●利益積立金額も変わらない

損金経理方式と比較し、第1期・第2期とも期末の利益積立金額は変わりません。たとえば第1期の場合、仮払税金（③）が△21,000円、納税充当金（㉖）が70,000円計上され、差引き49,000円だけ利益積立金が増加します。しかし、繰越損益金（㉕）が同額だけ減少しているので合計額は変わりません。第2期も同様です。

このように、経理方式が変わっても、所得金額とともに利益積立金額も変化しない、という点にご注目ください。

●仮払税金が別表4と5⑴で関連

　仮払経理方式における別表4と別表5⑴の関連は、【158ページ】のようになります。基本的に【148ページ】と同じですが、以下、相違点のみ説明します。

　一つは、仮払税金に関して別表4と別表5⑴とで、加算→増加、減算→減少の結びつきが見られます。なお、別表5⑴に記載するとき、加算（21,000円）を増加欄、減算（27,000円）を減少欄に記入しても構いませんが、加算の21,000円は当期における仮払金の減少、減算の27,000円は仮払金の増加を意味するので、【158ページ】のようにそれぞれマイナスの数字で、反対側に記載するほうが素直な書き方だと思います。

●納税充当金に関する別表4と5⑴の関連

　つぎに、均等割の納付に関して未払法人税等を計上し、その取崩しで納付していることから、別表4と別表5⑴の関連が第24図とは違っています。すなわち、別表4の④で加算している金額は、別表5⑴の増加欄の㉖と結びつきます。一方、別表5⑴の減少欄の㉖に見合う金額は、別表4には出てきません。これは、同じ別表5⑴の減少欄（㉙・㉚）にマイナス計上されている未納税金と両建てとなっており、相殺されます。

［一口ゼミ⑪］　源泉所得税の取扱い

　受取利息や受取配当金から控除される「源泉所得税」は、計算技術上の理由から損金不算入とされています。つまり、源泉所得税は法人税の前払いと考えられ、確定申告で法人税額から控除し、または還付を受けることができます。この税額控除の規定の適用を受けるときは、その所得税額を所得計算で加算しなければなりません。所得計算で損金に算入し、かつ、税額控除を受けるというのは、所得控除と税額控除の二重取りなので認められません。

　具体的な数字で説明すれば、次のとおりです。たとえば、法人で100万円の受取利息があれば、この所得にかかる法人税額は、100万円×23.2％（基本税率）＝23.2万円です。

　利息を受け取るとき15％（正確には復興特別所得税が上乗せで15.315％）の税率で、15万円の所得税が天引きされます。しかしそれだけでは、納税額が23.2万円－15万円＝8.2万円不足します。そこでこれを確定申告で精算し、追加で納付しなければなりません。

　ところで、利息の収入時には通常、次のように仕訳します。

　　　（借）現 金 預 金　　　85万円　　（貸）受 取 利 息　　　100万円

　　　　　 租 税 公 課　　　15万円

「受取利息」は収益で「租税公課」は費用ですから、会計上この取引から生じる利益は、差引き85万円と計算されます。ところが、法人税の課税対象となる所得は、あくまで税引前の受取利息額（100万円）でなければならず、15万円の食い違いが生じます。

　　　受取利息　　　　源泉所得税　　　手取り額

　　　100万円　　－　　 15万円　　＝　　85万円

　　　　↑　　　　　　　　　　　　　　↑

　　　所得　　　　　　　　　　　　利益

　そこで、この損益計算と所得計算の食い違いを調整するため、源泉所得税につき税額控除の適用を受けるときは、これを別表４で加算することとしているのです。

　ところで所得金額の計算上、所得税はもともと損金算入の税金です。税額控除の適用を受ける際の前提として、計算技術上の理由から（すなわち税引前の利息額に法人税を課税するため）損金不算入の扱いにしているということです。もし税額控除の適用を受けないのなら、源泉所得税は全額を損金算入することができます（別表４で加算する必要はありません）。

別表４と別表５⑴の関連（仮払経理の場合）

所得の金額の計算に関する明細書（簡易様式）

事業年度	第2期	法人名	A 社

別表四（簡易様式）

区　分		総　額	処　分		社　外　流　出
		①	留　保 ②		③
当期利益又は当期欠損の額	1	2,006,000 円	2,006,000 円	配当 その他	円
加 算	損金経理をした法人税及び地方法人税(附帯税を除く。)	2				
	損金経理をした道府県民税及び市町村民税	3				
	損金経理をした納税充当金	4	70,000	70,000		
	損金経理をした附帯税(利子税を除く。)、加算金、延滞金(延納分を除く。)及び過怠税	5			その他	
	減価償却の償却超過額	6				
	役員給与の損金不算入額	7			その他	
	交際費等の損金不算入額	8			その他	
	通算法人に係る加算額(別表四付表「5」)	9			外※	
	仮 払 税 金 還 付 額	10	21,000	21,000		
	小　計	11	91,000	91,000	外※	
減 算	減価償却超過額の当期認容額	12				
	納税充当金から支出した事業税等の金額	13				
	受取配当等の益金不算入額(別表八(一)「5」)	14			※	
	外国子会社から受ける剰余金の配当等の益金不算入額(別表八(二)「26」)	15			※	
	受贈益の益金不算入額	16			※	
	適格現物分配に係る益金不算入額	17			※	
	法人税等の中間納付額及び過誤納に係る還付金額	18				
	所得税額等及び欠損金の繰戻しによる還付金額等	19	21,000		※	21,000
	通算法人に係る減算額(別表四付表「10」)	20			※	
	仮 払 税 金 認 定 損	21	27,000	27,000		
	小　計	22	48,000	27,000	外※	21,000
仮　計 (1)+(11)−(22)		23	2,049,000	2,070,000	外※	△21,000
対象純支払利子等の損金不算入額(別表十七(二の二)「29」又は「34」)		24			その他	
超過利子額の損金算入額(別表十七(二の三)「10」)		25	△		※	△
仮　計 ((23)から(25)までの計)		26	2,049,000	2,070,000	外※	△21,000
寄附金の損金不算入額(別表十四(二)「24」又は「40」)		27			その他	
法人税額から控除される所得税額(別表六(一)「6の③」)		29	27,000		その他	27,000
税額控除の対象となる外国法人税の額(別表六(二の二)「7」)		30			その他	
分配時調整外国税相当額及び外国関係会社等に係る控除対象所得税額等相当額(別表六(五の二)「5の②」+(別表十七(三の六)「1」)		31			その他	
合　計 (26)+(27)+(29)+(30)+(31)		34	2,076,000	2,070,000	外※	△21,000 27,000
中間申告における繰戻しによる還付に係る災害損失欠損金額の益金算入額		37			※	
非適格合併又は残余財産の全部分配等による移転資産等の譲渡利益額又は譲渡損失額		38			※	
差　引　計 (34)+(37)+(38)		39	2,076,000	2,070,000	外※	△21,000 27,000
更生欠損金又は民事再生等評価換えが行われる場合の再生等欠損金の損金算入額(別表七(三)「9」又は「21」)		40	△		※	△
通算対象欠損金額の損金算入額又は通算対象所得金額の益金算入額(別表七の二「5」又は「11」)		41			※	
差　引　計 (39)+(40)±(41)		43	2,076,000	2,070,000	外※	△21,000 27,000
欠損金等の当期控除額(別表七(一)「4の計」)+(別表七(四)「10」)		44	△ 2,076,000		※	△ 2,076,000
総　計 (43)+(44)		45	0	2,070,000	外※	△2,097,000 27,000
残余財産の確定の日の属する事業年度に係る事業税及び特別法人事業税の損金算入額		51	△	△		
所得金額又は欠損金額		52	0	2,070,000	外※	△2,097,000 27,000

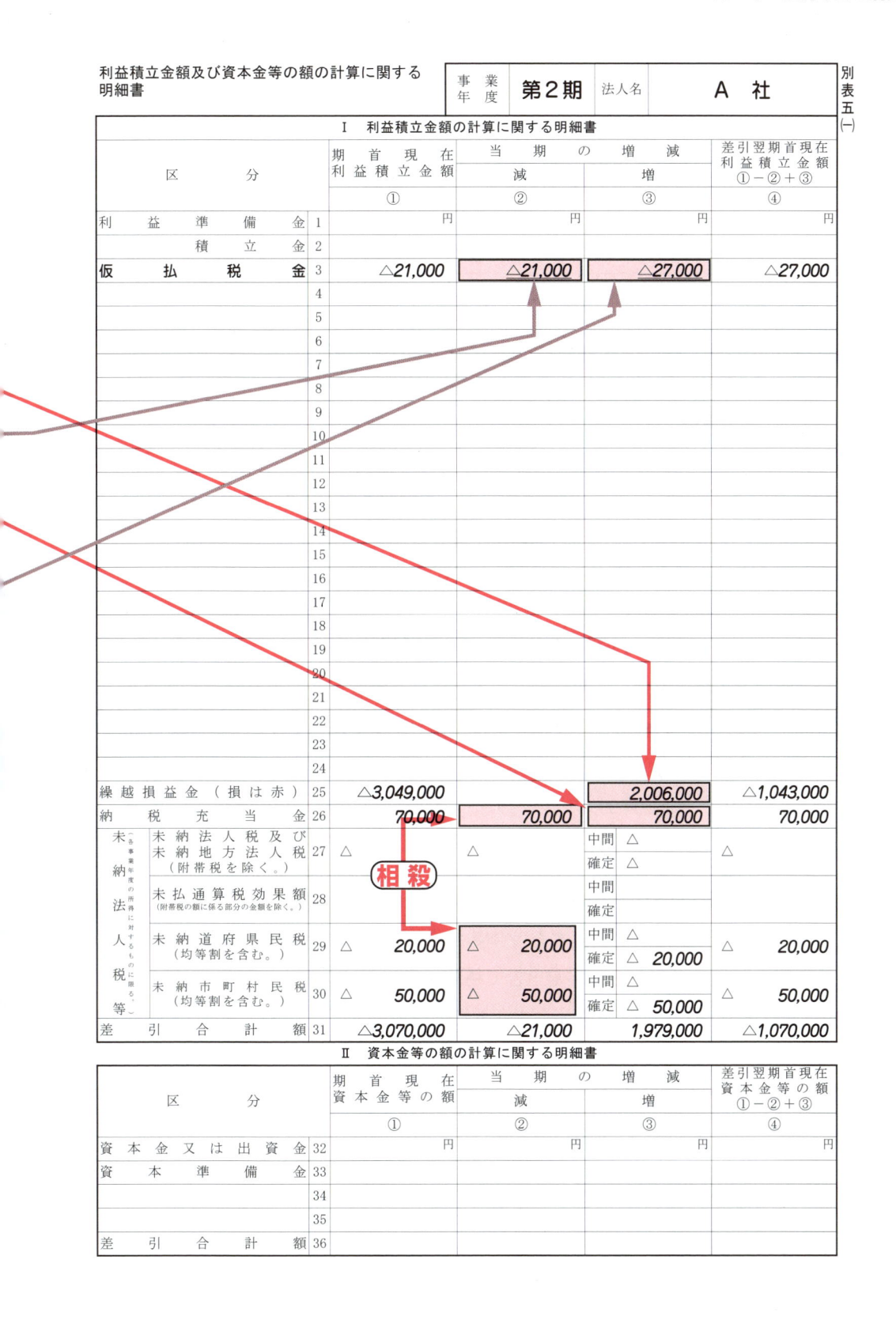

利益積立金額及び資本金等の額の計算に関する明細書

| 事業年度 | **第2期** | 法人名 | **A 社** | 別表五(一) |

Ⅰ　利益積立金額の計算に関する明細書

区　　分		期首現在利益積立金額 ①	当期の増減 減 ②	当期の増減 増 ③	差引翌期首現在利益積立金額 ①−②+③ ④
利　益　準　備　金	1	円	円	円	円
積　　立　　金	2				
仮　払　税　金	3	△21,000	△21,000	△27,000	△27,000
	4				
	5				
	6				
	7				
	8				
	9				
	10				
	11				
	12				
	13				
	14				
	15				
	16				
	17				
	18				
	19				
	20				
	21				
	22				
	23				
	24				
繰越損益金（損は赤）	25	△3,049,000		2,006,000	△1,043,000
納　税　充　当　金	26	70,000	70,000	70,000	70,000
未納法人税等 未納法人税及び未納地方法人税（附帯税を除く。）	27	△	△	中間 △ / 確定 △	△
未払通算税効果額（附帯税の額に係る部分の金額を除く。）	28			中間 / 確定	
未納道府県民税（均等割を含む。）	29	△　20,000	△　20,000	中間 △ / 確定 △ 20,000	△　20,000
未納市町村民税（均等割を含む。）	30	△　50,000	△　50,000	中間 △ / 確定 △ 50,000	△　50,000
差　引　合　計　額	31	△3,070,000	△21,000	1,979,000	△1,070,000

相殺

Ⅱ　資本金等の額の計算に関する明細書

区　　分		期首現在資本金等の額 ①	当期の増減 減 ②	当期の増減 増 ③	差引翌期首現在資本金等の額 ①−②+③ ④
資本金又は出資金	32	円	円	円	円
資　本　準　備　金	33				
	34				
	35				
差　引　合　計　額	36				

1 2通りの経理方式

●予定申告と中間申告

事業年度が6か月を超える法人は、中間申告をしなければなりません。中間申告には、「予定申告」と「仮決算による中間申告」の2種類があります。

① **予定申告**……前事業年度の法人税額を基礎として、次の算式により月割りで予定納税額を計算するやり方（法71①）

$$\frac{\text{前期分の法人税額}}{\text{前期の月数}} \times 6 = \text{予定納税額}$$

② **仮決算による中間申告**……期首から6か月間を1事業年度とみなして仮決算を行い、その利益または損失に基づいて所得金額および法人税額を計算するやり方（法72①）

　　(注)　還付加算金の支払いを抑制するため、次の場合には仮決算による中間申告書を提出できないこととされています（法72①ただし書き）。

　　❶　予定納税額が10万円以下で中間申告書の提出が不要である場合

　　❷　仮決算による中間申告の税額が予定納税額を超える場合

上記①と②のいずれの方法で申告する場合でも、中間申告による納税は確定申告で納める法人税の前払いですから、確定申告で精算することになります。したがって、中間申告で納めた税額が、期末に確定した年間法人税額を上回るときは、その上回る部分の税額は還付されます。

●還付税額を未収計上するかどうか

たとえば、予定申告を行って前年の法人税額の2分の1相当額を納付したところ、通期で前年より業績が悪化し、年間の納税額が予定納税額を下回ったとします。年税額を上回る予定納税額は翌期に還付されますが、その際、還付税額を未収計上するかどうかで、申告調整の仕方が違ってきます。

設例

B社の当期における法人税等の納付状況は次のとおりです。

なお、還付税額を未収計上した場合の純利益を、当期が1,000、翌期が500とします。

	中間税額	年間税額	確定税額
法 人 税	600	400	△ 200
県 民 税	30	20	△ 10
市 民 税	70	40	△ 30
事 業 税	180	100	△ 80
計	880	560	△ 320

2　仮払経理方式

上記の 設例 に基づいて、まず、翌期に還付される法人税等を未収計上するやり方（仮払経理方式）を検討します。

仕 訳

中間時：（借）仮　払　金　880　　（貸）現 金 預 金　880

決算時：（借）法 人 税 等　560　　（貸）仮　払　金　880

　　　　　　　未　収　金　320

翌　期：（借）現 金 預 金　320　　（貸）未　収　金　320

所得計算

〈当期〉

　　当 期 純 利 益　　1,000

　　法人税等損金不算入　　560

　　事 業 税 損 金 算 入　△ 180

　　　差 引 計　　　1,380

　　（注）中間で納付した事業税180は、いったん全額が当期の損金に算入され（基通9－5－1(1)）、翌期に還付された時点で還付金80が益金となります。

〈翌期〉

　　当 期 純 利 益　　500

　　還付事業税益金算入　　80

　　　合　　計　　　580

申告書の別表4、別表5⑴および別表5⑵の記入例を【163・164ページ】に示しています。

（注）それぞれ該当箇所だけの書き方を示し、当期の期首分の記入は省略しています。

◉ **費用計上の法人税・住民税を加算**

別表4における加減算のスタイルが、前ページの所得計算とは違っています。考え方としては、決算時の仕訳で費用計上した法人税等560を加算し、中間時に納付した事業税180の全額を減算、ということでいいのですが、別表5⑴とのつながりを考慮すれば、このような書き方になります。

◉ **当期納付額をいったん加算したあと調整**

別表4と別表5⑴の関連はあとで検討しますが、 設例 の表を次のようにアレンジして考えれば、理解が容易になると思います。

	当期納付額	費用計上額	資産計上額
法 人 税	② 600	400	㉑ 200
住 民 税	③ 100	60	㉑ 40
事 業 税	180	100	㉑ 80
計	880	560	320

〈別表4の加減算〉

① 法人税と住民税の支払額（600＋100）を加算

② 法人税と住民税の資産計上額（200＋40）を減算

—— ①の加算の一部を取り消す

③ 事業税の資産計上額（80）を減算

—— 事業税は納付時にいったん損金となる

◉ **還付金をいったん加算してから調整**

つぎに、翌期分の申告書をご覧ください（【165・166ページ】）。

翌期の還付金額に関して、B社は次のように処理しています。

法人税の還付：（借）現 金 預 金 200　（貸）未 収 金 200

住民税の還付：（借）現 金 預 金 40　（貸）未 収 金 40

事業税の還付：（借）現 金 預 金 80　（貸）未 収 金 80

この仕訳に照らせば、法人税200と住民税40に関しては費用処理していないので、申

仮払経理方式の別表4〈当期〉

所得の金額の計算に関する明細書（簡易様式）

事業年度	（当期）	法人名	B 社

別表四（簡易様式）

区　　　分		総　額	処　　　　　分		
			留　保	社　外　流　出	
		①	②	③	
当 期 利 益 又 は 当 期 欠 損 の 額	1	万円 1,000	万円	配当	万円
				その他	
加算	損 金 経 理 を し た 法 人 税 及 び 地 方 法 人 税（附帯税を除く。）	2	600	600		
	損金経理をした道府県民税及び市町村民税	3	100	100		
	損 金 経 理 を し た 納 税 充 当 金	4				
	損金経理をした附帯税（利子税を除く。）、加算金、延滞金（延納分を除く。）及び過怠税	5			その他	
	減 価 償 却 の 償 却 超 過 額	6				
	役 員 給 与 の 損 金 不 算 入 額	7			その他	
	交 際 費 等 の 損 金 不 算 入 額	8			その他	
	通 算 法 人 に 係 る 加 算 額（別表四付表「5」）	9			外 ※	
		10				
	小　　　計	11	700		外 ※	
減算	減 価 償 却 超 過 額 の 当 期 認 容 額	12				
	納税充当金から支出した事業税等の金額	13				
	受 取 配 当 等 の 益 金 不 算 入 額（別表八（一）「5」）	14			※	
	外国子会社から受ける剰余金の配当等の益金不算入額（別表八（二）「26」）	15			※	
	受 贈 益 の 益 金 不 算 入 額	16			※	
	適 格 現 物 分 配 に 係 る 益 金 不 算 入 額	17			※	
	法 人 税 等 の 中 間 納 付 額 及 び 過 誤 納 に 係 る 還 付 金 額	18				
	所 得 税 額 等 及 び 欠 損 金 の 繰 戻 し に よ る 還 付 金 額 等	19			※	
	通 算 法 人 に 係 る 減 算 額（別表四付表「10」）	20			※	
	仮　　払　　税　　金	21	320	320		
	小　　　計	22	320		外 ※	
仮　　　　計 (1)+(11)-(22)		23	1,380		外 ※	
対 象 純 支 払 利 子 等 の 損 金 不 算 入 額（別表十七（二の二）「29」又は「34」）		24			その他	
超 過 利 子 額 の 損 金 算 入 額（別表十七（二の三）「10」）		25	△		※	△
仮　　　計 （(23)から(25)までの計）		26	1,380		外 ※	
寄 附 金 の 損 金 不 算 入 額（別表十四（二）「24」又は「40」）		27			その他	
法 人 税 額 か ら 控 除 さ れ る 所 得 税 額（別表六（一）「6の③」）		29			その他	
税 額 控 除 の 対 象 と な る 外 国 法 人 税 の 額（別表六（二の二）「7」）		30			その他	
分 配 時 調 整 外 国 税 相 当 額 及 び 外 国 関 係 会 社 等 に 係 る 控 除 対 象 所 得 税 額 等 相 当 額（別表六（五の二）「5の②」）+（別表十七（三の六）「1」）		31			その他	
合　　　計 (26)+(27)+(29)+(30)+(31)		34	1,380		外 ※	
中 間 申 告 に お け る 繰 戻 し に よ る 還 付 に 係 る 災 害 欠 損 金 額 の 益 金 算 入 額		37			※	
非 適 格 合 併 又 は 残 余 財 産 の 全 部 分 配 等 に よ る 移 転 資 産 等 の 譲 渡 利 益 額 又 は 譲 渡 損 失 額		38			※	
差　　引　　計 (34)+(37)+(38)		39	1,380		外 ※	
更生欠損金又は民事再生等評価換えが行われる場合の再生等欠損金の損金算入額（別表七（三）「9」又は「21」）		40	△		※	△
通算対象欠損金額の損金算入額又は通算対象所得金額の益金算入額（別表七の二「5」又は「11」）		41			※	
差　　引　　計 (39)+(40)±(41)		43	1,380		外 ※	
欠 損 金 等 の 当 期 控 除 額（別表七（一）「4の計」）+（別表七（四）「10」）		44	△		※	△
総　　　計 (43)+(44)		45	1,380		外 ※	
残余財産の確定の日の属する事業年度に係る事業税及び特別法人事業税の損金算入額		51	△	△		
所 得 金 額 又 は 欠 損 金 額		52	1,380		外 ※	

仮払経理方式の別表5⑴・⑵〈当期〉

利益積立金額及び資本金等の額の計算に関する明細書

事業年度	（当期）	法人名	B 社	別表五（一）

Ⅰ　利益積立金額の計算に関する明細書

区　　分		期首現在利益積立金額 ①	当期の増減 減 ②	当期の増減 増 ③	差引翌期首現在利益積立金額 ①−②+③ ④
利　益　準　備　金	1	万円	万円	万円	万円
積　立　金	2				
未　収　還　付　法　人　税	3			200	200
未　収　還　付　道　府　県　民　税	4			10	10
未　収　還　付　市　民　税	5			30	30
仮　　払　　税　　金	6			△320	△320
	7				

未納法人税等（各事業年度の所得に対するものに限る。）	未納法人税及び未納地方法人税（附帯税を除く。）	27	△	△ 600	中間 △ 600 確定 △	△
	未払通算税効果額（附帯税の額に係る部分の金額を除く。）	28			中間 確定	
	未納道府県民税（均等割を含む。）	29	△	△ 30	中間 △ 30 確定 △	△
	未納市町村民税（均等割を含む。）	30	△	△ 70	中間 △ 70 確定 △	△

租税公課の納付状況等に関する明細書

事業年度	（当期）	法人名	B 社	別表五（二）

税目及び事業年度			期首現在未納税額 ①	当期発生税額 ②	当期中の納付税額　充当金取崩しによる納付 ③	当期中の納付税額　仮払経理による納付 ④	当期中の納付税額　損金経理による納付 ⑤	期末現在未納税額 ①+②−③−④−⑤ ⑥
法人税及び地方法人税		・　・	1	万円				万円
		・　・	2					
	当期分	中　間	3		600 万円		200	400	0
		確　定	4		△200				△200
		計	5		400		200	400	△200
道府県民税		・　・	6					
		・　・	7					
	当期分	中　間	8		30		10	20	0
		確　定	9		△10				△10
		計	10		20		10	20	△10
市町村民税		・　・	11					
		・　・	12					
	当期分	中　間	13		70		30	40	0
		確　定	14		△30				△30
		計	15		40		30	40	△30
特別法人事業税及び事業税		・　・	16					
		・　・	17					
	当期中間分		18		180		80	100	0
	計		19		180		80	100	0

164

仮払経理方式の別表４〈翌期〉

所得の金額の計算に関する明細書(簡易様式)

事業年度	(翌期)	法人名	B 社	別表四(簡易様式)

区　　　分		総　　額 ①	処		分	
			留　保 ②	社　外　流　出 ③		
当 期 利 益 又 は 当 期 欠 損 の 額	1	万円 500	万円	配当		万円
				その他		
加	損 金 経 理 を し た 法 人 税 及 び 地 方 法 人 税 (附 帯 税 を 除 く 。)	2				
	損金経理をした道府県民税及び市町村民税	3				
	損 金 経 理 を し た 納 税 充 当 金	4				
	損金経理をした附帯税(利子税を除く。)、加算金、延滞金(延納分を除く。)及び過怠税	5			その他	
	減 価 償 却 の 償 却 超 過 額	6				
	役 員 給 与 の 損 金 不 算 入 額	7			その他	
	交 際 費 等 の 損 金 不 算 入 額	8			その他	
	通 算 法 人 に 係 る 加 算 額 (別表四付表「5」)	9			外 ※	
	仮 払 税 金 消 却	10	320	320		
算						
	小　　　計	11	320		外 ※	
減	減価償却超過額の当期認容額	12				
	納税充当金から支出した事業税等の金額	13				
	受 取 配 当 等 の 益 金 不 算 入 額 (別表八(一)「5」)	14			※	
	外国子会社から受ける剰余金の配当等の益金不算入額(別表八(二)「26」)	15			※	
	受 贈 益 の 益 金 不 算 入 額	16			※	
	適格現物分配に係る益金不算入額	17			※	
	法 人 税 等 の 中 間 納 付 額 及 び 過 誤 納 に 係 る 還 付 金 額	18	240	240		
	所 得 税 額 等 及 び 欠 損 金 の 繰 戻 し に よ る 還 付 金 額 等	19			※	
	通 算 法 人 に 係 る 減 算 額 (別表四付表「10」)	20			※	
		21				
算						
	小　　　計	22	240		外 ※	
仮　　　計 (1)+(11)-(22)		23	580		外 ※	
対 象 純 支 払 利 子 等 の 損 金 不 算 入 額 (別表十七(二の二)「29」又は「34」)		24			その他	
超 過 利 子 額 の 損 金 算 入 額 (別表十七(二の三)「10」)		25	△		※	△
仮　　　計 ((23)から(25)までの計)		26	580		外 ※	
寄 附 金 の 損 金 不 算 入 額 (別表十四(二)「24」又は「40」)		27			その他	
法 人 税 額 か ら 控 除 さ れ る 所 得 税 額 (別表六(一)「6の③」)		29			その他	
税 額 控 除 の 対 象 と な る 外 国 法 人 税 の 額 (別表六(二の二)「7」)		30			その他	
分配時調整外国税相当額及び外国関係会社等に係る控除対象所得税額等相当額 (別表六(五の二)「5の②」)+(別表十七(三の六)「1」)		31			その他	
合　　　計 (26)+(27)+(29)+(30)+(31)		34	580		外 ※	
中間申告における繰戻しによる還付に係る災害損失欠損金額の益金算入額		37			※	
非適格合併又は残余財産の全部分配等による移転資産等の譲渡利益額又は譲渡損失額		38			※	
差　引　計 (34)+(37)+(38)		39	580		外 ※	
更生欠損金又は民事再生等評価換えが行われる場合の再生等欠損金の損金算入額(別表七(三)「9」又は「21」)		40	△		※	△
通算対象欠損金額の損金算入額又は通算対象所得金額の益金算入額(別表七の二「5」又は「11」)		41			※	
差　引　計 (39)+(40)±(41)		43	580		外 ※	
欠 損 金 等 の 当 期 控 除 額 (別表七(一)「4の計」)+(別表七(四)「10」)		44	△		※	△
総　　　計 (43)+(44)		45	580		外 ※	
残余財産の確定の日の属する事業年度に係る事業税及び特別法人事業税の損金算入額		51	△	△		
所 得 金 額 又 は 欠 損 金 額		52	580		外 ※	

利益積立金額及び資本金等の額の計算に関する明細書

事業年度	（翌期）	法人名	Ｂ　社	別表五(一)

Ⅰ　利益積立金額の計算に関する明細書

区　　　分		期首現在利益積立金額 ①	当期の増減 減 ②	当期の増減 増 ③	差引翌期首現在利益積立金額 ①−②+③ ④
利　益　準　備　金	1	万円	万円	万円	万円
積　立　金	2				
未 収 還 付 法 人 税	3	200	200		
未 収 還 付 道府県民税	4	10	10		
未 収 還 付 市 民 税	5	30	30		
仮　払　税　金	6	△320	△320		
	7				

租税公課の納付状況等に関する明細書

事業年度	（翌期）	法人名	Ｂ　社	別表五(二)

税　目　及　び　事　業　年　度		期首現在未納税額 ①	当期発生税額 ②	当期中の納付税額 充当金取崩しによる納付 ③	仮払経理による納付 ④	損金経理による納付 ⑤	期末現在未納税額 ①+②-③-④-⑤ ⑥
法人税及び地方法人税	・　・	1	万円		万円	万円	万円	万円
	・　・	2	△200			△200		0
	当期分 中　　間	3		万円				
	確　　定	4						
	計	5						
道府県民税	・　・	6						
	・　・	7	△10			△10		0
	当期分 中　　間	8						
	確　　定	9						
	計	10						
市町村民税	・　・	11						
	・　・	12	△30			△30		0
	当期分 中　　間	13						
	確　　定	14						
	計	15						
事業税及び特別法人事業税	・　・	16						
	・　・	17	△80			△80		0
	当　期　中　間　分	18						
	計	19						

告調整は不要です。一方、事業税80については前期の損金に算入されました。その跳ね返りで還付された期に益金算入となるので、申告調整で加算しなければなりません。

　そこで、翌期の所得計算では、還付事業税80の加算のみ行えば足りるのですが、別表４では、法人税と住民税の還付金に関し、加算と減算の両建て計上となっています。

　すなわち、未収金の取崩額の全額320をいったん加算し、法人税・住民税については加算が不要なのでそれを取り消すために240の減算、という記載になっています。

●仮払税金はマイナスの利益積立金

　別表５(1)の⑥欄に記載されている「仮払税金」△320は、貸借対照表上の“未収金”のことです。納付額を“未払法人税等”の科目で計上するとき、それは利益積立金に該当し別表５(1)で「納税充当金」（㉖）として記載されます。これに対し仮払税金は、納付の逆で還付される金額ですから、マイナスの利益積立金となります。

　そういう意味では、一般にそのような書き方はしませんが、この仮払税金を㉖欄にてマイナス数字で記載するやり方も考えられます。

●未収還付税金の書き方に関する別解もある

　つぎに、別表５(1)の③～⑤欄で「未収還付○○税」という項目が計上されています。税目ごと翌期に還付される金額を意味しますが、これは利益積立金を３分類したとき、税金関連項目のうち“未納法人税等”に該当します。

　一般には、この記入例のような書き方をしますが、別解として次のような書き方もあります。

利益積立金額及び資本金等の額の計算に関する明細書	事業年度	（当期）	法人名	Ｂ　社		別表五(一)

		I　利益積立金額の計算に関する明細書			
区　分	期首現在利益積立金額 ①	当期の増減 減 ②	当期の増減 増 ③	差引翌期首現在利益積立金額 ①－②＋③ ④
利　益　準　備　金 1	円	円	円	円
積　立　金 2				
仮　払　税　金 3			△320	△320
4				

繰越損益金（損は赤）25				
納　税　充　当　金 26				
未納法人税等 未納法人税及び未納地方法人税（附帯税を除く。）27	△	△ 600	中間 △ 600 / 確定 △ 200	△ 200
未払通算税効果額（附帯税の額に係る部分の金額を除く。）28			中間 / 確定	
未納道府県民税（均等割を含む。）29	△	△ 30	中間 △ 30 / 確定 △ 10	△ 10
未納市町村民税（均等割を含む。）30	△	△ 70	中間 △ 70 / 確定 △ 30	△ 30

後ほど説明しますが、別表4との数字のつながりを考える際には、むしろこの書き方のほうが分かりやすいと思います。

つぎに、別表4と別表5(1)の関連を、【170・171ページ】に示します。

●法人税・住民税の納付額は加算

まず、別表4の②・③欄の金額が、別表5(1)の㉗〜㉚減少欄と結びついています。㉗〜㉚欄はマイナスの金額です。「減少」のマイナスはプラスですから、利益積立金の増加を意味します。つまり、別表4で加算しているから別表5(1)では増加、という規則性が保たれています。

また、別表4の㉑欄の金額は、減算→減少の規則性により、別表5(1)の⑥欄で利益積立金の減少として現れます。

●未収還付○○税の増加は別表4とつながらない

つぎに、別表5(1)の③〜⑤欄の「未収還付○○税」は、マイナスの未納法人税等にあたる項目で、本来、前ページの別解のように㉗〜㉚欄に記入すべきものです。第3章の❸・3で説明したように、㉗〜㉚の増加欄の数字を別表4とつなげると、法人税等を損金算入する結果となります。そこで、【171ページ】においてこの未収還付○○税は、別表4とつながりを持ちません。

●未収還付○○税の減少は別表4とつながる

一方、㉗〜㉚の減少欄の数字は別表4と関連します。そこで【173ページ】においては、③〜⑤欄の「未収還付○○税」(計240)が、別表4の減算金額(⑱欄)とつながっています。

3 収益計上方式

つぎに、中間納付の税金を当期に費用処理し、翌期に還付された金額を収益計上するやり方(収益計上方式)を説明します。参考までに、先の設例の税金納付状況を再掲します。

	中間税額	年間税額	確定税額
法 人 税	600	400	△ 200
県 民 税	30	20	△ 10
市 民 税	70	40	△ 30
事 業 税	180	100	△ 80
計	880	560	△ 320

この場合、仕訳と所得計算は次のようになります。

仕 訳

中間時：（借）仮　払　金　880　　　（貸）現 金 預 金　880

決算時：（借）法 人 税 等　880　　　（貸）仮　払　金　880

翌　期：（借）現 金 預 金　320　　　（貸）雑　収　入　320

所得計算

〈当期〉

当 期 純 利 益	600
法人税等損金不算入	880
事 業 税 損 金 算 入	△ 180
差 引 計	1,380

（注）当期純利益は、仮払経理方式と比べて未収計上額（320）分だけ減少し、680となります。　1,000 － 320 ＝ 680

〈翌期〉

当 期 純 利 益	820
還付法人税住民税益金不算入	△ 240
差 引	580

（注）1　当期純利益は、仮払経理方式と比べて雑収入計上額（320）分だけ増加し、820となります。　500 ＋ 320 ＝ 820

2　雑収入320のうち事業税分80は益金算入なので、減算されません。

別表４と別表５⑴の関連──仮払経理方式（当期）

所得の金額の計算に関する明細書（簡易様式）

事 業年 度	（当期）	法人名	B 社

区　　　分		総　額	処　　　分		
			留　保	社　外　流　出	
		①	②	③	
当 期 利 益 又 は 当 期 欠 損 の 額	1	万円 1,000	万円	配　当	万円
				その他	
損 金 経 理 を し た 法 人 税 及 び地方法人税（附帯税を除く。）	2	600	600		
損金経理をした道府県民税及び市町村民税	3	100	100		
加　損 金 経 理 を し た 納 税 充 当 金	4				
損金経理をした附帯税（利子税を除く。）、加算金、延滞金（延納分を除く。）及び過怠税	5			その他	
減 価 償 却 の 償 却 超 過 額	6				
役 員 給 与 の 損 金 不 算 入 額	7			その他	
交 際 費 等 の 損 金 不 算 入 額	8			その他	
通 算 法 人 に 係 る 加 算 額（別表四付表「5」）	9			外 ※	
	10				
算					
小　　　　計	11	700		外 ※	
減価償却超過額の当期認容額	12				
納税充当金から支出した事業税等の金額	13				
減　受 取 配 当 等 の 益 金 不 算 入 額（別表八（一）「5」）	14			※	
外国子会社から受ける剰余金の配当等の益金不算入額（別表八（二）「26」）	15			※	
受 贈 益 の 益 金 不 算 入 額	16			※	
適格現物分配に係る益金不算入額	17			※	
法 人 税 等 の 中 間 納 付 額 及 び過 誤 納 に 係 る 還 付 金 額	18				
所 得 税 額 等 及 び 欠 損 金 の繰 戻 し に よ る 還 付 金 額 等	19			※	
通 算 法 人 に 係 る 減 算 額（別表四付表「10」）	20			※	
仮　払　税　金	21	320	320		
算					
小　　　　計	22	320		外 ※	
仮　　　　計(1)＋(11)－(22)	23	1,380		外 ※	
対象純支払利子等の損金不算入額（別表十七（二の二）「29」又は「34」）	24			その他	
超 過 利 子 額 の 損 金 算 入 額（別表十七（二の三）「10」）	25	△		※	△
仮　　　　計(23)から(25)までの計)	26	1,380		外 ※	
寄 附 金 の 損 金 不 算 入 額（別表十四（二）「24」又は「40」）	27			その他	
法 人 税 額 か ら 控 除 さ れ る 所 得 税 額（別表六（一）「6の③」）	29			その他	
税 額 控 除 の 対 象 と な る 外 国 法 人 税 の 額（別表六（二の二）「7」）	30			その他	
分配時調整外国税相当額及び外国関係会社等に係る控除対象所得税額等相当額（別表六（五の二）「5の②」）＋（別表十七（三の六）「1」）	31			その他	
合　　　　計(26)＋(27)＋(29)＋(30)＋(31)	34	1,380		外 ※	
中間申告における繰戻しによる還付に係る災害損失欠損金額の益金算入額	37			※	
非適格合併又は残余財産の全部分配等による移転資産等の譲渡利益額又は譲渡損失額	38			※	
差　　引　　計(34)＋(37)＋(38)	39	1,380		外 ※	
更生欠損金又は民事再生等評価換えが行われる場合の再生等欠損金の損金算入額（別表七（三）「9」又は「21」）	40	△		※	△
通算対象欠損金額の損金算入額又は通算対象所得金額の益金算入額（別表七の二「5」又は「11」）	41			※	
差　　引　　計(39)＋(40)±(41)	43	1,380		外 ※	
欠 損 金 等 の 当 期 控 除 額（別表七（一）「4の計」）＋（別表七（四）「10」）	44	△		※	△
総　　　　計(43)＋(44)	45	1,380		外 ※	
残余財産の確定の日の属する事業年度に係る事業税及び特別法人事業税の損金算入額	51	△	△		
所 得 金 額 又 は 欠 損 金 額	52	1,380		外 ※	

170

利益積立金額及び資本金等の額の計算に関する明細書

| 事業年度 | （当期） | 法人名 | B 社 | 別表五(一) |

Ⅰ　利益積立金額の計算に関する明細書

区　分		期首現在利益積立金額 ①	当期の増減 減 ②	当期の増減 増 ③	差引翌期首現在利益積立金額 ①－②＋③ ④
利　益　準　備　金	1	万円	万円	万円	万円
積　立　金	2				
未　収　還　付　法　人　税	3			200	200
未　収　還　付　道　府　県　民　税	4			10	10
未　収　還　付　市　民　税	5			30	30
仮　払　税　金	6			△320	△320
	7				
	8				
	9				
	10				
	11				
	12				
	13				
	14				
	15				
	16				
	17				
	18				
	19				
	20				
	21				
	22				
	23				
	24				
繰　越　損　益　金（損は赤）	25				
納　税　充　当　金	26				
未納法人税等	未　納　法　人　税　及　び未　納　地　方　法　人　税（附帯税を除く。）	27	△	△ 600	中間 △ 600 確定 △	△
	未払通算税効果額（附帯税の額に係る部分の金額を除く。）	28			中間 確定	
	未　納　道　府　県　民　税（均等割を含む。）	29	△	△ 30	中間 △ 30 確定 △	△
	未　納　市　町　村　民　税（均等割を含む。）	30	△	△ 70	中間 △ 70 確定 △	△
差　引　合　計　額	31				

Ⅱ　資本金等の額の計算に関する明細書

区　分		期首現在資本金等の額 ①	当期の増減 減 ②	当期の増減 増 ③	差引翌期首現在資本金等の額 ①－②＋③ ④
資　本　金　又　は　出　資　金	32	円	円	円	円
資　本　準　備　金	33				
	34				
	35				
差　引　合　計　額	36				

別表４と別表５⑴の関連——仮払経理方式（翌期）

所得の金額の計算に関する明細書（簡易様式）

事 業 年 度	（翌期）	法人名	B 社

区 分			総 額 ①	処 分		
				留 保 ②	社 外 流 出 ③	
当 期 利 益 又 は 当 期 欠 損 の 額	1		万円 500	万円	配 当	万円
					その他	
加	損 金 経 理 を し た 法 人 税 及 び 地 方 法 人 税 (附 帯 税 を 除 く 。)	2				
	損金経理をした道府県民税及び市町村民税	3				
	損 金 経 理 を し た 納 税 充 当 金	4				
	損金経理をした附帯税(利子税を除く。)、加算金、延滞金(延納分を除く。)及び過怠税	5			その他	
	減 価 償 却 の 償 却 超 過 額	6				
	役 員 給 与 の 損 金 不 算 入 額	7			その他	
	交 際 費 等 の 損 金 不 算 入 額	8			その他	
	通 算 法 人 に 係 る 加 算 額 (別 表 四 付 表 「 5 」)	9			外 ※	
	仮 払 税 金 消 却	10	320	320		
算						
	小 計	11	320		外 ※	
減	減 価 償 却 超 過 額 の 当 期 認 容 額	12				
	納税充当金から支出した事業税等の金額	13				
	受 取 配 当 等 の 益 金 不 算 入 額 (別 表 八 (一) 「 5 」)	14			※	
	外国子会社から受ける剰余金の配当等の益金不算入額(別表八(二)「26」)	15			※	
	受 贈 益 の 益 金 不 算 入 額	16			※	
	適 格 現 物 分 配 に 係 る 益 金 不 算 入 額	17			※	
	法 人 税 等 の 中 間 納 付 額 及 び 過 誤 納 に 係 る 還 付 金 額	18	240	240		
	所 得 税 額 等 及 び 欠 損 金 の 繰 戻 し に よ る 還 付 金 額 等	19			※	
	通 算 法 人 に 係 る 減 算 額 (別 表 四 付 表 「 10 」)	20			※	
		21				
算						
	小 計	22	240		外 ※	
	仮 計 (1)+(11)−(22)	23	580		外 ※	
対 象 純 支 払 利 子 等 の 損 金 不 算 入 額 (別 表 十 七 (二 の 二) 「 29 」又 は「 34 」)		24			その他	
超 過 利 子 額 の 損 金 算 入 額 (別 表 十 七 (二 の 三) 「 10 」)		25	△		※	△
仮 計 ((23)から(25)までの計)		26	580		外 ※	
寄 附 金 の 損 金 不 算 入 額 (別 表 十 四 (二) 「 24 」又 は「 40 」)		27			その他	
法 人 税 額 か ら 控 除 さ れ る 所 得 税 額 (別 表 六 (一) 「 6 の ③ 」)		29			その他	
税 額 控 除 の 対 象 と な る 外 国 法 人 税 の 額 (別 表 六 (二 の 二) 「 7 」)		30			その他	
分 配 時 調 整 外 国 税 相 当 額 及 び 外 国 関 係 会 社 等 に 係 る 控 除 対 象 所 得 税 額 等 相 当 額 (別表六(五の二)「5の②」)+(別表十七(三の六)「1」)		31			その他	
合 計 (26)+(27)+(29)+(30)+(31)		34	580		外 ※	
中 間 申 告 に お け る 繰 戻 し に よ る 還 付 に 係 る 災 害 損 失 欠 損 金 額 の 益 金 算 入 額		37			※	
非 適 格 合 併 又 は 残 余 財 産 の 全 部 分 配 等 に よ る 移 転 資 産 等 の 譲 渡 利 益 額 又 は 譲 渡 損 失 額		38			※	
差 引 計 (34)+(37)+(38)		39	580		外 ※	
更 生 欠 損 金 又 は 民 事 再 生 等 評 価 換 え が 行 わ れ る 場 合 の 再 生 等 欠 損 金 の 損 金 算 入 額(別表七(三)「9」又は「21」)		40	△		※	△
通 算 対 象 欠 損 金 額 の 損 金 算 入 額 又 は 通 算 対 象 所 得 金 額 の 益 金 算 入 額(別表七の二「5」又は「11」)		41			※	
差 引 計 (39)+(40)±(41)		43	580		外 ※	
欠 損 金 等 の 当 期 控 除 額 (別 表 七 (一) 「 4 の 計 」) + (別 表 七 (四) 「 10 」)		44	△		※	△
総 計 (43)+(44)		45	580		外 ※	
残 余 財 産 の 確 定 の 日 の 属 す る 事 業 年 度 に 係 る 事 業 税 及 び 特 別 法 人 事 業 税 の 損 金 算 入 額		51	△	△		
所 得 金 額 又 は 欠 損 金 額		52	580		外 ※	

利益積立金額及び資本金等の額の計算に関する明細書

事業年度	（翌期）	法人名	B 社	別表五(一)

Ⅰ　利益積立金額の計算に関する明細書

区　　　分		期首現在利益積立金額 ①	当期の増減 減 ②	当期の増減 増 ③	差引翌期首現在利益積立金額 ①−②+③ ④
利　益　準　備　金	1	万円	万円	万円	万円
積　立　金	2				
未　収　還　付　法　人　税	3	200	200		
未　収　還　付　道　府　県　民　税	4	10	10		
未　収　還　付　市　民　税	5	30	30		
仮　　払　　税　　金	6	△320	△320		
	7				
	8				
	9				
	10				
	11				
	12				
	13				
	14				
	15				
	16				
	17				
	18				
	19				
	20				
	21				
	22				
	23				
	24				
繰越損益金（損は赤）	25				
納　税　充　当　金	26				
未納法人税等（各事業年度の所得に対するものに限る。） 未納法人税及び未納地方法人税（附帯税を除く。）	27	△	△	中間 △ 確定 △	△
未払通算税効果額（附帯税の額に係る部分の金額を除く。）	28			中間 確定	
未納道府県民税（均等割を含む。）	29	△	△	中間 △ 確定 △	△
未納市町村民税（均等割を含む。）	30	△	△	中間 △ 確定 △	△
差　引　合　計　額	31				

Ⅱ　資本金等の額の計算に関する明細書

区　　　分		期首現在資本金等の額 ①	当期の増減 減 ②	当期の増減 増 ③	差引翌期首現在資本金等の額 ①−②+③ ④
資本金又は出資金	32	円	円	円	円
資　本　準　備　金	33				
	34				
	35				
差　引　合　計　額	36				

収益計上方式の場合の申告書の別表4、別表5(1)および別表5(2)の記入例を、【175～178ページ】に示しています。

　（注）それぞれ該当箇所だけの書き方を示し、当期の期首分の記入は省略しています。

◉利益は変わるが所得は変わらない

　仮払経理方式の場合と比べて、当期と翌期とも、別表4のスタートの当期利益の金額が変わりました。当期が320の減少、翌期は逆に320の増加となっています。

　加減算の内容も変化しますが、最終の所得金額は、当期と翌期とも仮払経理の場合と同額です。なぜなら、当期利益が変化した金額320の分だけ、当期は「仮払税金」の減算がなくなり、翌期は加算が消えているからです。

　経理処理を変えると会計上の利益は変わります。しかし所得金額は変わらない、という点にご留意ください。

収益計上方式の別表４〈当期〉

所得の金額の計算に関する明細書（簡易様式）

事業年度	（当期）	法人名	B 社

別表四（簡易様式）

区　　　分		総　額 ①	処　　　　分		
			留　保 ②	社　外　流　出 ③	
当 期 利 益 又 は 当 期 欠 損 の 額	1	680 万円	万円	配　当	万円
				その他	
加算	損 金 経 理 を し た 法 人 税 及 び 地 方 法 人 税（附 帯 税 を 除 く。）	2	600	600		
	損金経理をした道府県民税及び市町村民税	3	100	100		
	損 金 経 理 を し た 納 税 充 当 金	4				
	損 金 経 理 を し た 附 帯 税（利 子 税 を 除 く。）、加算金、延滞金（延納分を除く。）及び過怠税	5			その他	
	減 価 償 却 の 償 却 超 過 額	6				
	役 員 給 与 の 損 金 不 算 入 額	7			その他	
	交 際 費 等 の 損 金 不 算 入 額	8			その他	
	通 算 法 人 に 係 る 加 算 額（別表四付表「5」）	9			外 ※	
		10				
	小　　　　計	11	700		外 ※	
減算	減 価 償 却 超 過 額 の 当 期 認 容 額	12				
	納税充当金から支出した事業税等の金額	13				
	受 取 配 当 等 の 益 金 不 算 入 額（別表八（一）「5」）	14			※	
	外 国 子 会 社 か ら 受 け る 剰 余 金 の 配 当 等 の 益 金 不 算 入 額（別表八（二）「26」）	15			※	
	受 贈 益 の 益 金 不 算 入 額	16			※	
	適格現物分配に係る益金不算入額	17			※	
	法 人 税 等 の 中 間 納 付 額 及 び 過 誤 納 に 係 る 還 付 金 額	18				
	所 得 税 額 等 及 び 欠 損 金 の 繰 戻 し に よ る 還 付 金 額 等	19			※	
	通 算 法 人 に 係 る 減 算 額（別表四付表「10」）	20			※	
		21				
	小　　　　計	22			外 ※	
仮　　　　計 （1）＋（11）－（22）	23	1,380		外 ※	
対 象 純 支 払 利 子 等 の 損 金 不 算 入 額（別表十七（二の二）「29」又は「34」）	24			その他	
超 過 利 子 額 の 損 金 算 入 額（別表十七（二の三）「10」）	25	△		※	△
仮　　　　計 （（23）から（25）までの計）	26	1,380		外 ※	
寄 附 金 の 損 金 不 算 入 額（別表十四（二）「24」又は「40」）	27			その他	
法 人 税 額 か ら 控 除 さ れ る 所 得 税 額（別表六（一）「6の③」）	29			その他	
税 額 控 除 の 対 象 と な る 外 国 法 人 税 の 額（別表六（二の二）「7」）	30			その他	
分 配 時 調 整 外 国 税 相 当 額 及 び 外 国 関 係 会 社 等 に 係 る 控 除 対 象 所 得 税 額 等 相 当 額（別表六（五の二）「5の②」）＋（別表十七（三の六）「1」）	31			その他	
合　　　　計 （26）＋（27）＋（29）＋（30）＋（31）	34	1,380		外 ※	
中 間 申 告 に お け る 繰 戻 し に よ る 還 付 に 係 る 災 害 損 失 欠 損 金 額 の 益 金 算 入 額	37			※	
非 適 格 合 併 又 は 残 余 財 産 の 全 部 分 配 等 に よ る 移 転 資 産 等 の 譲 渡 利 益 額 又 は 譲 渡 損 失 額	38			※	
差　　引　　計 （34）＋（37）＋（38）	39	1,380		外 ※	
更 生 欠 損 金 又 は 民 事 再 生 等 評 価 換 え が 行 わ れ る 場 合 の 再 生 等 欠 損 金 の 損 金 算 入 額（別表七（三）「9」又は「21」）	40	△		※	△
通 算 対 象 欠 損 金 額 の 損 金 算 入 額 又 は 通 算 対 象 所 得 金 額 の 益 金 算 入 額（別表七の二「5」又は「11」）	41			※	
差　　引　　計 （39）＋（40）±（41）	43	1,380		外 ※	
欠 損 金 等 の 当 期 控 除 額（別表七（一）「4の計」）＋（別表七（四）「10」）	44	△		※	△
総　　　　計 （43）＋（44）	45	1,380		外 ※	
残 余 財 産 の 確 定 の 日 の 属 す る 事 業 年 度 に 係 る 事 業 税 及 び 特 別 法 人 事 業 税 の 損 金 算 入 額	51	△	△		
所 得 金 額 又 は 欠 損 金 額	52	1,380		外 ※	

収益計上方式の別表５⑴・⑵〈当期〉

利益積立金額及び資本金等の額の計算に関する明細書

| 事業年度 | （当期） | 法人名 | Ｂ　社 | 別表五（一） |

Ⅰ　利益積立金額の計算に関する明細書

区　　分		期首現在利益積立金額 ①	当期の増減 減 ②	当期の増減 増 ③	差引翌期首現在利益積立金額 ①－②＋③ ④
利　益　準　備　金	1	万円	万円	万円	万円
積　立　金	2				
未　収　還　付　法　人　税	3			200	200
未　収　還　付　道　府　県　民　税	4			10	10
未　収　還　付　市　民　税	5			30	30

未納法人税等（各事業年度の所得に対するものに限る。）	未納法人税及び未納地方法人税（附帯税を除く。）	27	△	△600	中間 △600	△
					確定 △	
	未払通算税効果額（附帯税の額に係る部分の金額を除く。）	28			中間	
					確定	
	未納道府県民税（均等割を含む。）	29	△	△30	中間 △30	△
					確定 △	
	未納市町村民税（均等割を含む。）	30	△	△70	中間 △70	△
					確定 △	
差　引　合　計　額		31				

租税公課の納付状況等に関する明細書

| 事業年度 | （当期） | 法人名 | Ｂ　社 | 別表五（二） |

税目及び事業年度				期首現在未納税額 ①	当期発生税額 ②	当期中の納付税額 充当金取崩しによる納付 ③	当期中の納付税額 仮払経理による納付 ④	当期中の納付税額 損金経理による納付 ⑤	期末現在未納税額 ①＋②－③－④－⑤ ⑥
法人税及び地方法人税		・・・	1	万円		万円	万円	万円	万円
		・・・	2						
	当期分	中　　間	3		600 万円			600	0
		確　　定	4		△200				△200
		計	5		400			600	△200
道府県民税		・・・	6						
		・・・	7						
	当期分	中　　間	8		30			30	0
		確　　定	9		△10				△10
		計	10		20			30	△10
市町村民税		・・・	11						
		・・・	12						
	当期分	中　　間	13		70			70	0
		確　　定	14		△30				△30
		計	15		40			70	△30
事業税及び特別法人事業税		・・・	16						
		・・・	17						
	当　期　中　間　分		18		180			180	0
	計		19		180			180	0

収益計上方式の別表4 〈翌期〉

所得の金額の計算に関する明細書(簡易様式)

事 業年 度	（翌期）	法人名	B 社

別表四（簡易様式）

区　　　　分		総　額	処　　　　　分		
			留　保	社 外 流 出	
		①	②	③	
当 期 利 益 又 は 当 期 欠 損 の 額	1	820万円	万円	配 当	万円
				その他	
加	損 金 経 理 を し た 法 人 税 及 び地 方 法 人 税 (附 帯 税 を 除 く 。)	2			
	損金経理をした道府県民税及び市町村民税	3			
	損 金 経 理 を し た 納 税 充 当 金	4			
	損金経理をした附帯税(利子税を除く。)、加算金、延滞金(延納分を除く。)及び過怠税	5			その他
	減 価 償 却 の 償 却 超 過 額	6			
	役 員 給 与 の 損 金 不 算 入 額	7			その他
	交 際 費 等 の 損 金 不 算 入 額	8			その他
	通 算 法 人 に 係 る 加 算 額（ 別 表 四 付 表 「 5 」）	9			外 ※
算		10			
	小　　　　計	11			外 ※
減	減 価 償 却 超 過 額 の 当 期 認 容 額	12			
	納税充当金から支出した事業税等の金額	13			
	受 取 配 当 等 の 益 金 不 算 入 額（ 別 表 八 (一) 「 5 」）	14			※
	外国子会社から受ける剰余金の配当等の益金不算入額(別表八(二)「26」)	15			※
	受 贈 益 の 益 金 不 算 入 額	16			※
	適 格 現 物 分 配 に 係 る 益 金 不 算 入 額	17			※
	法 人 税 等 の 中 間 納 付 額 及 び過 誤 納 に 係 る 還 付 金 額	18	240	240	
	所 得 税 額 等 及 び 欠 損 金 の繰 戻 し に よ る 還 付 金 額 等	19			※
	通 算 法 人 に 係 る 減 算 額（ 別 表 四 付 表 「 10 」）	20			※
算		21			
	小　　　　計	22	240		外 ※
仮　　　　計（ 1)＋(11)－(22)		23	580		外 ※
対 象 純 支 払 利 子 等 の 損 金 不 算 入 額（ 別 表 十 七 (二 の 二) 「 29 」 又 は 「 34 」）		24			その他
超 過 利 子 額 の 損 金 算 入 額（ 別 表 十 七 (二 の 三) 「 10 」）		25	△		※ △
仮　　　計（ 23)から(25)までの計		26	580		外 ※
寄 附 金 の 損 金 不 算 入 額（ 別 表 十 四 (二) 「 24 」 又 は 「 40 」）		27			その他
法 人 税 額 か ら 控 除 さ れ る 所 得 税 額（ 別 表 六 (一) 「 6 の ③ 」）		29			その他
税 額 控 除 の 対 象 と な る 外 国 法 人 税 の 額（ 別 表 六 (二 の 二) 「 7 」）		30			その他
分 配 時 調 整 外 国 税 相 当 額 及 び 外 国 関 係会 社 等 に 係 る 控 除 対 象 所 得 税 額 等 相 当 額(別表六(五の二)「5の②」)＋(別表十七(三の六)「1」)		31			その他
合　　　　計（ 26)＋(27)＋(29)＋(30)＋(31)		34	580		外 ※
中 間 申 告 に お け る 繰 戻 し に よ る 還 付 に係 る 災 害 損 失 欠 損 金 額 の 益 金 算 入 額		37			※
非 適 格 合 併 又 は 残 余 財 産 の 全 部 分 配 等 による 移 転 資 産 等 の 譲 渡 利 益 額 又 は 譲 渡 損 失 額		38			※
差　　引　　計（ 34)＋(37)＋(38)		39	580		外 ※
更 生 欠 損 金 又 は 民 事 再 生 等 評 価 換 え が 行 わ れ る 場 合 の再 生 等 欠 損 金 の 損 金 算 入 額(別表七(三)「9」又は「21」)		40	△		※ △
通 算 対 象 欠 損 金 額 の 損 金 算 入 額 又 は 通 算 対 象 所得 金 額 の 益 金 算 入 額(別表七の二「5」又は「11」)		41			※
差　　引　　計（ 39)＋(40)±(41)		43	580		外 ※
欠 損 金 等 の 当 期 控 除 額（ 別 表 七 (一) 「 4 の 計 」） ＋ (別 表 七 (四) 「 10 」）		44	△		※ △
総　　　　計（ 43)＋(44)		45	580		外 ※
残 余 財 産 の 確 定 の 日 の 属 す る 事 業 年 度 に 係 る事 業 税 及 び 特 別 法 人 事 業 税 の 損 金 算 入 額		51	△	△	
所 得 金 額 又 は 欠 損 金 額		52	580		外 ※

収益計上方式の別表5⑴・⑵〈翌期〉

利益積立金額及び資本金等の額の計算に関する明細書

事業年度	（翌期）	法人名	B 社

別表五（一）

Ⅰ　利益積立金額の計算に関する明細書

区　　分		期首現在利益積立金額 ①	当　期　の　増　減 減 ②	当　期　の　増　減 増 ③	差引翌期首現在利益積立金額 ①－②+③ ④
利 益 準 備 金	1	万円	万円	万円	万円
積　立　金	2				
未 収 還 付 法 人 税	3	200	200		
未収還付道府県民税	4	10	10		
未 収 還 付 市 民 税	5	30	30		

租税公課の納付状況等に関する明細書

事業年度	（翌期）	法人名	B 社

別表五（二）

税 目 及 び 事 業 年 度			期首現在未納税額 ①	当期発生税額 ②	当 期 中 の 納 付 税 額 充当金取崩しによる納付 ③	当 期 中 の 納 付 税 額 仮払経理による納付 ④	当 期 中 の 納 付 税 額 損金経理による納付 ⑤	期末現在未納税額 ①+②-③-④-⑤ ⑥
法人税及び地方法人税	：　：	1	万円		万円	万円	万円	万円
	：　：	2	△200				△200	0
	当期分 中　　間	3		万円				
	当期分 確　　定	4						
	計	5						
道府県民税	：　：	6						
	：　：	7	△10				△10	0
	当期分 中　　間	8						
	当期分 確　　定	9						
	計	10						
市町村民税	：　：	11						
	：　：	12	△30				△30	0
	当期分 中　　間	13						
	当期分 確　　定	14						
	計	15						
事業税及び特別法人事業税	：　：	16						
	：　：	17	△80				△80	0
	当　期　中　間　分	18						
	計	19						

　最後に、収益計上方式の場合の別表4と別表5(1)の関連を、【180～183ページ】に示します。

●仮払税金は登場しない

　仮払経理の場合と比べて、「仮払税金」というマイナスの利益積立金が登場しない分、両者の結びつきはシンプルです。

　当期は、別表4の②・③欄の数字が、別表5(1)の㉗～㉚の減少欄と結びつきます。③～⑤欄の「未収還付○○税」は、マイナスの未納法人税等にあたる項目ですから、別表4と結びつきません。

　一方、翌期については、別表5(1)の③～⑤減少欄の「未収還付○○税」（計240）が、別表4の減算金額（⑱）とつながっています。

4　所得計算の実務

●2段階に分けて別表4を作成

　B社の別表4は、仮払経理であれば最終的には、【163ページ】の姿で税務署へ提出することになります。しかし、法人税等の年間税額ないし還付税額を計算して未収計上の仕訳を行うまで、スタートの当期利益金額（1,000）は算出されません。つまり、最初からこのスタイルの別表4は作成できません。

　実際に別表4を作成する際は、決算仕訳を行う前の仮の当期利益金額に基づき、次のように所得計算を行うことになります。

●まずは（仮）別表4を作成

　【161ページ】の 設例 において、決算仕訳を入れる前、すなわち中間納付税額を仮払金に計上したままの状態での当期利益は、1,560（1,000＋560）です。つぎに、仮払金に計上した中間納付税額（880）を全額、いったん次のように費用処理すれば、当期利益は680（1,560－880）となります。

　　　　（借）法　人　税　等　　880　　（貸）仮　　払　　金　　880

　そこで、この680からスタートして、(仮)別表4で次のように所得金額を計算します。

　　〈(仮)別表4〉

当 期 利 益	680
損金経理をした法人税（②）	＋600
損金経理をした住民税（③）	＋100
所 得 金 額	1,380

別表４と別表５⑴の関連——収益計上方式（当期）

所得の金額の計算に関する明細書（簡易様式）

事業年度	（当期）	法人名	B 社

区　　　分		総　額 ①	処　分 留　保 ②	社　外　流　出 ③	
当 期 利 益 又 は 当 期 欠 損 の 額	1	円 680	円	配　当	万円
				その他	
損金経理をした法人税及び地方法人税（附帯税を除く。）	2	600	600		
損金経理をした道府県民税及び市町村民税	3	100	100		
損金経理をした納税充当金	4				
損金経理をした附帯税（利子税を除く。）、加算金、延滞金（延納分を除く。）及び過怠税	5			その他	
減 価 償 却 の 償 却 超 過 額	6				
役 員 給 与 の 損 金 不 算 入 額	7			その他	
交 際 費 等 の 損 金 不 算 入 額	8			その他	
通 算 法 人 に 係 る 加 算 額（別表四付表「5」）	9			外 ※	
	10				
小　　　計	11	700		外 ※	
減 価 償 却 超 過 額 の 当 期 認 容 額	12				
納税充当金から支出した事業税等の金額	13				
受 取 配 当 等 の 益 金 不 算 入 額（別表八（一）「5」）	14			※	
外国子会社から受ける剰余金の配当等の益金不算入額（別表八（二）「26」）	15			※	
受 贈 益 の 益 金 不 算 入 額	16			※	
適格現物分配に係る益金不算入額	17			※	
法 人 税 等 の 中 間 納 付 額 及 び 過 誤 納 に 係 る 還 付 金 額	18				
所 得 税 額 等 及 び 欠 損 金 の 繰 戻 し に よ る 還 付 金 額 等	19			※	
通 算 法 人 に 係 る 減 算 額（別表四付表「10」）	20			※	
	21				
小　　　計	22			外 ※	
仮　　　計（1）+（11）-（22）	23	1,380		外 ※	
対 象 純 支 払 利 子 等 の 損 金 不 算 入 額（別表十七（二の二）「29」又は「34」）	24			その他	
超 過 利 子 額 の 損 金 算 入 額（別表十七（二の三）「10」）	25	△		※	△
仮　　　計（（23）から（25）までの計）	26	1,380		外 ※	
寄 附 金 の 損 金 不 算 入 額（別表十四（二）「24」又は「40」）	27			その他	
法 人 税 か ら 控 除 さ れ る 所 得 税 額（別表六（一）「6の③」）	29			その他	
税 額 控 除 の 対 象 と な る 外 国 法 人 税 の 額（別表六（二の二）「7」）	30			その他	
分配時調整外国税相当額及び外国関係会社等に係る控除対象所得税額等相当額（別表六（五の二）「5の②」）+（別表十七（三の六）「1」）	31			その他	
合　　　計（26）+（27）+（29）+（30）+（31）	34	1,380		外 ※	
中間申告における繰戻しによる還付に係る災害損失欠損金額の益金算入額	37			※	
非適格合併又は残余財産の全部分配等による移転資産等の譲渡利益額又は譲渡損失額	38			※	
差　引　計（34）+（37）+（38）	39	1,380		外 ※	
更生欠損金又は民事再生等評価換えが行われる場合の再生等欠損金の損金算入額（別表七（三）「9」又は「21」）	40	△		※	△
通算対象欠損金額の損金算入額又は通算対象所得金額の益金算入額（別表七の二「5」又は「11」）	41			※	
差　引　計（39）+（40）±（41）	43	1,380		外 ※	
欠 損 金 等 の 当 期 控 除 額（別表七（一）「4の計」）+（別表七（四）「10」）	44	△		※	△
総　　　計（43）+（44）	45	1,380		外 ※	
残余財産の確定の日の属する事業年度に係る事業税及び特別法人事業税の損金算入額	51	△	△		
所 得 金 額 又 は 欠 損 金 額	52	1,380		外 ※	

利益積立金額及び資本金等の額の計算に関する明細書

| 事業年度 | （当期） | 法人名 | B　社 | 別表五(一) |

Ⅰ　利益積立金額の計算に関する明細書

区　　分		期首現在利益積立金額 ①	当期の増減 減 ②	当期の増減 増 ③	差引翌期首現在利益積立金額 ①－②＋③ ④
利　益　準　備　金	1	万円	万円	万円	万円
積　立　金	2				
未　収　還　付　法　人　税	3			200	200
未　収　還　付　道　府　県　民　税	4			10	10
未　収　還　付　市　民　税	5			30	30
	6				
	7				
	8				
	9				
	10				
	11				
	12				
	13				
	14				
	15				
	16				
	17				
	18				
	19				
	20				
	21				
	22				
	23				
	24				
繰越損益金（損は赤）	25				
納　税　充　当　金	26				
未納法人税等	未納法人税及び未納地方法人税（附帯税を除く。）	27	△	△ 600	中間 △ 600　確定 △	△
	未払通算税効果額（附帯税の額に係る部分の金額を除く。）	28			中間　確定	
	未納道府県民税（均等割を含む。）	29	△	△ 30	中間 △ 30　確定 △	△
	未納市町村民税（均等割を含む。）	30	△	△ 70	中間 △ 70　確定 △	△
差　引　合　計　額	31				

Ⅱ　資本金等の額の計算に関する明細書

区　　分		期首現在資本金等の額 ①	当期の増減 減 ②	当期の増減 増 ③	差引翌期首現在資本金等の額 ①－②＋③ ④
資　本　金　又　は　出　資　金	32	円	円	円	円
資　本　準　備　金	33				
	34				
	35				
差　引　合　計　額	36				

別表４と別表５⑴の関連──収益計上方式（翌期）

所得の金額の計算に関する明細書（簡易様式）

事業年度	（翌期）	法人名	B 社

別表四（簡易様式）

区　　　　分		総　額 ①	処　　　　　分		
			留　保 ②	社　外　流　出 ③	
当 期 利 益 又 は 当 期 欠 損 の 額	1	820 万円	万円	配 当 その他	万円
加	損金経理をした法人税及び地方法人税（附帯税を除く。）	2				
	損金経理をした道府県民税及び市町村民税	3				
	損 金 経 理 を し た 納 税 充 当 金	4				
	損金経理をした附帯税（利子税を除く。）、加算金、延滞金（延納分を除く。）及び過怠税	5			その他	
	減 価 償 却 の 償 却 超 過 額	6				
	役 員 給 与 の 損 金 不 算 入 額	7			その他	
	交 際 費 等 の 損 金 不 算 入 額	8			その他	
	通 算 法 人 に 係 る 加 算 額（別表四付表「5」）	9			外 ※	
		10				
算						
	小　　　　計	11			外 ※	
減	減 価 償 却 超 過 額 の 当 期 認 容 額	12				
	納税充当金から支出した事業税等の金額	13				
	受 取 配 当 等 の 益 金 不 算 入 額（別表八（一）「5」）	14			※	
	外国子会社から受ける剰余金の配当等の益金不算入額（別表八（二）「26」）	15			※	
	受 贈 益 の 益 金 不 算 入 額	16			※	
	適格現物分配に係る益金不算入額	17			※	
	法 人 税 等 の 中 間 納 付 額 及 び 過 誤 納 に 係 る 還 付 金 額	18	240	240		
	所 得 税 額 等 及 び 欠 損 金 の 繰 戻 し に よ る 還 付 金 額 等	19			※	
	通 算 法 人 に 係 る 減 算 額（別表四付表「10」）	20			※	
		21				
算						
	小　　　　計	22	240		外 ※	
仮　　　　　　計 （1）＋（11）－（22）		23	580		外 ※	
対 象 純 支 払 利 子 等 の 損 金 不 算 入 額（別表十七（二の二）「29」又は「34」）		24			その他	
超 過 利 子 額 の 損 金 算 入 額（別表十七（二の三）「10」）		25	△		※	△
仮　　　　　計 （（23）から（25）までの計）		26	580		外 ※	
寄 附 金 の 損 金 不 算 入 額（別表十四（二）「24」又は「40」）		27			その他	
法 人 税 額 か ら 控 除 さ れ る 所 得 税 額（別表六（一）「6の③」）		29			その他	
税 額 控 除 の 対 象 と な る 外 国 法 人 税 の 額（別表六（二の二）「7」）		30			その他	
分 配 時 調 整 外 国 税 相 当 額 及 び 外 国 関 係 会 社 等 に 係 る 控 除 対 象 所 得 税 額 等 相 当 額（別表六（五の二）「5の②」）＋（別表十七（三の六）「1」）		31			その他	
合　　　　　計 （26）＋（27）＋（29）＋（30）＋（31）		34	580		外 ※	
中 間 申 告 に お け る 繰 戻 し に よ る 還 付 に 係 る 災 害 損 失 欠 損 金 額 の 益 金 算 入 額		37			※	
非 適 格 合 併 又 は 残 余 財 産 の 全 部 分 配 等 に よ る 移 転 資 産 等 の 譲 渡 利 益 額 又 は 譲 渡 損 失 額		38			※	
差　　引　　計 （34）＋（37）＋（38）		39	580		外 ※	
更生欠損金又は民事再生等評価換えが行われる場合の再生等欠損金の損金算入額（別表七（三）「9」又は「21」）		40	△		※	△
通算対象欠損金額の損金算入額又は通算対象所得金額の益金算入額（別表七の二「5」又は「11」）		41			※	
差　　引　　計 （39）＋（40）±（41）		43	580		外 ※	
欠 損 金 等 の 当 期 控 除 額（別表七（一）「4の計」）＋（別表七（四）「10」）		44	△		※	△
総　　　　　計 （43）＋（44）		45	580		外 ※	
残余財産の確定の日の属する事業年度に係る事業税及び特別法人事業税の損金算入額		51	△	△		
所 得 金 額 又 は 欠 損 金 額		52	580		外 ※	

182

利益積立金額及び資本金等の額の計算に関する明細書

| 事　業年　度 | （翌期） | 法人名 | Ｂ　社 | 別表五(一) |

Ⅰ　利益積立金額の計算に関する明細書

区　　　分		期首現在利益積立金額 ①	当期の増減 減 ②	当期の増減 増 ③	差引翌期首現在利益積立金額 ①－②＋③ ④
利益準備金	1	万円	万円	万円	万円
積立金	2				
未収還付法人税	3	200	200		
未収還付道府県民税	4	10	10		
未収還付市民税	5	30	30		
	6				
	7				
	8				
	9				
	10				
	11				
	12				
	13				
	14				
	15				
	16				
	17				
	18				
	19				
	20				
	21				
	22				
	23				
	24				
繰越損益金（損は赤）	25				
納税充当金	26				
未納法人税等 未納法人税及び未納地方法人税（附帯税を除く。）	27	△	△	中間 △ / 確定 △	△
未払通算税効果額（附帯税の額に係る部分の金額を除く。）	28			中間 / 確定	
未納道府県民税（均等割を含む。）	29	△	△	中間 △ / 確定 △	△
未納市町村民税（均等割を含む。）	30	△	△	中間 △ / 確定 △	△
差引合計額	31				

Ⅱ　資本金等の額の計算に関する明細書

区　　　分		期首現在資本金等の額 ①	当期の増減 減 ②	当期の増減 増 ③	差引翌期首現在資本金等の額 ①－②＋③ ④
資本金又は出資金	32	円	円	円	円
資本準備金	33				
	34				
	35				
差引合計額	36				

費用処理した880のうち、法人税（600）と住民税（100）は損金不算入なので加算します。一方、事業税（180）は納付時に全額が損金に算入されるので、調整不要です。

◉未収計上の仕訳に基づき別表4を書き直す

上記の（仮）別表4における所得金額（1,380）に基づいて各税額を計算すれば、設例 に掲げる年間税額（計560）および還付税額（計320）が求まります。

そこで、この計算結果に基づき次の仕訳を行えば、最終の当期利益は1,000（680＋320）となります。

（借）未　収　金　　320　　（貸）法　人　税　等　　320

以上の決算に基づいて、（仮）別表4を次のように書き直せば、**【163ページ】**の（確定版）別表4が出来上がります。

区　　　分		下書き	手直し	確定版
当　期　利　益	1	680	＋320	1,000
損金経理をした法人税	2	＋600		＋600
損金経理をした住民税	3	＋100		＋100
仮　払　税　金	21		△320	△320
所　得　金　額	52	1,380	0	1,380

3 欠損金繰戻しによる還付を受ける場合

1 還付制度のあらまし

●前年納付税額が還付される

　青色申告書を提出する法人で生じた欠損金は、それが生じた事業年度（欠損事業年度）の直前事業年度に繰り戻して、その事業年度（還付事業年度）分の法人税額から還付を受けることができます（法80）。

　還付金額は、次の算式で計算します。

$$還付事業年度の法人税額 \times \frac{欠損事業年度の欠損金額}{還付事業年度の所得金額} = 還付金額$$

●大法人と一定の子会社は適用停止

　昨今の厳しい国家財政事情等を勘案して、普通法人である大法人（資本金1億円超）については、解散など特定の事実が生じたことにより還付請求が認められる場合（法80④）を除いて、この繰戻し還付制度を適用しないこととされています（措法66の13①）。また、資本金5億円以上の大法人の100％子会社（100％グループ内の複数の大法人に発行済株式の全部を保有されている法人を含む）についても、適用が認められません。

●繰戻しによる還付金は社外流出扱い

　2で述べた中間納付税額の還付はマイナスの利益積立金とされ（令9①一ホ）、別表4で留保欄（⑱）に記載しますが、欠損金繰戻しによる法人税の還付金は社外流出欄（⑲）で減算します。

所得の金額の計算に関する明細書（簡易様式）

| 事 業
年 度 | ：　： | 法人名 | | 別表四（簡易様式） |

区　　　　分		総　額	処　　　　　　　　分		
			留　　保	社　外　流　出	
		①	②	③	
当 期 利 益 又 は 当 期 欠 損 の 額	1	円	円	配　当	円
				その他	
損 金 経 理 を し た 法 人 税 及 び 地 方 法 人 税（ 附 帯 税 を 除 く。）	2				
損金経理をした道府県民税及び市町村民税	3				

減	納税充当金から支出した事業税等の金額	13				
	受 取 配 当 等 の 益 金 不 算 入 額 （別 表 八 （一）「5」）	14			※	
	外国子会社から受ける剰余金の配当 等の益金不算入額（別表八（二）「26」）	15			※	
	受 贈 益 の 益 金 不 算 入 額	16			※	
	適 格 現 物 分 配 に 係 る 益 金 不 算 入 額	17			※	
算	法 人 税 等 の 中 間 納 付 額 及 び 過 誤 納 に 係 る 還 付 金 額	18		×　×　×		
	所 得 税 額 等 及 び 欠 損 金 の 繰 戻 し に よ る 還 付 金 額 等	19			※	×　×　×
	通 算 法 人 に 係 る 減 算 額 （別 表 四 付 表「10」）	20			※	

◉中間納付の還付金はマイナスの利益積立金

両者の取扱いが異なるのは、次の理由によります。すなわち、中間納付額はその年度の法人税の概算払いで、確定申告により精算されます。したがって、中間納付額が確定納付額を上回っていれば、過大納付額は当然に還付されます。

一方、繰戻しによる還付を受けるためには、一定の手続きが必要です。前年納付額としてすでに確定し国庫に収納済みの税金に対して、納税者が還付請求を行い、その請求が正当と認められて初めて還付がなされます。

還付請求権という観点で考えると、繰戻しによる還付の場合には、中間納付額と違って、その権利が期末現在まだ確定していません。そのため、中間納付の還付金は期末時点で権利が確定しており利益積立金を構成しますが、繰戻しによる還付金はそうではなく、社外流出扱いとされます。

◉収益計上方式と仮払経理方式

欠損金繰戻しによる還付を受ける際の経理について、中間納付額の還付と同様、次の2通りの処理方法が考えられます。

① 収益計上方式

翌期に還付を受けたとき収益計上するやり方

② 仮払経理方式

当期に未収金を計上し、翌期の還付時にそれを取り崩すやり方

以下、2通りの方式に関する申告調整を考えます。

2　収益計上方式

　まず、還付請求を行う年度では何ら処理せず、翌期に還付があったときに収益計上するやり方を検討します。

設例

・当期（欠損事業年度）の欠損金額　100万円

・前期（還付事業年度）の所得金額　500万円、法人税額　120万円

計算

$$還付金額 = 120万円 \times \frac{100万円}{500万円} = 24万円$$

仕訳

当期：仕訳なし

翌期：（借）現 金 預 金　240,000　　（貸）雑　収　入　240,000

申告調整

当期：調整なし

翌期：

〈別表 4〉

区　　　分		総　　額	処　　　　　　分		
			留　　保	社　外　流　出	
		①	②	③	
減算	所得税額等及び欠損金の繰戻しによる還付金額等	19	240,000		※	240,000

● **社外流出欄で減算**

　法人税の還付金は益金不算入なので、別表 4 において減算します（⑲の社外流出欄）。なお、本税以外に還付加算金を受け取った場合、それは益金算入項目なので、収益計上していれば調整は不要です。

　別表 5(1)における調整に関して、厳密にいえば、還付が確定した時点でマイナスの利益積立金が発生します。しかし、確定したその期中に還付を受ければ、その利益積立金はその期中に消滅してしまいます。そこで通常、別表 5(1)には何も記入しません。

◉ 還付確定の翌期に還付を受けたときは調整

　なお、還付額が確定してその翌期に還付を受けるときは、次のような調整が必要とされます。

還付の確定した期：

〈別表4〉

区　　　　　分	総　　　額	処		分	
		留　　　保		社　外　流　出	
	①	②		③	
加算 未収法人税還付金	240,000	240,000			
減算 所得税額等及び欠損金の繰戻しによる還付金額等 19	240,000			※	240,000

〈別表5(1)〉

I　　利益積立金額の計算に関する明細書				
区　　　　　分	期　首　現　在利益積立金額	当　期　の　増　減		差引翌期首現在利益積立金額①−②+③
		減	増	
	①	②	③	④
未収還付法人税			240,000	240,000

還付を受けた期：

〈別表4〉

区　　　　　分	総　　　額	処		分	
		留　　　保		社　外　流　出	
	①	②		③	
減算 未収還付法人税	240,000	240,000			

〈別表5(1)〉

I　　利益積立金額の計算に関する明細書				
区　　　　　分	期　首　現　在利益積立金額	当　期　の　増　減		差引翌期首現在利益積立金額①−②+③
		減	増	
	①	②	③	④
未収還付法人税	240,000	240,000		0

◉ 還付請求権を利益積立金として計上

　法人税の還付が確定した時点で還付請求権（資産）が発生するので、その分、別表

5(1)で利益積立金が増加します。それとのつながり上、別表4の留保欄で加算を行いますが、それは益金不算入なのでその加算を取り消すため、同額の減算を行います。ただし、利益積立金の増加を取り消してはならないので、その減算は社外流出欄（⑲）で行います。

　この利益積立金の計上に関しては、次のような税務調整仕訳を考えると理解しやすいでしょう。

　　　（借）還 付 請 求 権　240,000　　　（貸）利 益 積 立 金　240,000

　翌期に還付金が入金された時点で、会計上、次の処理を行います。

　　　（借）現 金 預 金　240,000　　　（貸）雑　　収　　入　240,000

　この仕訳により、税務と会計の食い違いが解消するので、前期に計上した利益積立金を取り消すこととなります。

3　仮払経理方式

　つぎに、**2**と同じ（設例）に基づき、経理処理を次のように行った場合の申告調整を考えます。

仕訳

当期：（借）未　　収　　入　240,000　　　（貸）雑　　収　　入　240,000

翌期：（借）現 金 預 金　240,000　　　（貸）未　　収　　入　240,000

申告調整

当期：

〈別表4〉

区　　　　分	総　　額	処　　　　　　　分		
		留　　保	社 外 流 出	
	①	②	③	
減算　未 収 還 付 法 人 税	240,000	240,000		

〈別表5(1)〉

I　利 益 積 立 金 額 の 計 算 に 関 す る 明 細 書				
区　　　分	期 首 現 在 利 益 積 立 金 額	当 期 の 増 減		差引翌期首現在 利益積立金額 ①－②＋③
		減	増	
	①	②	③	④
未 収 還 付 法 人 税			△ 240,000	△ 240,000

法人税の還付金は益金不算入なので、計上した"雑収入"を取り消すために別表4で減算します。その際、相手勘定の"未収金"は、税務上は益金不算入なので資産性がありません。

そこで、別表5(1)においてマイナスの利益積立金として計上するため、別表4の減算は留保欄で行います。

翌期：

〈別表4〉

区　　分		総　　額	処		分	
			留　　保	社　外　流　出		
		①	②	③		
加算	未収法人税取崩し	240,000	240,000			
減算	所得税額等及び欠損金の繰戻しによる還付金額等 19	240,000		※	240,000	

〈別表5(1)〉

Ⅰ　利益積立金額の計算に関する明細書				
区　　分	期　首　現　在利益積立金額	当　期　の　増　減		差引翌期首現在利益積立金額 ①－②＋③
		減	増	
	①	②	③	④
未収還付法人税	△ 240,000	△ 240,000		0

前期に計上した未収金（会計上の資産）は消滅し、税務と会計の食い違いは解消します。そこで、マイナスの利益積立金を減少させるため、別表4で加算します。一方で、この期に現実に還付を受けたので、別表4の19欄において減算を行います。

なお、この減算は先の加算を取り消すという役割も果たしています。つまり、会計上この期は損益を計上していないので、本来、加減算は必要ないからです。

第6章

修正申告と別表4・5

1 修正申告と更正

●申告内容に間違いがあれば修正申告

納税申告書を提出した法人は、次の場合にはその申告に対する更正があるまで、課税標準または税額を修正する納税申告書（「修正申告書」）を提出することができます（通法19①）。

① 先の申告書に記載した税額に不足があるとき

② 先の申告書に記載した欠損金額が過大であるとき

③ 先の申告書に記載した還付金額が過大であるとき

④ 先の申告書に納付税額を記載しなかった場合で、納付すべき税額があるとき

法人税の修正申告を行う際の申告用紙は、確定申告書と同じ用紙を使い、別表1の表題部に「修正」申告書と記載します。

●地方税における修正申告と更正の違いは

法人税の修正申告を行えば、併せて地方税（住民税および事業税）の修正申告もすることになります。ただし、地方税に関しては修正申告をしなくても、税務署に修正申告書を提出すれば、1〜2か月後に自動的に更正がなされるしくみになっています。

地方税に関して修正申告と更正の違いは、過少申告加算金の課税の有無（または不申告加算金の税率の違い）にあります。すなわち、事業税に対する加算金について、更正があることを予知してなされた修正申告でないときには、過少申告加算金は課されず（地法72の46①ただし書）、また、不申告加算金の税率も軽減されます（地法72の46③）。

●事業税の追徴額に加算金がかかるかどうか

「更正があることを予知してなされた」かどうかについては、都道府県によって若干取扱いが異なります。たとえば大阪府の場合は、税務署に対する修正申告の後1か月以内に府税事務所に修正申告書を提出すれば、その取扱いが受けられることになっています。事業税の修正申告をせず更正を受けたときは、通常どおりに加算金が課されます。

　なお、住民税には加算金の課税はなく、修正申告と更正のいずれであっても、延滞金のみ課税されます。

●修正申告で税務と会計の食い違いが生ずる

　修正申告を行うとき、実務上、次のようなことが問題となります。

　　①　修正事項に関する申告調整をどうするか

　　②　修正金額に対する消費税額の調整をどうするか

　　③　2期以上の連続した事業年度の修正を行うとき、事業税の翌期認容額をどのように織り込むか

　　④　翌期以降の受入れ処理に対する申告調整をどうするか

　修正申告をしても、過去に確定済みの決算が変更されることはありません。修正はあくまで、申告調整で行います。したがって、まずは修正額が税務と会計の食い違いとして利益積立金で計上されます。その後、その食い違いの受入れ処理を行えば利益積立金は消滅し、それをしなければ食い違いが別表5(1)でそのまま残ります。

2 修正申告の具体例

1 売上計上洩れ

税務調査により、掛売上げ100万円の計上洩れの事実が指摘されました。

申告調整

〈別表4〉

区　　　分	総　　　額	処　　　分	
		留　　保	社 外 流 出
	①	②	③
加算 売 上 計 上 漏 れ	1,000,000	1,000,000	

〈別表5(1)〉

I　利 益 積 立 金 額 の 計 算 に 関 す る 明 細 書			
区　　　分	期 首 現 在利 益 積 立 金 額	当 期 の 増 減		差引翌期首現在利 益 積 立 金 額① − ② + ③
		減	増	
	①	②	③	④
売　　掛　　金			1,000,000	1,000,000

●益金と利益積立金に計上

　この売上げに対して、会計上は何ら処理していませんが、税務上は次の仕訳を要求されます。

　　　　（借）売　掛　金 1,000,000　　　（貸）売　　　　　上 1,000,000
　　　　　　　　　　　　　　　　　　　　　　　（利 益 積 立 金）

　当期分の売上げを益金に算入するため別表4で加算し、同時に簿外の売掛金を利益積立金として別表5(1)に計上します。

（注）厳密にいえば、この取引にかかる消費税の課税問題が生じ、そのことが法人税の申告調整に影響します。その点の詳細は次節で述べることとします。

設例1−2

翌期に次の仕訳を行い、会計帳簿に売掛金を計上しました。

（借）売　掛　金　1,000,000　　　（貸）雑　収　入　1,000,000

申告調整

〈別表4〉

区　　　　分	総　　額	処　　　　分		
		留　　保	社　外　流　出	
	①	②	③	
減算 売上計上洩れ認容	1,000,000	1,000,000		

〈別表5(1)〉

I　利益積立金額の計算に関する明細書				
区　　　分	期首現在利益積立金額	当　期　の　増　減		差引翌期首現在利益積立金額 ①−②+③
		減	増	
	①	②	③	④
売　　掛　　金	1,000,000	1,000,000		0

●食い違い解消で減算

修正申告を行った後、"前期損益修正項目"として収益ならびに簿外資産を計上したので、税務と会計の食い違いは解消しました。そこで、修正申告における加算を取り消すために減算を行い、併せて利益積立金を消滅させます。

2　売上計上の期間ずれ

設例2−1

税務調査により、当期に引渡し済みの商品100万円が売上げ計上洩れとなっている事実が指摘されました。この商品（原価70万円）は、在庫品として期末棚卸高に含まれています。

〈別表4〉

区　　　分	総　額	処　　分	
		留　保	社　外　流　出
	①	②	③
加算　売上計上洩れ	1,000,000	1,000,000	
減算　売上原価認容	700,000	700,000	

〈別表5(1)〉

I　利益積立金額の計算に関する明細書				
区　　　分	期首現在利益積立金額	当期の増減		差引翌期首現在利益積立金額①-②+③
		減	増	
	①	②	③	④
売　掛　金			1,000,000	1,000,000
商　　　品			△700,000	△700,000

●売上の加算と原価の減算

　会計上、期末の棚卸しに関して次の処理を行っています。

　　（借）商　　　品　700,000　　　（貸）仕　　　入　700,000

ところが税務上は、次の仕訳が要求されます。

　　（借）売　掛　金　1,000,000　　　（貸）売　　　上　1,000,000
　　　　　　　　　　　　　　　　　　　　　　（利益積立金）

　　　　　仕　　　入　700,000　　　　　　商　　　品　700,000
　　　　（利益積立金）

　そこで、売上100万円を加算すると同時に、売上原価70万円を減算することになります。また、別表5(1)においてプラスとマイナスの利益積立金を計上します。

設例2-2

　翌期の帳簿で、次の仕訳を行いました。

　　（借）売　掛　金　1,000,000　　　（貸）売　　　上　1,000,000
　　　　　仕　　　入　700,000　　　　　　商　　　品　700,000

申告調整

〈別表4〉

区　　　分	総　　額	処　　　　分		
		留　　保	社　外　流　出	
	①	②	③	
加算 売上原価認容	700,000	700,000		
減算 売上計上洩れ認容	1,000,000	1,000,000		

〈別表5(1)〉

I　利益積立金額の計算に関する明細書				
区　　　分	期首現在利益積立金額	当期の増減		差引翌期首現在利益積立金額 ① − ② + ③
		減	増	
	①	②	③	④
売　掛　金	1,000,000	1,000,000		0
商　　　品	△ 700,000	△ 700,000		0

●当期に期ずれは解消

　会計上は翌期に計上した売上高と売上原価が、税務上は前期分として取り扱われており、期間のずれが解消したことによって、両者の食い違いはなくなりました。そこで、前期の加算と減算をそれぞれ取り消すと同時に、プラス・マイナスで計上されている利益積立金を消滅させます。

3　貸倒損失の否認

設例3−1

　回収困難なため貸倒れとした売掛金50万円につき、債権はまだ存在するものとして貸倒れ処理を否認されました。

申告調整

〈別表4〉

区　　　分	総　　額	処　　　　分		
		留　　保	社　外　流　出	
	①	②	③	
加算 貸倒損失否認額	500,000	500,000		

I 利益積立金額の計算に関する明細書				
区　　　分	期首現在利益積立金額	当期の増減		差引翌期首現在利益積立金額 ①－②＋③
		減	増	
	①	②	③	④
売　掛　金			500,000	500,000

●益金と利益積立金に計上

会計上行った次の処理が、税務上は認められません。

　（借）貸 倒 損 失 500,000　　（貸）売　掛　金 500,000

そこで税務上、次の取消し仕訳が要求されます。

　（借）売　掛　金 500,000　　（貸）貸 倒 損 失 500,000
　　　　　　　　　　　　　　　　　　（利 益 積 立 金）

会計上の費用計上が税務上は認められず、別表4で加算することにより所得金額が増加します。その結果、税務上は売掛金が復活することとなり、その分、税務と会計の食い違い項目たる利益積立金の増加につながります。

設例3－2

翌期に次の仕訳を行い、会計帳簿に売掛金を再度計上しました。

　（借）売　掛　金 500,000　　（貸）雑　収　入 500,000

申告調整

〈別表4〉

区　　　分	総　　額	処		分
		留　　保	社　外　流　出	
	①	②	③	
減算 売上計上洩れ認容	500,000	500,000		

〈別表 5 (1)〉

I 利益積立金額の計算に関する明細書				
区　　　分	期首現在利益積立金額	当期の増減		差引翌期首現在利益積立金額 ①－②＋③
		減	増	
	①	②	③	④
売　掛　金	500,000	500,000		0

●食い違い解消で減算

　翌期において"前期損益修正項目"として収益計上し、簿外となっていた資産を計上したことで、税務と会計の食い違いは解消しました。貸方の雑収入は前期に課税済みです。そこで、前期に行った加算を取り消すために減算を行い、併せて利益積立金を消滅させます。

　なお、この受入れ処理を行わなければ、この売掛金に関する貸倒れ処理が税務上も認められるまで、別表5(1)に利益積立金が残ります。

4　商品評価減の否認

設例4−1

　季節商品の売れ残り分につき総額400万円の評価減をしたところ、著しい陳腐化とはいえないとの理由で否認されました。

申告調整

〈別表4〉

区　　分	総　額	処	分	
		留　保	社　外　流　出	
	①	②	③	
加算　商品評価損否認	4,000,000	4,000,000		

〈別表5(1)〉

Ⅰ　利益積立金額の計算に関する明細書				
区　　分	期首現在利益積立金額	当期の増減		差引翌期首現在利益積立金額①−②+③
		減	増	
	①	②	③	④
商　　品			4,000,000	4,000,000

●商品評価額が過小なので利益積立金が発生

　会計上、評価減に関して次の処理をしています。

　　（借）商 品 評 価 損　4,000,000　　（貸）商　　　　品　4,000,000

　あるいは、期末棚卸しに関する次の仕訳において、金額を400万円だけ少なく計上しています。

　　（借）商　　　　品　×××　　（貸）仕　　　入　×××

いずれにせよ、税務上は費用計上額のうち400万円が過大なので、別表4で加算しなければなりません。

　また、貸借対照表における商品評価額が400万円だけ過小となっているので、税務上は次の仕訳が要求され、別表5(1)に利益積立金が計上されます。

　　（借）商　　　　品　4,000,000　　　（貸）利益積立金　4,000,000

設例4－2

　翌期において、前期に評価減した商品をすべて見切り処分しました。

申告調整

〈別表4〉

区　　　　分	総　　額	処　　　　分	
		留　　保	社　外　流　出
	①	②	③
減算　商品評価損認容	4,000,000	4,000,000	

〈別表5(1)〉

	I　　利益積立金額の計算に関する明細書			
区　　　　分	期　首　現　在利益積立金額	当　期　の　増　減		差引翌期首現在利益積立金額①－②＋③
		減	増	
	①	②	③	④
商　　　　品	4,000,000	4,000,000		0

●翌期の棚卸し仕訳で受入れ

　翌期に販売されたことで、評価損は"売却損"として実現し、税務と会計の食い違いは解消します。その際の受入れ処理を考えるとき、翌期において前期末の在庫に関して次の戻入れ仕訳を行いますが、その金額が、税務上の評価額より400万円だけ過大です。

　　（借）商　　　　品　×××　　　（貸）仕　　　　入　×××

　つまり貸方において、前期末に計上した評価損と同額の収益が、翌期にいわば前期損益修正益として計上されるため、通常どおりの期末棚卸しの処理をすれば、受入れ処理を行ったことになります。

●食い違いが解消するまで別表5(1)で管理

　たとえば、簿価1,000円の商品を期末に300円まで評価減し、翌期にその商品が100円

で売れたとすれば、会計上と税務上の損失計上は次のようになります。

	前 期	翌 期
会 計 上	評価損 700	売却損 200
税 務 上	――	売却損 900

　2期通算すれば、いずれも900円の損失計上ということですが、会計ではそのうち700円が前期に先行計上されます。そこで、両者の食い違いを"資産の過小計上"というかたちで認識し、食い違いが解消するまで、それを利益積立金として別表5(1)で管理します。

5　売上割戻しの否認

設例5

　期末に次の仕訳により、取引先に対する売上割戻し500万円を費用として計上しました。

　（借）売 上 割 戻 し　5,000,000　　　（貸）未　払　金　5,000,000

　しかし、税務調査においてその算定基準が相手方に明示されておらず、確定申告書の提出期限までに支払額を相手方に通知していないことから、当期における損金算入は認められないと指摘されました。

申告調整

〈別表4〉

	区　　　分	総　額	処　　　分		
			留　保	社 外 流 出	
		①	②	③	
加算	売上割戻し否認	5,000,000	5,000,000		

〈別表5(1)〉

I　利益積立金額の計算に関する明細書				
区　　　分	期 首 現 在 利益積立金額	当 期 の 増 減		差引翌期首現在 利益積立金額 ①－②＋③
		減	増	
	①	②	③	④
未　払　金			5,000,000	5,000,000

◉会計上負債のものが税務上は資本

税務上、次の取消し仕訳を要求されます。

　（借）未　払　金　5,000,000　　　（貸）売 上 割 戻 し　5,000,000
　　　　　　　　　　　　　　　　　　　　　（利 益 積 立 金）

そこで、別表4において加算（留保）を行い、所得金額が500万円増加します。また別表5(1)では、利益積立金が同額だけ増加します。要するに、会計上の貸借対照表で「負債」として計上されている"未払金"が、税務貸借対照表では「資本」扱いされる、ということです。

◉支払時に税務上も認容

つぎに、翌期になって実際に割戻し金が支払われたとき、会計上は次のように処理しています。

　（借）未　払　金　5,000,000　　　（貸）現 金 預 金　5,000,000

これに対して、税務では翌期の支払時点で、次のように未払金を認識します。

〈未払金の受入れ（税務仕訳)〉

　（借）売 上 割 戻 し　5,000,000　　　（貸）未　払　金　5,000,000
　　　　　（損　金）

そこで、この受入れ処理に伴い、翌期に次のように申告調整することになります。

〈別表4〉

区　　　　分	総　　　額	処　　　分		
		留　　保	社 外 流 出	
	①	②	③	
減算 売上割戻し認容	5,000,000	5,000,000		

〈別表5(1)〉

Ⅰ　利 益 積 立 金 額 の 計 算 に 関 す る 明 細 書				
区　　　　分	期 首 現 在 利益積立金額	当 期 の 増 減		差引翌期首現在 利益積立金額 ①-②+③
		減	増	
	①	②	③	④
未　払　金	5,000,000	5,000,000		0

6　減価償却の否認

設例6-1

1,000万円の機械装置（耐用年数6年、定率法の償却率0.333）を購入し、3か月間の

試運転の後、生産を開始しました。購入日から償却計算しましたが、事業の用に供した日は生産開始の時点なので、3か月分の償却費832,500円が否認されました。

$$会社計算：10,000,000円 \times 0.333 \times \frac{8月}{12月} = 2,220,000円$$

$$税務計算：10,000,000円 \times 0.333 \times \frac{5月}{12月} = 1,387,500円$$

$$差　引　　1,387,500円$$

差　引　　832,500円

申告調整

〈別表4〉

区　　　分		総　　額	処　　　　分		
			留　　保	社　外　流　出	
		①	②	③	
加算	減価償却の償却超過額 6	832,500	832,500		

〈別表5(1)〉

I　利益積立金額の計算に関する明細書				
区　　　分	期　首　現　在 利益積立金額	当　期　の　増　減		差引翌期首現在 利益積立金額 ①−②+③
		減	増	
	①	②	③	④
減価償却超過額			832,500	832,500

●償却超過額だけ簿価引上げ

　減価償却は事業の用に供した時点から行うこととされ、3か月分の償却費が過大です。税務計算上、その償却費はなかったものとされ、会計上の計上額を修正するため、次のような仕訳を考えます。

　　（借）機　械　装　置　832,500　　　（貸）償　却　超　過　額　832,500
　　　　　　　　　　　　　　　　　　　　　　　　（利　益　積　立　金）

　この結果、機械装置の税務上の簿価は、会計上の簿価よりも超過額分だけ引き上げられます。翌期の税務償却計算は、引上げ後の簿価に基づいて行われます。

　　会計上の簿価：10,000,000円 − 2,220,000円 = 7,780,000円
　　税務上の簿価：　7,780,000円 + 　832,500円 = 8,612,500円
　　　　　　　　　　　　　　　または
　　　　　　　　10,000,000円 − 1,387,500円 = 8,612,500円

翌期の処理に関して、次の2通りのやり方が考えられます。

① 償却超過額を受け入れて、税法限度額の償却を行う場合

　　（借）機 械 装 置　　832,500　　　　（貸）雑　収　入　　832,500

　　（借）減 価 償 却 費　2,867,962　　　（貸）機 械 装 置　2,867,962

　　　　（注）8,612,500円×0.333＝2,867,962円

② 受入れ処理をせず、そのまま会計上の償却計算を行う場合

　　（借）減 価 償 却 費　2,590,740　　　（貸）機 械 装 置　2,590,740

　　　　（注）7,780,000円×0.333＝2,590,740円

申告調整

①の場合

〈別表4〉

区　　　　　分	総　　額	処　　　　分	
		留　　保	社 外 流 出
	①	②	③
減算 減価償却超過額の 当 期 認 容 額　12	832,500	832,500	

〈別表5⑴〉

Ⅰ　利 益 積 立 金 額 の 計 算 に 関 す る 明 細 書				
区　　　　　分	期 首 現 在 利益積立金額	当 期 の 増 減		差引翌期首現在 利益積立金額 ①−②＋③
		減	増	
	①	②	③	④
減価償却超過額	832,500	832,500		0

●受入れ処理により食い違いは解消

　受入れ仕訳によって計上される雑収入832,500円は、前期において課税済みですから、当期の所得とはならず別表4で減算が生じます。また、機械装置の帳簿価額に関して税務と会計の食い違いは解消したので、利益積立金は消滅します。

②の場合

〈別表4〉

区分	総額 ①	処分		
		留保 ②	社外流出 保 ③	出
減算　減価償却超過額の認容額　12	277,222	277,222		

〈別表5(1)〉

I　利益積立金額の計算に関する明細書

区分	期首現在利益積立金額 ①	当期の増減		差引翌期首現在利益積立金額 ①-②+③ ④
		減 ②	増 ③	
減価償却超過額	832,500	277,222		555,278

● 償却不足額が認容される

会計上2,590,740円の償却費を計上しましたが、税務上の償却限度額は2,867,962円となり、2,867,962円－2,590,740円＝277,222円の償却不足が生じます。

通常の場合、償却不足は切り捨てられ損金とはなりませんが、前期以前に償却超過がある場合には、その超過額を限度として当期の償却不足額が認容（損金算入）されます。

● 利益積立金額は認容額だけ減少

利益積立金の残高を考えると、つまり機械装置の帳簿価額の合計・税務の食い違いを検討すると、次の計算で分かるように、期首に832,500円あった食い違いが555,278円に縮まっています。差額277,222円は、別表4で減算された金額とイコールです。

〈会計上〉
前期：10,000,000円－2,220,000円＝7,780,000円……①
当期：7,780,000円－2,590,740円＝5,189,260円……②

〈税務上〉
前期：10,000,000円－1,387,500円＝8,612,500円……③
当期：8,612,500円－2,867,962円＝5,744,538円……④

③　－　①　＝　832,500円
④　－　②　＝　555,278円

そこで別表5(1)において、利益積立金が277,222円だけ減少し、残高が555,278円となった経過を記入します。なお、②の場合のように償却超過額に関する受入れ処理をしなければ、利益積立金はすぐには消滅せず、耐用年数の期間（6年間）を通じて、徐々に残高が0に近づいていきます。

7 修繕費と資本的支出をめぐる否認

設 例 7 − 1

税務調査により、建物の外壁補修工事が通常の維持管理ではなく、資本的支出にあたるとされました。

〈会計上の仕訳〉

（借）修　繕　費　3,000,000　　（貸）現 金 預 金　3,000,000

〈税務上の仕訳〉

（借）建　　　物　3,000,000　　（貸）現 金 預 金　3,000,000

（借）減 価 償 却 費　68,000　　（貸）建　　　物　68,000

（注）建物の耐用年数 30年、定額法の償却率 0.034、当期分は 8 か月

$$3,000,000円 \times 0.034 \times \frac{8月}{12月} = 68,000円$$

申告調整

〈別表 4 〉

区　　　分		総　　額	処　　　　分		
			留　　保	社 外 流 出	
		①	②	③	
加算	減価償却の償却超過額	6	2,932,000	2,932,000		

（注）3,000,000円 − 68,000円 = 2,932,000円

〈別表 5 (1)〉

I　利益積立金額の計算に関する明細書				
区　　　分	期 首 現 在 利益積立金額	当 期 の 増 減		差引翌期首現在 利 益 積 立 金 額 ①−②+③
		減	増	
	①	②	③	④
減 価 償 却 超 過 額			2,932,000	2,932,000

●修繕費を償却費とみなす

修繕費として処理した金額のうち、資本的支出とみなされ損金に算入されなかった部分は、減価償却費として損金経理したものとして取り扱われます（基通7－5－1）。したがって、税務上、この外壁工事代については、300万円を取得価額とみて通常どおり償却計算を行います。そうすると、差引き2,932,000円の償却超過となり、これを別表4で加算します。

●簿外資産を利益積立金として計上

設例における会計仕訳を税務仕訳に直すため、次の修正仕訳を考えます。

〈修正仕訳〉

（借）建　　　　　物　3,000,000　　（貸）修　繕　費　3,000,000
　　　　　　　　　　　　　　　　　　　　（利益積立金）

（借）減価償却費　　68,000　　　　（貸）建　　　　　物　68,000
　　　（利益積立金）

（借）建　　　　　物　2,932,000　　（貸）利益積立金　2,932,000

会計上、建物2,932,000円が簿外資産となっています。これは利益積立金ですから、別表5(1)に計上しなければなりません。

設例7－2

翌期に、次の受入れ仕訳を行いました。

（借）建　　　　　物　2,932,000　　（貸）雑　収　入　2,932,000

申告調整

〈別表4〉

区　　　分		総　　額	処　　　分		
			留　保	社　外　流　出	
		①	②	③	
減算	減価償却超過額の当期認容額	12	2,932,000	2,932,000	

〈別表5(1)〉

I　利益積立金額の計算に関する明細書				
区　　　分	期首現在利益積立金額	当期の増減		差引翌期首現在利益積立金額①－②+③
		減	増	
	①	②	③	④
減価償却超過額	2,932,000	2,932,000		0

　前期に償却超過の扱いを受けた修繕費を、当期に前期損益修正益として収益に計上しました。この受入れ仕訳で計上される雑収入2,932,000円は、前期において課税済みですから、当期の所得とはならず別表4で減算が生じます。また、建物勘定の帳簿価額に関する税務と会計の食い違いは解消したので、利益積立金は消滅します。

●受入れ処理をしないときは徐々に解消

　なお、税務上は資本的支出の扱いを受けても、会計上は修繕費のまま修正しない、というやり方も考えられます。その場合には、税務と会計の食い違い、すなわち利益積立金は消滅せず、その後の耐用期間を通じて、償却超過額が徐々に認容（損金算入）されていきます。

　設例の場合、定額法による償却なので、翌期以降、毎年102,000円ずつ認容されます。

　　　3,000,000円×0.034＝102,000円

申告調整

〈別表4〉

区　　　分		総　　　額	処　　　　分		
			留　　　保	社　外　流　出	
		①	②	③	
減算	減価償却超過額の当期認容額	12	102,000	102,000	

〈別表5⑴〉

Ⅰ　利益積立金額の計算に関する明細書				
区　　　分	期首現在利益積立金額	当　期　の　増　減		差引翌期首現在利益積立金額 ①−②＋③
		減	増	
	①	②	③	④
減価償却超過額	2,932,000	102,000		2,830,000

8　定期同額給与の否認

設例8

　税務調査により、期中に引き上げた役員給与300万円が定期同額給与に該当せず、損金とは認められませんでした。

〈別表4〉

区　　　分		総　　額	処　　　　分	
		①	留　　保 ②	社　外　流　出 ③
加算	役員給与の損金不算入額　7	3,000,000		その他　3,000,000

●社外流出なので翌期以降に影響しない

　定期同額要件を満たさない300万円の役員給与は損金不算入とされ、別表4の⑦欄で加算することになります。その際、これはすでに現金で支払い済みですから、社外流出欄での加算となります。したがって、利益積立金の増減とはならず、貸借対照表の資産・負債の金額には影響しません。

　別表5⑴は、未納法人税等の部分を除き、もとのままです。また、翌期以降における受入れ処理や申告調整の必要もありません。

9　交際費を個人的費消と認定

設例9

　税務調査により、交際費の一部100万円について、代表者が個人的に費消していたものと認定されました。

申告調整

〈別表4〉

区　　　分		総　　額	処　　　　分	
		①	留　　保 ②	社　外　流　出 ③
加算	役員給与の損金不算入額　7	1,000,000		その他　1,000,000
	交際費等の損金不算入額　8	×××		その他　×××

●役員給与として加算し交際費の加算額が減少

　税務上、次の仕訳により修正することになります。

　　（借）役 員 給 与　1,000,000　　（貸）交　際　費　1,000,000

借方の役員給与は、定期同額等の損金算入要件を満たさないので、別表4の⑦欄で

加算します。つぎに、貸方に関して、交際費の損金算入限度額の計算をやり直し、その結果、⑧欄の金額が減少することになります。

役員給与、交際費のいずれも社外流出項目なので、この修正により利益積立金額の変動はありません。

なお、上記の給与認定に伴い別途、源泉所得税の納付が必要となります。

別解

個人的に費消した金額を法人に返還することとしたときは、給与としないで代表者に対する"貸付金"として処理することが認められる場合もあります。

この場合の申告調整は、次のようにします。

〈別表4〉

区　　　　分	総　　　額	処　　　　分		
		留　　保	社　外　流　出	
	①	②	③	
加算　貸付金計上洩れ	1,000,000	1,000,000		

（注）交際費の損金不算入額の修正は、上記と同じように行います。

〈別表5(1)〉

I　利益積立金額の計算に関する明細書				
区　　　　分	期　首　現　在 利益積立金額	当　期　の　増　減		差引翌期首現在 利益積立金額 ①－②＋③
		減	増	
	①	②	③	④
貸　　付　　金			1,000,000	1,000,000

●貸付金の計上で利益積立金が増加

この場合、税務上の修正仕訳は次のようになります。

（借）貸　　付　　金　1,000,000　　　（貸）交　　際　　費　1,000,000
（利 益 積 立 金）

借方は貸借対照表項目ですから、税務上、この処理は利益積立金の増加につながります。そこで、会計上の貸借対照表に計上洩れとなっている100万円を、税務と会計の食い違い額として別表5(1)に計上します。

なお、このように貸付金として認定する場合には、その貸付金に対する金利の支払いが問題となります。法人側では、「受取利息計上洩れ」としての加算の問題が生じることにご留意ください。

●受入れ処理により減算

この場合、修正申告の翌期以降において、代表者は100万円を会社に支払うこととなりますが、その際の処理は次のようにします。

〈税務否認の受入れ〉

（借）貸　付　金　1,000,000　　（貸）雑　収　入　1,000,000

〈会社への支払い〉

（借）現　金　預　金　1,000,000　　（貸）貸　付　金　1,000,000

上記の処理に伴い、申告調整は次のようになります。

〈別表4〉

区　　分	総　　額	処　　　　分		
		留　保	社　外　流　出	
	①	②	③	
減算　貸付金受入れ	1,000,000	1,000,000		

〈別表5(1)〉

I　利益積立金額の計算に関する明細書				
区　　分	期首現在利益積立金額	当期の増減		差引翌期首現在利益積立金額①－②＋③
		減	増	
	①	②	③	④
貸　付　金	1,000,000	1,000,000		0

10　子会社への利益供与を寄附金と認定

設例10

税務調査により、広告宣伝費の一部100万円を子会社が負担すべきものとして、寄附金の認定を受けました。寄附金の損金算入限度額は30万円です。

申告調整

〈 別表4 〉

区　　分		総　　額	処　　　　分		分
			留　保	社　外　流　出	
		①	②	③	
寄附金の損金不算入額 （別表十四(二)「24」又は「40」）	27	700,000		その他	700,000

●社外流出で加算

税務上、次の修正仕訳が要求されます。

　　（借）寄　附　金　1,000,000　　　（貸）広告宣伝費　1,000,000

単純損金で処理していた100万円が寄附金扱いされ、損金算入枠が30万円であれば、差引き70万円を別表4の図欄で加算することになります。この加算は社外流出ですから、別表5(1)には記載されません。

別解

子会社から否認された100万円の返還を受けることとすれば、子会社に対する"貸付金"として処理することが認められる場合もあります。

この場合の申告調整は、次のようにします。

〈別表4〉

区　　分	総　額	処		分	
		留　　保		社　外　流　出	
	①	②		③	
加算　貸付金計上洩れ	1,000,000	1,000,000			

〈別表5(1)〉

I　利益積立金額の計算に関する明細書				
区　　分	期首現在利益積立金額	当期の増減		差引翌期首現在利益積立金額 ①－②＋③
		減	増	
	①	②	③	④
貸　付　金			1,000,000	1,000,000

●貸付金の計上で利益積立金が増加

この場合、税務上の修正仕訳は次のようになります。

　　（借）貸　付　金　1,000,000　　　（貸）広告宣伝費　1,000,000
　　　　　　　　　　（利益積立金）

借方は貸借対照表項目ですから、税務上、この処理は利益積立金の増加につながります。そこで、会計上の貸借対照表に計上洩れとなっている100万円を、税務と会計の食い違い額として別表5(1)に計上します。

なお、子会社が親会社に支払う100万円は、子会社にとっての広告宣伝費（単純損金）となります。

3 修正申告と未払消費税

●法人税と消費税は密接に関係

修正事項が消費税の課税取引であれば、その修正で消費税の納税額が変わり、それがまた法人の所得金額に影響する場合があります。

実務上、法人税と消費税は密接な関係にあり、一般に税務調査は両税目が同時に実施されます。そうすると、ある項目に関する否認が法人税と消費税の双方の納税額に影響するケースも多々あり、そこで修正申告の際、計算ならびに申告調整をどのような順序で行っていけばよいのか、判断に迷う場合も少なくありません。

以下、具体的な計算を通じて、修正の手順を説明します。

設例1

法人税の調査で100万円（消費税別）の売上げ計上洩れが指摘され、修正申告することになりました。

計算

この売上げ追加計上に関して、税務上、次のような仕訳を考えます。

（借）売　掛　金　1,100,000　　（貸）売　　　　上　1,000,000
（利 益 積 立 金）

未 払 消 費 税　　100,000

消費税の課税標準額が100万円増加したことで、納付すべき消費税額は、1,000,000円×10％＝100,000円だけ増加します。それを"未払消費税"の科目で貸方に計上し、借方には税込みの金額で"売掛金"を計上しています。その結果、税務上の利益積立金は、差引き100万円だけ増加します。

　（注）消費税の課税標準や確定税額を計算する際の端数切捨てのため、実際の納税額は100,000円とならない場合もあります。その場合の計算および申告調整については、　設例2　を参照してください。

上記の計算により、申告調整は次のようになります。

〈別表4〉

区　　　　分	総　　額	処　　　　　分		
		留　　保	社　外　流　出	
	①	②	③	
加算 売 上 計 上 洩 れ	1,000,000	1,000,000		

〈別表5(1)〉

I　　利 益 積 立 金 額 の 計 算 に 関 す る 明 細 書				
区　　　　分	期 首 現 在利益積立金額	当　期　の　増　減		差引翌期首現在利益積立金額①－②＋③
		減	増	
	①	②	③	④
売　　掛　　金			1,100,000	1,100,000
未 払 消 費 税			△ 100,000	△ 100,000

●２つの利益積立金を両建て記載

　別表4で加算する金額は、税引きの100万円となります。別表5(1)においては、簿外資産（売掛金）がプラスの利益積立金、簿外負債（未払消費税）はマイナスの利益積立金として両建て計上されています。

　なお、２つの表のつながりを明確にするため、次のように別表4も両建て計上する書き方も考えられます。

〈別表4〉

区　　　　分	総　　額	処　　　　　分		
		留　　保	社　外　流　出	
	①	②	③	
加算 売 上 計 上 洩 れ	1,100,000	1,100,000		
減算 未 払 消 費 税	100,000	100,000		

設 例 2

　法人税の調査で100万円（消費税込み）の売上げ計上洩れが指摘され、修正申告することになりました。

> 計　算

　100万円は消費税込みの金額ですから、その中に含まれている消費税額を次の計算で抜き出します。

$$1,000,000円 \times \frac{10}{110} = 90,909円$$

　そうすると、税務上の修正仕訳は次のようになります。

　　（借）売　掛　金　1,000,000　　　（貸）売　　　　上　909,091
　　　　　　　　　　　　　　　　　　　　　　　（利益積立金）

　　　　　　　　　　　　　　　　　　　　　　未払消費税　　90,909

　この場合、消費税の課税標準額が909,091円増加したことで、納付すべき消費税額がいくら増加するか、消費税の申告書で計算します。そうすると、課税標準や確定税額は1,000円または100円未満の端数が切り捨てられるので、計算結果は必ずしも、上記の90,909円と一致するとは限りません。

　仮に、納税額が90,900円となり9円の差益が発生したとすれば、追加で次の仕訳が必要となります。

　　（借）未払消費税　　9　　　（貸）雑　収　入　　9
　　　　　　　　　　　　　　　　　　　　（利益積立金）

> 申告調整

　上記2つの修正仕訳に基づき申告調整を行えば、次のようになります。

〈別表4〉

区　　　分	総　　額	処		分
		留　保	社　外　流　出	
	①	②	③	
加　売 上 計 上 洩 れ	909,091	909,091		
算　消費税端数差額	9	9		

〈別表5(1)〉

I　利益積立金額の計算に関する明細書				
区　　　分	期 首 現 在利益積立金額	当 期 の 増 減		差引翌期首現在利益積立金額①－②＋③
		減	増	
	①	②	③	④
売　　掛　　金			1,000,000	1,000,000
未 払 消 費 税			△ 90,900	△ 90,900

　　（注）未払消費税：90,909円－9円＝90,900円

●消費税納税差額に関する調整を追加

別表4と別表5(1)の調整は、基本的に 設例1 の場合と同様ですが、消費税の納税額の端数金額に関する調整が別途必要です。

なお、2つの表のつながりを明確にするため、次のように別表4も両建て計上する書き方も考えられます。

〈別表4〉

区　　　　分	総　　　額	処		分	
		留　　保	社　外　流　出		
	①	②	③		
加算 売 上 計 上 洩 れ	1,000,000	1,000,000			
減算 未 払 消 費 税	90,900	90,900			

●法人税と消費税の修正手順

消費税の課税取引に関する申告調整は、通常、次の手順で行います。

---

①　売上・仕入・経費の金額を税抜きの金額に直す。

↓

②　納付すべき消費税額を求め、未払消費税の金額を修正する。

↓

③　課税標準額や確定税額の端数処理に伴う損益を上記の修正に織り込む。

↓

④　別表4において、損益計上額を消費税の税抜き金額で調整する。

↓

⑤　別表5(1)において、簿外資産と簿外負債ならびに未払消費税修正額を利益積立金として計上する。

---

4 修正申告と未納事業税

◉事業税の追徴税額は翌期に損金算入

　地方税のうち住民税は、法人税と同じく損金不算入なので、修正申告で追徴税を支払うことになっても、所得金額には影響しません。ところが、事業税は損金算入の税金で、修正申告や更正の際には、修正を行う事業年度の翌事業年度における所得計算上、損金に算入されます。たとえその翌事業年度に修正申告等がまだなされていなくても、債務確定主義の例外として、その期分の損金とされます（基通9−5−2）。

◉翌期の修正を申告するときも損金算入

　そこで、連続した期間の修正申告を行うときには、最初の期の修正額に対する事業税が、翌期の所得計算で損金に算入されるので、その翌期の修正計算に前期分の事業税追徴額を織り込まなければなりません。

　以下、 設例 に基づいて、事業税追徴額に対する損金算入の手順を説明します。

設例

　法人税の調査を受け、第10期から第12期までの3期分について、次のように修正申告することとなりました。

第10期	減価償却の償却超過額	300万円
	貸倒損失（売掛金）の否認額	80万円
第11期	役員給与の損金不算入額	100万円
	第10期の償却超過の認容額	30万円
第12期	貸倒引当金の繰入限度超過額	50万円
	第10期の償却超過の認容額	30万円

第10期：

〈別表4〉

区　　　分		総　　額	処		分	
			留　　保		社　外　流　出	
		①	②		③	
加	減価償却の償却超過額	6	3,000,000	3,000,000		
算	貸倒損失否認額		800,000	800,000		

〈別表5⑴〉

I　　利益積立金額の計算に関する明細書				
区　　　分	期首現在利益積立金額	当　期　の　増　減		差引翌期首現在利益積立金額①−②+③
		減	増	
	①	②	③	④
減価償却超過額			3,000,000	3,000,000
売　　掛　　金			800,000	800,000

第11期：

〈別表4〉

区　　　分		総　　額	処		分	
			留　　保		社　外　流　出	
		①	②		③	
加算	役員給与の損金不算入額	7	1,000,000		その他	1,000,000
減	減価償却超過額の当期認容額	12	300,000	300,000		
算	事業税認容額		380,000	380,000		

（注）第10期の修正申告による事業税の追徴税額は380,000円です。

〈別表5⑴〉

I　　利益積立金額の計算に関する明細書				
区　　　分	期首現在利益積立金額	当　期　の　増　減		差引翌期首現在利益積立金額①−②+③
		減	増	
	①	②	③	④
減価償却超過額	3,000,000	300,000		2,700,000
売　　掛　　金	800,000			800,000
未　納　事　業　税			△ 380,000	△ 380,000

第12期：

〈別表４〉

区　　　分		総　　額	処		分	
			留　　保		社　外　流　出	
		①	②		③	
加算	貸倒引当金限度超過額	500,000	500,000			
減算	減価償却超過額の当期認容額 12	300,000	300,000			
	事 業 税 認 容 額	30,000	30,000			

（注）第11期の修正申告による事業税の追徴税額は30,000円です。

〈別表５(1)〉

Ⅰ　　利益積立金額の計算に関する明細書					
区　　　分	期　首　現　在利益積立金額	当　期　の　増　減		差引翌期首現在利益積立金額①−②+③	
		減	増		
	①	②	③	④	
減価償却超過額	2,700,000	300,000		2,400,000	
売　　掛　　金	800,000			800,000	
貸倒引当金超過額			500,000	500,000	
未　納　事　業　税	△ 380,000		△ 30,000	△ 410,000	

●事業税追徴額は翌期に損金算入

　第10期に関して法人税の修正申告を行い追徴税額が発生すると、通常、それに連動して住民税と事業税の納付税額も増加します。住民税は損金不算入ですから追徴税を納付するだけでいいのですが、事業税については翌期に損金算入となるので、第11期の所得金額を修正する際、その追徴税額を考慮しなければなりません。

　　〈第10期の修正額〉

　減価償却超過額　　　3,000,000円
　貸倒損失否認額　　　　800,000円
　　合　　計　　　　　3,800,000円 ⇨ 事業税追徴額　380,000円

●未納事業税はマイナスの利益積立金

すなわち、第10期の所得金額の修正に伴い、事業税が38万円増加するとすれば、税務上は次の修正仕訳が要求されます。この38万円は損金に算入されるので、第11期の修正別表4において減算することとなります。

（借）事　業　税　380,000　　（貸）未納事業税　380,000
　　　（利 益 積 立 金）

減算による所得の減少に伴って利益積立金額が減少しますから、別表5(1)でマイナスの利益積立金を計上します。

> （注）修正申告で減算する事業税額は、実際の追徴税額で行います。なお、修正申告を行わず税務署側で更正をする場合には、標準税率で計算することになっています。

●さらにその翌期も事業税の減算

つぎに、上記事業税額の減算も含めて、第11期の所得金額を次のように修正します。

〈第11期の修正額〉

役員給与損金不算入額　　1,000,000円

償却超過認容額　　　　　△ 300,000円

事業税認容額　　　　　　△ 380,000円

合　　計　　　　　　　　320,000円　⇒　事業税追徴額　30,000円

第11期の修正所得金額に対する事業税の増加額3万円は、その翌期（第12期）の所得計算で減算されます。

（借）事　業　税　30,000　　（貸）未 納 事 業 税　30,000
　　　（利 益 積 立 金）

●納付した期に利益積立金は消滅

別表5(1)の未納事業税は累積されて残り、実際に納付された期に消滅します。たとえば第○期に納付し、次のように損金経理を行ったとき、下記のように申告調整します。

（借）事　業　税　410,000　　（貸）現 金 預 金　410,000

申告調整

第○期：

〈別表4〉

区　　　分	総　　額	処	分	
		留　保	社　外　流　出	
	①	②	③	
加算　未 納 事 業 税 納 付	410,000	410,000		

〈別表5(1)〉

I　利益積立金額の計算に関する明細書				
区　　分	期首現在 利益積立金額	当期の増減		差引翌期首現在 利益積立金額 ①－②＋③
		減	増	
	①	②	③	④
未納事業税	△410,000	△410,000		0

　納付額41万円は、第11期と第12期に減算して損金算入済みです。したがって、重ねて損金に算入されないよう、第○期に費用計上した"事業税"を取り消すための加算を行います。

●損金経理しないときは申告調整が異なる

　なお、事業税の納付時に次のように仕訳し、損金経理しなかったときには、申告調整のしかたが若干異なります。

　（借）未払法人税等　410,000　　　（貸）現金預金　410,000

申告調整

第○期：

〈別表4〉

区　　分	総　　額	処　　分	
		留　保	社外流出
	①	②	③
加算　未納事業税納付	410,000	410,000	
減算　納税充当金取崩し	410,000		410,000

〈別表5(1)〉

I　利益積立金額の計算に関する明細書				
区　　分	期首現在 利益積立金額	当期の増減		差引翌期首現在 利益積立金額 ①－②＋③
		減	増	
	①	②	③	④
未納事業税	△410,000	△410,000		0

◉加算と減算を両建て

上記の仕訳は費用処理ではありませんから、本来、この第○期において加算は不要です。ただし、別表5(1)でマイナスの利益積立金が減少しているので、その金額とのつながりを付けるためには、別表4の加算欄への記入が必要です。

そこで、いったん加算を行ったうえで、その取り消しを減算の「社外流出欄」で行うという、少々回りくどい書き方をすることになります。

［一口ゼミ⑫］　地方税の修正申告

法人税の修正申告をすれば、併せて住民税と事業税の修正申告も行うこととなります。その際、国税と同じように地方税でも、ペナルティーとして加算金（過少申告加算金、不申告加算金、重加算金）と延滞金が課されます（税率は国税の加算税および延滞税と同じです）。

ただし、住民税には加算金の課税がなく、これが課せられるのは事業税に対してだけです。なお、更正があることを予知してなされた修正申告でない場合には、過少申告加算金は課されず、不申告加算金の税率も軽減されます。

「更正を予知してなされた」かどうかについては、都道府県によって取扱いが異なるようです。たとえば大阪府の場合、税務署に対する修正申告の後1か月以内に修正申告書を提出すれば、その取扱いが受けられることとされ、その間に修正申告をせず職権更正を受けたときは、加算金が課されます。なお、東京都その他の府県で、「1か月以内」という期間制限のないところもあります。

地方税に関しては修正申告をしなくても、税務署に修正申告書を提出すれば1 〜 2か月後、自動的に更正がなされるしくみとなっていますが、実務上の修正申告と更正の違いは、過少申告加算金の課税の有無（または不申告加算金の税率の違い）にあります。

第7章

資本の部の税務と別表4・5

1 定義

1 資本金等

◉資本金とその他プラス・マイナス項目

税務上の貸借対照表を考えるとき、資本の部（純資産の部）は、「資本金等」と「利益積立金」の2つから成ります。

まず、資本金等については、法人税法2条16号で次のように定義しています。

「法人が株主等から出資を受けた金額として政令で定める金額」

さらに、法人税法施行令8条において、具体的にその内容を次のように定めています。

プラス項目	マイナス項目
① 資本金	① 準備金の資本組入れ
② 株式払込剰余金、自己株式処分差益	② 組織再編成に伴う払出し資本
③ 協同組合等の加入金	③ 減資差損
④ 組織再編成に伴う払込み資本 （合併差益、会社分割差益、株式交換差益、株式移転差益 etc.)	④ 自己株式取得の対価 （みなし配当を除く）
⑤ 減資差益	

◉会計上の資本剰余金と食い違う場合もある

資本金以外の「等」と称されている項目は、平成18年度の改正前は「資本積立金」という名称で規定されていました。基本的に、企業会計上の資本剰余金が該当しますが、税務と会計の食い違いにより、利益剰余金項目が「等」となる場合もあります。

2 利益積立金

●留保した所得金額

利益積立金については、法人税法2条18号で次のように定義しています。

「法人の所得の金額で留保している金額として政令で定める金額」

具体的な内容は、法人税法施行令9条において定められ、その内容を要約すれば次のとおりです。

プラス項目	マイナス項目
① 留保所得金額 　　所得金額 　　（社外流出の加算項目を除く） 　　＋ 受取配当等の益金不算入額 　　＋ 受贈益の益金不算入額 　　＋ 還付金の益金不算入額 　　＋ 繰越欠損金の損金算入額 ② 組織再編成に伴う利益積立金の引継額	① 欠損金額 ② 法人税、地方法人税及び住民税額 ③ 剰余金の配当額 　　（みなし配当を含む） ④ 組織再編成に伴う利益積立金の引渡額

●別表4の留保所得金額がベースとなる

利益積立金の概念を理解する際、別表4を念頭に置けば分かりやすいと思います。別表4では、まず総額欄で所得金額を計算します。つぎに社外流出項目を除外して、留保所得金額を求めています。上掲の表の「留保所得金額」の計算は、その計算過程を示しています。

つまり、スタートの「所得金額」は総額欄で求めた所得金額から、社外流出欄の加算項目を除外した金額です。そこにプラスしている「受取配当等」以下の4項目は、減算の社外流出項目で、別表4において社外流出欄で「※」のしるしを付けた項目です。これらは、減算処理で課税所得からは除くものの、社外流出扱いすることにより留保所得を構成します。そこで、上掲の表において所得金額にプラスしています。

（注）上記の説明を具体的な計算例で示せば、次のとおりです。

	総　額	留　保	社外流出	
当期利益	1,000	1,000		0
加　算	600	400	Ⓑ	200
減　算	300	200	Ⓒ	100
所得金額	Ⓐ 1,300	1,200		100

留保欄の所得金額（1,200）が利益積立金の当期増加額ですが、これは次のように計算されます。

$$Ⓐ － Ⓑ ＋ Ⓒ ＝ 1,300 － 200 ＋ 100 ＝ 1,200$$

条文では、総額欄の所得金額（Ⓐ）からスタートして、この1,200を求めることとしています。そこで、Ⓑの金額はⒶに含まれているので控除し、Ⓒの金額はⒶから除かれているため加える計算となります。

●納付すべき法人税および住民税額は控除

所得の計算で欠損金額が生じたとき、それは利益積立金額の減少につながります。そこで、上掲の表ではこれをマイナスの利益積立金として掲げています。また、利益積立金は"課税済みの留保所得"を意味しますから、法人税・住民税として納付する金額は利益積立金から除外されます。別表5(1)の「利益積立金額の計算明細書」において、㉗〜㉚の欄で未納法人税等をマイナス計上しているのは、そうした理由からです。

なお、事業税など損金に算入される税金は、所得金額を構成しないため最初から利益積立金に入りません。

　（注）確定分の事業税を未払い計上したとき、それは損金不算入なので通常、「納税充当金」として利益積立金に計上されます。

●配当金も利益積立金から控除

法人税や住民税と同じく、剰余金の配当額も利益積立金から控除されます。自己株式取得などの際に生ずる"みなし配当"も含めて、前掲の表においてマイナスの利益積立金として掲げられています。

以上のほか、適格合併や適格分割により引き継ぐこととなる利益積立金も、引き継ぐ側または引き継がれる側にとって、プラスまたはマイナスの利益積立金となります。

2 増資の処理

1 有償増資の場合

設 例

新株を発行して株主から8,000万円の払込みを受け、そのうち5,000万円を資本金に組み入れ、残額を資本準備金としました。

仕 訳

（借）現 金 預 金 80,000,000 （貸）資 本 金 50,000,000

資本準備金 30,000,000
（株式払込剰余金）

申告調整

〈別表4〉

資本等取引なので、何ら処理する必要はありません。

〈別表5(1)〉

Ⅰ 利益積立金額の計算に関する明細書		期首現在利益積立金額	当期の増減		差引翌期首現在利益積立金額 ①－②＋③
区　　分		①	減 ②	増 ③	④
利 益 準 備 金	1	円	円	円	円
積 立 金	2				

Ⅱ 資本金等の額の計算に関する明細書		期首現在資本金等の額	当期の増減		差引翌期首現在資本金等の額 ①－②＋③
区　　分		①	減 ②	増 ③	④
資本金又は出資金	32	×××円	円	50,000,000円	×××円
資 本 準 備 金	33	×××		30,000,000	×××

　8,000万円の金銭の払込みがあったので、税務上も同額だけ"資本金等"の額が増加し、会計処理との間で食い違いはありません。そこで、利益積立金額に関する記載はなく、資本金等の額の増加に関してその内訳を記入するだけです。

2　無償増資の場合

設例

　株主総会の決議により、資本準備金2,000万円のうち1,000万円を資本金に組み入れることとしました。

仕訳

　　（借）資 本 準 備 金　10,000,000　　（貸）資　　本　　金　10,000,000

申告調整

〈別表4〉

　資本等取引なので、何ら処理する必要はありません。

〈別表5(1)〉

Ⅰ　利益積立金額の計算に関する明細書		期首現在利益積立金額 ①	当期の増減		差引翌期首現在利益積立金額 ①−②+③ ④
区　　分			減 ②	増 ③	
利 益 準 備 金	1	円	円	円	円
積 立 金	2				

Ⅱ　資本金等の額の計算に関する明細書		期首現在資本金等の額 ①	当期の増減		差引翌期首現在資本金等の額 ①−②+③ ④
区　　分			減 ②	増 ③	
資本金又は出資金	32	× × × 円	円	10,000,000 円	× × × 円
資 本 準 備 金	33	20,000,000	10,000,000		10,000,000

● 資本金等の金額は変わらない

　金銭の払込みがないので、法人税法上の"資本金等"の額は増加しません。資本金等の中での内部振替に関して、増加欄と減少欄に両建てで記入します。

3 減資の処理

1 無償減資の場合

設 例

3,000万円の無償減資を行い、同額を欠損金の補てんに充てました。

仕 訳

　　（借）資　　本　　金　30,000,000　　（貸）繰越利益剰余金　30,000,000
　　　　　　　　　　　　　　　　　　　　　　　　（欠　損　金）

　　（注）会社法上、この取引は減資と剰余金処分から構成されるので、正確には次のように
　　　　処理します。
　　　　〈減資〉
　　　　　（借）資　　本　　金　30,000,000　　（貸）その他資本剰余金　30,000,000
　　　　〈剰余金処分〉
　　　　　（借）その他資本剰余金　30,000,000　　（貸）繰越利益剰余金　30,000,000

調整仕訳

　金銭による払戻しがないので、法人税法上の"資本金等"の額には変動がなく、税務上の仕訳では、貸方科目は資本金等とされます。

　そこで、税務と会計の食い違いを調整するため、次のような仕訳を考えることとします。

　　（借）繰越利益剰余金　30,000,000　　（貸）資　本　金　等　30,000,000

申告調整

〈別表4〉

　資本等取引なので、何ら処理する必要はありません。

<別表 5 (1)>

Ⅰ 利益積立金額の計算に関する明細書				
区　　　　分	期首現在利益積立金額①	当期の増減		差引翌期首現在利益積立金額①－②＋③④
		減②	増③	
資本金等の額		② 30,000,000		△ 30,000,000
繰越損益金(損は赤) 25	× × ×		① 30,000,000	× × ×

Ⅱ 資本金等の額の計算に関する明細書				
区　　　　分	期首現在資本金等の額①	当期の増減		差引翌期首現在資本金等の額①－②＋③④
		減②	増③	
資本金又は出資金 32	× × ×円	③ 30,000,000円	円	× × ×円
資本金等減少差益			④ 30,000,000	30,000,000

●資本金等および利益積立金の金額は変わらない

　税務上、無償減資は"資本金等"の内部振替の取引とされます。無償減資があっても、利益積立金と資本金等のそれぞれの額に変動はありません。そこで次のように、それぞれ増加・減少欄において両建て記載することになります。

　まず、利益積立金の明細書において、「繰越損益金」の残高は会計上の「繰越利益剰余金」と一致させなければなりません。そこで、欠損金の補てん額3,000万円を増加欄に計上して（①）、繰越損益金を増加させます。ただし、減資により欠損金を補てんしても、税務上その補てんはないものとされるので、同額を減少欄に計上して（②）、利益積立金残高の総額は変わらないよう調整します。

　他方、資本金等の明細書においては、無償減資の3,000万円を「資本金」の減少欄に記入します（③）。ただし、税務上この取引は資本金等の内部振替なので、同額を増加欄に計上して（④）、資本金等の残高の総額は変わらないようにします。

　（注）②の記入は前ページの調整仕訳の借方側、④は貸方側を意味します。

2　有償減資の場合

設例

　資本金から300万円、資本準備金から200万円を取り崩して減資を行い、株主に現金500万円の払戻しを行いました。なお、資本準備金のうち50万円は税務上の利益積立金

に該当します。

仕 訳

〔会計上〕

(借) 資 本 金　3,000,000　　(貸) 現 金 預 金　4,900,000

　　　資 本 準 備 金　2,000,000　　　　預 り 金　100,000

　　(注1) 預り金はみなし配当に対する源泉徴収の所得税です。

　　　　　(計算の便宜上、復興特別所得税は考慮外とします。)

　　　　　500,000円×20％＝100,000円

　　(注2) 会社法上、この取引は減資と剰余金の配当からなるので、正確には次のよう

　　　　　に処理します。

　　　　　〈減資〉

　　　　　(借) 資 本 金　3,000,000　　(貸) その他資本剰余金　5,000,000

　　　　　　　　資 本 準 備 金　2,000,000

　　　　　〈剰余金の配当〉

　　　　　(借) その他資本剰余金　5,000,000　　(貸) 現 金 預 金　4,900,000

　　　　　　　　　　　　　　　　　　　　　　　　預 り 金　100,000

〔税務上〕

(借) 資 本 金　3,000,000　　(貸) 現 金 預 金　4,900,000

　　　資 本 金 等　1,500,000　　　　預 り 金　100,000

　　　利 益 積 立 金　500,000

〔調整仕訳〕

　税務と会計の食い違いを調整するため、次のような仕訳を考えることとします。

(借) 資 本 金 等　1,500,000　　(貸) 資 本 準 備 金　2,000,000

　　　利 益 積 立 金　500,000

申告調整

〈別表4〉

	区　　　分	総　　額	処		分	
			留　　保		社 外 流 出	
		①	②		③	
加算	み な し 配 当 額	500,000			配当 ①	500,000
減算	資 本 金 等 減 少 差 額	500,000	②	500,000		

<別表5(1)>

Ⅰ 利益積立金額の計算に関する明細書				
区　　分	期首現在利益積立金額	当　期　の　増　減		差引翌期首現在利益積立金額 ①-②+③
		減	増	
	①	②	③	④
資本金等の額		③　500,000		△　500,000

Ⅱ 資本金等の額の計算に関する明細書					
区　　分		期首現在資本金等の額	当　期　の　増　減		差引翌期首現在資本金等の額 ①-②+③
			減	増	
		①	②	③	④
資本金又は出資金	32	×××円	④ 3,000,000円	円	×××円
資本準備金	33	×××	⑤ 2,000,000		×××
資本金等減少差益				⑥　500,000	500,000

●みなし配当により利益積立金が減少

利益積立金を原資として株主に対する資本の払戻しが行われたとき、税務上、それは配当（みなし配当）として扱われます。

みなし配当を含めて剰余金の配当はマイナスの利益積立金とされますから（令9①八）、この　設例　ではまず、別表4で留保所得が50万円減少し（②）、別表5(1)において利益積立金が同額だけ減少することになります（③）。

ところが、別表4における課税所得金額を考えるとき、配当は課税済みの所得から行うので、当期の課税所得は変わらないはずです。そこで、上記②の減算を取り消すために、同額だけ加算を起こします（①）。その際、その加算によって利益積立金額が増加しないよう、加算処理は社外流出欄で行います。

●税務と会計の資本金額が50万円だけ食い違う

他方、資本金等の額の明細書においては、まず会計上の仕訳どおりに、資本金と資本準備金の減少額を記入します（④・⑤）。つぎに、税務上の仕訳において明らかなように、みなし配当相当額（50万円）だけ利益積立金の減少があれば、その分、資本金等の減少額は減るので、それを増加欄に記入します（⑥）。

⑥の記入により、税務上の資本金等の「等」の減少額は、200万円－50万円＝150万円となります（調整仕訳のとおり）。

以上のように処理することで、別表5(1)の期末現在高は、みなし配当相当額（50万円）だけ利益積立金が減少し、逆にその分だけ資本金等の額が増加して、それが税務と会計の食い違い状態を表しています。

4 自己株式の処理

●自己株式の取得と処分は資本取引

　平成13年6月の商法改正で、金庫株（自己株式を取得し保有すること）が認められました。それに伴い会計上、自己株式の取得と処分は「資本取引」として取り扱われることになりました。すなわち、自己株式の取得を株主資本の払戻しと認識し、貸借対照表の純資産の部に控除項目として表示します。また、自己株式の処分は新株発行に準ずるものとみて、処分差額を損益とせず、やはり純資産の部に計上することとされています。

●税務上はみなし配当課税が問題となる

　税務の取扱いにおいては、その考え方をさらに発展させて、取得時に資本金等の額を直接減少させ（令8①二十）、処分時には対価の額をそのまま資本金等の額の増加として取り扱います（令8①一）。

　また、税務の取扱いの特異性として、相対取引により自己株式を取得する場面で"みなし配当"が発生するケースがあります（令9①十四、法24①五、令23①五）。すなわち、自己株式を取得する際の対価の交付は、法人から株主への財産の分配という側面を持ちます。そこで、対価のうち資本金等の額を超える部分（利益積立金相当額の払戻し）については、剰余金の分配が行われたものとして、配当課税の問題が生じます。

1　取得時の処理

設例

　手持ちの株式1株を発行会社に2,000円で売却しました。

　売却時における発行会社の純資産の部は、資本金1,000万円（1株あたり500円）、利益積立金3,000万円（1株あたり1,500円）です。

　以下、売却株式の簿価が500円、300円、800円の3通りのケースについて考えます。

　払戻し額（2,000円）のうち、利益積立金から成る部分（1,500円）はみなし配当とされます。

$$\text{払戻し額} = \text{元本払戻し} + \text{みなし配当}$$
$$2{,}000円 = 500円 + 1{,}500円$$

⑴　簿価が500円の場合

　　　（みなし配当）

　　　　2,000円－500円＝1,500円

　　　（株式売却損益）

　　　　500円－500円＝0

$$\begin{array}{ccccccc} \text{売 価} & & \text{簿 価} & & \text{売却差額} & & \text{みなし配当} & & \text{売却損益} \\ 2{,}000円 & - & 500円 & = & 1{,}500円 & = & 1{,}500円 & + & 0円 \end{array}$$

⑵　簿価が300円の場合

　　　（みなし配当）

　　　　2,000円－500円＝1,500円

　　　（株式売却益）

　　　　500円－300円＝200円

$$\begin{array}{ccccccc} \text{売 価} & & \text{簿 価} & & \text{売却差額} & & \text{みなし配当} & & \text{売却益} \\ 2{,}000円 & - & 300円 & = & 1{,}700円 & = & 1{,}500円 & + & 200円 \end{array}$$

⑶　簿価が800円の場合

　　　（みなし配当）

　　　　2,000円－500円＝1,500円

　　　（株式売却損）

　　　　500円－800円＝△300円

$$\begin{array}{ccccccc} \text{売 価} & & \text{簿 価} & & \text{売却差額} & & \text{みなし配当} & & \text{売却損} \\ 2{,}000円 & - & 800円 & = & 1{,}200円 & = & 1{,}500円 & - & 300円 \end{array}$$

［売却側］

⑴　簿価が500円の場合

　　〈会計上〉

　　　　（借）現 金 預 金　1,700　　（貸）有 価 証 券　　　500
　　　　　　　仮 　 払 　 金　　300　　　　　有価証券売却益　1,500

　　　　　　（注）仮払金はみなし配当に対する源泉徴収の所得税です。

　　　　　　　　　1,500円×20％＝300円

〈税務上〉

（借）現　金　預　金　1,700　　（貸）有　価　証　券　　500
　　　仮　　払　　金　　300　　　　　受　取　配　当　金　1,500

(2)　簿価が300円の場合

〈会計上〉

（借）現　金　預　金　1,700　　（貸）有　価　証　券　　300
　　　仮　　払　　金　　300　　　　　有価証券売却益　1,700

〈税務上〉

（借）現　金　預　金　1,700　　（貸）有　価　証　券　　300
　　　仮　　払　　金　　300　　　　　受　取　配　当　金　1,500
　　　　　　　　　　　　　　　　　　　有価証券売却益　　200

(3)　簿価が800円の場合

〈会計上〉

（借）現　金　預　金　1,700　　（貸）有　価　証　券　　800
　　　仮　　払　　金　　300　　　　　有価証券売却益　1,200

〈税務上〉

（借）現　金　預　金　1,700　　（貸）有　価　証　券　　800
　　　仮　　払　　金　　300　　　　　受　取　配　当　金　1,500
　　　有価証券売却損　　300

［購入側］

〈会計上〉

（借）自　己　株　式　2,000　　（貸）現　金　預　金　1,700
　　　　　　　　　　　　　　　　　　　預　　り　　金　　300

　　（注）預り金はみなし配当に対する源泉徴収の所得税です。

〈税務上〉

（借）資　本　金　等　　500　　（貸）現　金　預　金　1,700
　　　（自　己　株　式）
　　　利　益　積　立　金　1,500　　　　預　　り　　金　　300

〈調整仕訳〉

税務と会計の食い違いを調整するため、次のような仕訳を考えることとします。

（借）利　益　積　立　金　1,500　　（貸）資　本　金　等　1,500
　　　　　　　　　　　　　　　　　　　（自　己　株　式）

［売却側］

みなし配当額（1,500円）を受取配当等の益金不算入額の計算に加えます。

［購入側］

〈別表4〉

区　　　分	総　　額	処　　　　分	
	①	留　　保 ②	社　外　流　出 ③
加算 みなし配当額	1,500		配当 ① 1,500
減算 自己株式認容	1,500	② 1,500	

〈別表5⑴〉

Ⅰ　　利益積立金額の計算に関する明細書			
区　　　分	期首現在利益積立金額 ①	当期の増減 減 ②	増 ③
資本金等の額			③ △ 1,500

差引翌期首現在利益積立金額 ①－②＋③ ④
△ 1,500

Ⅱ　　資本金等の額の計算に関する明細書			
区　　　分	期首現在資本金等の額 ①	当期の増減 減 ②	増 ③
自　己　株　式		④ △ 1,500	⑤ △ 2,000

差引翌期首現在資本金等の額 ①－②＋③ ④
△ 500

〈調整仕訳〉

（借）利 益 積 立 金　1,500　　（貸）資 本 金 等　1,500
　　　　　　　　　　　　　　　　　　（自 己 株 式）

●みなし配当により利益積立金が減少

利益積立金を原資として株主に対する資本の払戻しが行われたとき、税務上、それは配当（みなし配当）として扱われます。

みなし配当を含めて剰余金の配当は、マイナスの利益積立金とされます（令9①八）。そこでこの 設例 では、まず、別表4で留保所得が1,500円減少し（②）、別表5⑴において利益積立金が同額だけ減少することになります（③）。

ところが、別表4における課税所得金額を考えるとき、配当は課税済みの所得から

行うので、当期の課税所得は変わらないはずです。そこで、上記②の減算を取り消すために、同額だけ加算を起こします（①）。その際、その加算によって利益積立金額が増加しないよう、加算処理は社外流出欄で行います。

●みなし配当相当額を資本金等から利益積立金に振り替える

他方、資本金等の明細書においては、まず会計上の自己株式計上額（2,000円）をそのまま、増加欄にマイナスの金額で計上します（⑤）。しかし、税務上の自己株式の額は500円であり、会計計上額はみなし配当分だけ過大です。そこで、みなし配当相当額（1,500円）を、減少欄にマイナスの金額で計上します（④）。

以上のように記入することで結果的に、みなし配当相当額を資本金等から利益積立金に振り替えたこととなり（④→③）、上記の調整仕訳はその処理を意味します。

最終的に、払戻し額（2,000円）のうち、みなし配当額（1,500円）が利益積立金、元本払戻し額（500円）は資本金等の、それぞれマイナス項目として残ります。

2　売却時の処理

設例

1の 設例 において発行会社が2,000円で購入した株式を、その後に2,200円で売却しました。

仕訳

〔会計上〕

　（借）現 金 預 金 2,200　　（貸）自 己 株 式　　2,000
　　　　　　　　　　　　　　　　　　自己株式処分差益　　200

〔税務上〕

　（借）現 金 預 金 2,200　　（貸）資 本 金 等　　　500
　　　　　　　　　　　　　　　　　（自 己 株 式）
　　　　　　　　　　　　　　　　　資 本 金 等　　1,700

（注）税務上は、売却による対価の総額（2,200円）が資本金等の額の増加となります（令8①一）。また、税務上の自己株式の額は資本金等の払戻し額（500円）ですから、税務上の自己株式処分差益は2,200円−500円＝1,700円となります。

〔調整仕訳〕

税務と会計の食い違いを調整するため、次のような仕訳を考えることとします。

（借）自 己 株 式 1,500 　（貸）資 本 金 等 1,500
（自己株式処分差益）

申告調整

〈別表4〉

調整仕訳は資本等取引であり、当期の所得金額に影響しないので処理は不要です。

〈別表5(1)〉

I　利益積立金額の計算に関する明細書				
区　　　分	期 首 現 在 利 益 積 立 金 額	当 期 の 増 減		差引翌期首現在 利益積立金額 ①－②+③
		減	増	
	①	②	③	④
自 己 株 式	△ 1,500	① △ 1,500		0
資 本 金 等 の 額			② △ 1,500	△ 1,500

II　資本金等の額の計算に関する明細書				
区　　　分	期 首 現 在 資本金等の額	当 期 の 増 減		差引翌期首現在 資本金等の額 ①－②+③
		減	増	
	①	②	③	④
自 己 株 式	△ 500	③ △ 500		0
自己株式処分差益			④ 200 ⑤ 1,500	1,700

●**売却により自己株式はいったん消滅**

自己株式を売却したことにより、前期から繰り越された利益積立金および資本金等の欄の"自己株式"は消滅します（①・③）。また、会計上の自己株式処分差益（200円）が、「その他資本剰余金」として貸借対照表に計上されますから、まずはこれをそのまま資本金等に計上します（④）。

●**みなし配当による利益積立金の減少は回復しない**

ところで、みなし配当を行ったことで過去に利益積立金額が減少しましたが、その減少額は資本の払戻しとして社外流出しているので、その後に自己株式を売却しても回復しません。つまり、みなし配当に伴う利益積立金の減少は永久に残ります。

そこで利益積立金の明細書において、マイナスの利益積立金を再度計上することになります（②）。

◉**自己株式処分差益はみなし配当相当額だけ食い違う**

つぎに、会計上と税務上の「自己株式処分差益」は、取得時のみなし配当相当額（1,500円）だけ食い違っています。そこで、自己株式処分差益を税務上の金額（1,700円）に直すために、みなし配当相当額（1,500円）を資本金等に計上します（⑤）。このことは、みなし配当相当額だけ利益積立金が減少し資本金等が増加すること、つまり、別表5(1)における②から⑤への振替えととらえることができます。

いずれにせよ、以上の処理を行った結果、過去のみなし配当相当額（1,500円）がマイナスの利益積立金として、また、税務上の自己株式処分差益（1,700円）がプラスの資本金等として残ります。

3　消却時の処理

設例

1の**設例**において発行会社が2,000円で購入した株式を、その後に消却しました。消却の原資は次のとおりとします。

❶　全額をその他資本剰余金で消却する場合

❷　全額を繰越利益剰余金で消却する場合

❸　その他資本剰余金で1,200円、繰越利益剰余金で800円消却する場合

仕訳および申告調整

❶　**全額をその他資本剰余金で消却する場合**

〔会計上〕

（借）その他資本剰余金　2,000　　（貸）自　己　株　式　2,000

〔税務上〕

（借）資　本　金　等　　500　　（貸）資　本　金　等　　500
　　　　　　　　　　　　　　　　　　　（自　己　株　式）

（注）税務では、自己株式の税務上の帳簿価額を資本金等の減少額として処理します。

〔調整仕訳〕

税務と会計の食い違いを調整するため、次のような仕訳を考えることとします。

（借）自　己　株　式　　1,500　　（貸）資　本　金　等　　1,500

〈別表4〉

　調整仕訳は資本等取引であり、当期の所得金額に影響しないので処理は不要です。

〈別表5(1)〉

Ⅰ　利益積立金額の計算に関する明細書				
区　　　分	期首現在 利益積立金額	当　期　の　増　減		差引翌期首現在 利益積立金額 ①－②＋③
		減	増	
	①	②	③	④
自　己　株　式	△ 1,500	① △ 1,500		0
資本金等の額			② △ 1,500	△ 1,500

Ⅱ　資本金等の額の計算に関する明細書				
区　　　分	期首現在 資本金等の額	当　期　の　増　減		差引翌期首現在 資本金等の額 ①－②＋③
		減	増	
	①	②	③	④
その他資本剰余金	× × ×	③ 2,000		× × ×
自　己　株　式	△ 500	④ △ 500		0
自己株式消却差額			⑤ 1,500	1,500

●消却により自己株式は消滅

　自己株式を消却したことにより、前期から繰り越された利益積立金および資本金等の区分欄の「自己株式」は消滅します（①・④）。また、会計上の「その他資本剰余金」が2,000円だけ減少します（③）。

●みなし配当による利益積立金の減少は回復しない

　2の売却時の 設例 の場合と同様、自己株式の取得時に行われた、みなし配当による利益積立金額の減少（1,500円）は、その後に自己株式を消却しても回復せず、永久にマイナスの利益積立金として残ります。

　そこで利益積立金の明細書において、マイナスの利益積立金を再度計上することになります（②）。

●消却後も入り繰りが残る

　つぎに、上記の調整仕訳に基づいて、税務上の自己株式消却差額相当額（2,000円－500円＝1,500円）を資本金等に計上します（⑤）。要するに、これは自己株式をめぐって税務と会計で食い違う金額、つまり、みなし配当相当額（1,500円）を、利益積立金から資本金等に振り替える（②→⑤）ための処理と考えればいいでしょう。

　結果的に、利益積立金と資本金等のそれぞれの明細書において、同額がプラスとマイナスで両建て計上され、消却後も税務と会計の食い違いが入り繰りのかたちで残ります。

❷　全額を繰越利益剰余金で消却する場合

〔会計上〕

　　（借）繰越利益剰余金　2,000　　（貸）自　己　株　式　2,000

〔税務上〕

　　（借）資　本　金　等　500　　（貸）資　本　金　等　500
　　　　　　　　　　　　　　　　　　　　（自　己　株　式）

　　　（注）税務上の処理は、❶と同じです。

〔調整仕訳〕

　　税務と会計の食い違いを調整するため、次のような仕訳を考えることとします。

　　（借）自　己　株　式　1,500　　（貸）利　益　積　立　金　2,000
　　　　　資　本　金　等　500

〈別表4〉

　　調整仕訳は当期の所得金額に影響を与えないので、処理は不要です。

〈別表5(1)〉

I　利益積立金額の計算に関する明細書				差引翌期首現在利益積立金額 ①－②＋③
区　分	期首現在利益積立金額	当期の増減		
		減	増	
	①	②	③	④
自　己　株　式	△ 1,500	① △ 1,500		0
資本金等の額			② △ 1,500 ③ 2,000	500
繰越損益金(損は赤)　25	× × ×	④ 2,000		× × ×

II　資本金等の額の計算に関する明細書				差引翌期首現在資本金等の額 ①－②＋③
区　分	期首現在資本金等の額	当期の増減		
		減	増	
	①	②	③	④
自　己　株　式	△ 500	⑤ △ 500		0
自己株式消却差額			⑥ △ 500	△ 500

　自己株式を消却したことにより、前期から繰り越された利益積立金および資本金等の区分欄の「自己株式」は消滅します（①・⑤）。また、❶の場合と同様、自己株式の取得時に行われた、みなし配当による利益積立金額の減少（1,500円）は、その後に自己株式を消却しても回復せず、永久にマイナスの利益積立金として残るので、利益積立金の明細書において、マイナスの利益積立金を再度計上します（②）。

◉税務上の利益積立金は減少しない

　つぎに、会計上は繰越利益剰余金が2,000円減少しているので、それに合わせて「繰越損益金」をいったん減少させます（④）。しかし、税務上の利益積立金は減少しないので、同額だけ利益積立金を増加させます（③）。つまり、④から③への振替処理を行います。さらに、税務上の仕訳に基づいて、資本金等の中で△500円だけ科目振替をします（⑤→⑥）。

◉税務上の自己株式簿価もそのまま残る

　以上の結果、利益積立金と資本金等の残高として、500円がプラスとマイナスの両建てで残ります。このうち利益積立金の500円は、みなし配当相当額（△1,500円）と利益積立金の回復額（2,000円）を通算した金額です。また、繰越利益を原資として自己株式を消却したため、税務上の自己株式（500円）は、マイナスの資本金等としてそのまま残ることになります。

　調整仕訳は、以上の処理過程を示しています。

❸　その他資本剰余金で1,200円、繰越利益剰余金で800円消却する場合

〔会計上〕

　　（借）その他資本剰余金　1,200　　（貸）自 己 株 式　2,000
　　　　　繰 越 利 益 剰 余 金　　800

〔税務上〕

　　（借）資 本 金 等　　500　　（貸）資 本 金 等　　500
　　　　　　　　　　　　　　　　　　　（自 己 株 式）

〔調整仕訳〕

　　税務と会計の食い違いを調整するため、次のような仕訳を考えることとします。

　　（借）自 己 株 式　　1,500　　（貸）資 本 金 等　　700
　　　　　　　　　　　　　　　　　　　利 益 積 立 金　　800

〈別表4〉

調整仕訳は当期の所得金額に影響を与えないので、処理は不要です。

〈別表5⑴〉

I　利益積立金額の計算に関する明細書				
区　　分	期首現在利益積立金額	当期の増減		差引翌期首現在利益積立金額①-②+③
		減	増	
	①	②	③	④
自　己　株　式	△ 1,500	① △ 1,500		0
資　本　金　等　の　額			② △ 1,500 ③ 800	△ 700
繰越損益金(損は赤) 25		④ 800	×××	×××

II　資本金等の額の計算に関する明細書				
区　　分	期首現在資本金等の額	当期の増減		差引翌期首現在資本金等の額①-②+③
		減	増	
	①	②	③	④
その他資本剰余金	×××	⑤ 1,200		×××
自　己　株　式	△ 500	⑥ △ 500		0
自己株式消却差額			⑦ 700	700

●消却により自己株式は消滅

自己株式を消却したことにより、前期から繰り越された利益積立金および資本金等の区分欄の「自己株式」は消滅します（①・⑥）。また、会計上の「その他資本剰余金」が1,200円だけ減少します（⑤）。

●みなし配当による利益積立金の減少は回復しない

さらに、❶・❷の場合と同様、自己株式の取得時に行われた、みなし配当による利益積立金の減少（1,500円）は、その後に自己株式を消却しても回復せず、永久にマイナスの利益積立金として残ります。そこで利益積立金の明細書において、マイナスの利益積立金を再度計上します（②）。

●税務上の利益積立金は減少しない

つぎに、会計上は繰越利益剰余金が800円減少しているので、それに合わせて「繰越損益金」をいったん減少させます（④）。しかし、税務上の利益積立金は減少しないので、同額だけ利益積立金を増加させます（③）。つまり、④から③への振替処理を行います。

◉ 自己株式消却差額を資本金等と利益積立金に分解して計上

さらに、調整仕訳に基づいて、自己株式消却差額のうち資本金等を原資とする額（700円）を資本金等に計上します（⑦）。以上の処理は、税務上の自己株式消却差額相当額（2,000円－500円＝1,500円）を、資本金等を原資とする額700円と繰越利益剰余金を原資とする額800円に分解して計上（③・⑦）することを意味します。

◉ 消却すれば合計の残高はゼロ

結論として、自己株式を消却した後も、別表5(1)において利益積立金と資本金等の間で入り繰りが残ります。入り繰りの金額は、消却原資の違いによって相違しますが、上記❶〜❸のいずれの場合も、利益積立金と資本金等のプラス・マイナスを通算すれば、両者合計の期末現在高は「0」となる点にご留意ください。

5　デット・エクイティ・スワップ（DES）の処理

◉借入金から資本金への振替え

　デット・エクイティ・スワップ（DES）とは、債務の資本化のことをいいます。つまり、債権者にとっては金銭債権の現物出資であり、債務者の側では借入金を資本金へ振り替える取引で、通常、財務的に困難な状況に陥った債務者が、債権者の同意を得て再建計画の一環として行われるケースが多いようです。

◉券面額説と評価額説

　債務の株式化により発行される株式の発行価額については、債権の額面金額を基準とする「券面額説」と、現物出資される債権の時価を基準とする「評価額説」の2通りの考え方があります。

　債務者側における処理を考えるとき、券面額説では借入金額をそのまま資本金に振り替えるだけですが、評価額説の場合には、返済すべき借入金の額面金額と時価との差額分だけ"債務免除益"が計上されることとなります。

〈券面額説〉

　（借）借　入　金　×××　　（貸）資　本　金　×××

〈評価額説〉

　（借）借　入　金　×××　　（貸）資　本　金　×××

　　　　　　　　　　　　　　　　　債　務　免　除　益　×××

◉税務上は評価額説を採用

　2通りの考え方のうち、税務では評価額説が採用されています。そのことは、法人税法施行令8条1項1号において、資本金等の額を次のように定義していることから明らかです。

株式の発行をした場合に払い込まれた金銭の額及び給付を受けた金銭以外の資産の価額

　金銭以外の資産を払い込んだ場合にはその価額を資本金等とする、と規定していますが、税法の条文でいう"価額"とは時価を意味します。したがって、税務上は現物

出資を受けた金銭債権の額面金額と時価との差額につき、債務免除益が発生することになります。

◉回収可能性の観点で時価評価

資本化される債務の時価については、実務的には、債権者にとっての金銭債権の評価として考えることになるでしょう。すなわち、債権者側は貸倒損失や貸倒引当金の処理をめぐって、金銭債権の回収可能性を検討する必要があります。債権者側の債権評価額が、イコール債務者にとっての債務の評価額となります。

DESは一般に、業績不振会社を対象に行われます。そこで、回収可能性の観点で考えたとき、必ずしも額面金額がそのまま時価とはいえず、単純に借入金から資本金に同額で振り替えるだけの処理ではすまない場合もありえます。

設例

DESにより、借入金3,000万円を資本金に振り替えることとしました。

当該借入金の時価は1,000万円です。

仕訳

〔会計上〕

（借）借 入 金 30,000,000 （貸）資 本 金 30,000,000

〔税務上〕

（借）借 入 金 30,000,000 （貸）資 本 金 等 10,000,000

債 務 免 除 益 20,000,000

〔調整仕訳〕

税務と会計の食い違いを調整するため、次のような仕訳を考えることとします。

（借）資 本 金 等 20,000,000 （貸）債 務 免 除 益 20,000,000

申告調整

〈別表4〉

区　　　　分	総　　額	処　　　　分		
		留　　保	社 外 流 出	
	①	②	③	
加算 債 務 免 除 益	20,000,000	20,000,000		

〈別表5⑴〉

Ⅰ　利益積立金額の計算に関する明細書				
区　　分	期首現在利益積立金額	当期の増減		差引翌期首現在利益積立金額①－②+③
		減	増	
	①	②	③	④
資 本 金 等 の 額			20,000,000	20,000,000

Ⅱ　資本金等の額の計算に関する明細書					
区　　分		期首現在資本金等の額	当期の増減		差引翌期首現在資本金等の額①－②+③
			減	増	
		①	②	③	④
資本金又は出資金	32	×　×　×　円	円	30,000,000 円	×　×　×　円
債 務 免 除 益				△ 20,000,000	△ 20,000,000

●債務免除益を益金算入

　経理処理を券面額説で行ったとき、税務上は借入金の額面額と時価との差額を益金計上しなければなりません。そこで、別表4において加算し、同時に別表5⑴で利益積立金を増加させます。また、税務上の資本金等の増加額は1,000万円ですから、資本金の増加額3,000万円を2,000万円だけ減額するため、資本金等の明細書において、マイナスの資本金等を2,000万円計上することになります。

　最終的に別表5⑴において2,000万円が、利益積立金と資本金等で両建て計上されます。

　　(注) 適格現物出資により資産または負債を移転したときは、帳簿価額により譲渡したものとされます（法62の4）。したがって、適格DESであれば債務免除益の課税問題は生じません。

◆参考

●取得株式をいくらで評価するか

　DESを行う際、債権者にとっては、債権の現物出資により取得した株式をいくらで評価するかが問題となります。この問題に関し、法人税法施行令119条1項2号（有価証券の取得価額）では、適格現物出資の場合を除き「給付をした金銭以外の資産の価額」とする旨が定められています。

　つまり、適格現物出資のときは債権の帳簿価額を引き継ぐので額面金額どおりですが、非適格現物出資の場合には時価で計上することとなり、そのことは法人税基本通達2−3−14において明記されています。

●債権者には譲渡損失が発生

　したがって、上記の（ 設例 ）においては、次の処理を行うことになります。

　　（借）有 価 証 券　10,000,000　　（貸）貸　付　　金　30,000,000
　　　　譲 渡 損 失　20,000,000

　理屈の上で、債務者側で2,000万円が益金算入となるので、債権者側では同額の損金が計上されるということです。ただし、再建支援の一環として行われるDESであれば、この譲渡損失の本質は"債権放棄による貸倒損失"であり、そこに合理性がなければ寄附金課税の問題が生じます。

6 企業組織再編成の処理

1　適格合併の場合

設例1

組織再編のため次の条件で子会社を吸収合併し、600万円の合併差益が生じました。

① 移転を受けた資産　　帳簿価額　8,000万円

② 移転を受けた負債　　帳簿価額　4,000万円

③ 引継ぎを受けた利益積立金

　　・利益準備金　　　　　　　　400万円

　　・別途積立金　　　　　　　1,500万円

　　・繰越利益剰余金　　　　　　500万円

④ 増加した資本金額　　　　　1,000万円

仕訳

（借）諸　資　産　80,000,000　（貸）諸　負　債　40,000,000

資　本　金　10,000,000

資本準備金　6,000,000
（合　併　差　益）

利益準備金　4,000,000

別途積立金　15,000,000

繰越利益剰余金　5,000,000

申告調整

〈別表4〉

当期の所得金額に影響を与えないので、処理は不要です。

〈別表5⑴〉

I 利益積立金額の計算に関する明細書					
区　　　分		期首現在利益積立金額 ①	当期の増減		差引翌期首現在利益積立金額 ①−②+③ ④
			減 ②	増 ③	
利 益 準 備 金	1	××× 円	円	4,000,000 円	××× 円
別 途 積 立 金	2	×××		15,000,000	×××
繰越損益金(損は赤)	25	×××		5,000,000	×××

II 資本金等の額の計算に関する明細書					
区　　　分		期首現在資本金等の額 ①	当期の増減		差引翌期首現在資本金等の額 ①−②+③ ④
			減 ②	増 ③	
資本金又は出資金	32	××× 円	円	10,000,000 円	××× 円
資 本 準 備 金	33			6,000,000	6,000,000

◉各項目を仕訳どおり増加欄に記入

　適格合併の場合、被合併法人の有する資産および負債は、帳簿価額によって合併法人に引き継がれます（法62の2）。また、被合併法人の利益積立金もそのまま合併法人に引き継がれます（令9①二）。上記の仕訳は、その税務上の取扱いと食い違いませんから、別表5⑴において、資本金以下の金額を仕訳どおり増加欄に記入します。

設例2

　設例1 において、資産のうち土地（1,000万円）を時価（2,500万円）で受け入れ、次のように処理しました。

　　（借）諸　資　産　95,000,000　　（貸）諸　負　債　40,000,000
　　　　　　　　　　　　　　　　　　　　　資　本　金　10,000,000
　　　　　　　　　　　　　　　　　　　　　資本準備金　45,000,000
　　　　　　　　　　　　　　　　　　　　（合　併　差　益）

調整仕訳

　適格合併における税務上の仕訳は 設例1 のとおりです。そこで、税務と会計の食い違いを調整するため、次のような仕訳を考えることとします。

　　（借）資　本　金　等　39,000,000　　（貸）土　　　　地　15,000,000
　　　　　　　　　　　　　　　　　　　　　利益積立金　24,000,000

【申告調整】

〈別表4〉

　当期の所得金額に影響を与えないので、処理は不要です。

〈別表5⑴〉

I　　利益積立金額の計算に関する明細書				
区　　　　　分	期首現在利益積立金額	当　期　の　増　減		差引翌期首現在利益積立金額①－②＋③
		減	増	
	①	②	③	④
利　益　準　備　金　1	円	円	円	円
積　立　金　2				
資　本　金　等　の　額			① 24,000,000	24,000,000

II　　資本金等の額の計算に関する明細書				
区　　　　　分	期首現在資本金等の額	当　期　の　増　減		差引翌期首現在資本金等の額①－②＋③
		減	増	
	①	②	③	④
資本金又は出資金　32	円 ×××	円	円 10,000,000	円 ×××
資　本　準　備　金　33			45,000,000	45,000,000
利　益　積　立　金　額			②△24,000,000	△24,000,000
土　　　　　　地			③△15,000,000	△15,000,000

●合併差益金は 設例1 と同額

　適格合併の場合、税務上、評価益は認識しません。そこで、合併差益金のうち1,500万円を取り消します（③）。また、適格合併にあっては、利益積立金2,400万円をそのまま引き継がねばならず（①）、その分、合併差益金は減少します（②）。

　以上の処理を行った結果、合併差益金の期末現在高は、設例1 と同様、差引き600万円となります。

　4,500万円－2,400万円－1,500万円＝600万円

設例3

　設例1 において、被合併会社は100％子会社で、当社が全株式（簿価1,000万円）を保有しているため株式の割当てをせず、次のように処理しました。

　（借）諸　　資　　産　80,000,000　　（貸）諸　　負　　債　40,000,000

　　　　　　　　　　　　　　　　　　　　　子　会　社　株　式　10,000,000

　　　　　　　　　　　　　　　　　　　　　抱合株式消滅益　30,000,000

◉会計上は特別利益を計上

100％親子会社間で合併が行われた場合、会計上は、子会社の株主資本の額と親会社が保有していた子会社株式（抱合せ株式）の帳簿価額との差額は、特別損益（抱合株式消滅損益）として計上されます（計規14⑤）。これは、子会社株式の取得から合併時点までの間に子会社で発生した利益を、その株式を売却する場合と同様に親会社の決算で特別利益として計上するための処理です。

◉税務上は損益を計上しない

一方、税務上の取扱いは次のようになっています。すなわち、適格合併においては、被合併法人の資本金等の額から増加資本金額を控除した額が、合併法人の資本金等の額とされ（令8①五）、さらに、被合併法人の合併の日の前日の属する事業年度終了時の純資産価額から合併により増加した資本金等の額を控除した金額が、合併法人の利益積立金額とされます（令9①二）。

そこで、この取扱いに基づく税務上の仕訳は次のようになります。

（借）諸　資　産　80,000,000　　（貸）諸　負　債　40,000,000
　　　　　　　　　　　　　　　　　　　資　本　金　等　16,000,000
　　　　　　　　　　　　　　　　　　　利　益　積　立　金　24,000,000

◉抱合せ株式を資本金等と相殺

さらに、税務上の取り扱いとしてもう一つ、抱合せ株式に対して株式の割当てをしなかった場合であっても、税務上は合併新株（合併法人にとって自己株式）の交付があったものとされ、その際、合併法人が有する被合併法人株式の帳簿価額を、資本金等の額から控除することとされています（令8①二十一ロ・119①五）。

そこで、抱合せ株式に対する新株の割当てが実際には行われず、手持ちの子会社株式と相殺されることに対して、税務上は次の仕訳を追加で行うことになります。

（借）資　本　金　等　10,000,000　　（貸）子　会　社　株　式　10,000,000

以上の結果、次のような申告調整が必要となります。

〈別表4〉

区　　　分	総　　額	処　　　　　分	
		留　　保	社　外　流　出
	①	②	③
減算　抱合株式消滅益	30,000,000	30,000,000	

〈別表5(1)〉

Ⅰ　利益積立金額の計算に関する明細書

区　　　分		期　首　現　在 利益積立金額	当　期　の　増　減		差引翌期首現在 利益積立金額 ①−②+③
			減	増	
		①	②	③	④
利　益　準　備　金	1	×××　円	円	4,000,000　円	×××　円
別　途　積　立　金	2	×××		15,000,000	×××
繰越損益金(損は赤)	25	×××	30,000,000	5,000,000 30,000,000	×××

Ⅱ　資本金等の額の計算に関する明細書

区　　　分		期　首　現　在 資本金等の額	当　期　の　増　減		差引翌期首現在 資本金等の額 ①−②+③
			減	増	
		①	②	③	④
資本金又は出資金	32	円	円	円	円
資　本　準　備　金	33				
合　併　差　益　金	34		10,000,000	16,000,000	6,000,000

●利益積立金の増加額は2,400万円

　まず、会計上は抱合株式消滅益（3,000万円）を収益として計上していますが、税務上、これは益金に算入されないので別表4で減算します。次に、別表5(1)の利益積立金の計算において、子会社の利益積立金2,400万円をそのまま引き継ぎます。その際、繰越損益金の増減欄で『3,000万円』が2回計上されていますが、それぞれ次のことを意味します。

　①　抱合株式消滅益が特別利益に計上されたことにより、繰越利益剰余金が増加する。

　②　別表4で抱合株式消滅益が減算されたことにより、利益積立金が減少する。

　以上の結果、合併によって利益積立金は2,400万円だけ増加します。

◉資本金等の増加額は600万円

　また、別表５(1)の資本金等の計算では、先の仕訳にみられるとおり、吸収合併により資本金等がまず1,600万円増加し、次に、抱合せ株式に対して株式の割当てをせず手持ちの子会社株式（簿価1,000万円）と相殺することで、同額だけ資本金等が減少し結果的に、資本金等の額は600万円だけ増加します。

2　非適格合併の場合

設例

　組織再編のため合併をしましたが、適格合併には該当しません。被合併法人と合併法人において、それぞれ次のように処理しました。なお、土地に1,500万円の含み益があるため、資産の帳簿価額は8,000万円ですが時価は9,500万円です。

〈被合併法人〉

（借）諸　負　債	40,000,000	（貸）諸　資　産	80,000,000
資　本　金	10,000,000		
利 益 準 備 金	5,000,000		
別 途 積 立 金	25,000,000		

〈合併法人〉

（借）諸　資　産	80,000,000	（貸）諸　負　債	40,000,000
		資　本　金	10,000,000
		利 益 準 備 金	5,000,000
		別 途 積 立 金	25,000,000

申告調整

［被合併法人］

〈別表４〉

区　　　分		総　　額	処　　　　分		
			留　　保	社 外 流 出	
		①	②	③	
非適格合併又は残余財産の全部分配等による移転資産等の譲渡利益額又は譲渡損失額	38	15,000,000		※	15,000,000
差　引　計 (34)+(37)+(38)	39			外※	

254

〈別表5⑴〉

I　利益積立金額の計算に関する明細書				
区　　　分	期　首　現　在 利益積立金額	当　期　の　増　減		差引翌期首現在 利益積立金額 ①－②＋③
		減	増	
	①	②	③	④
利　益　準　備　金　1	円 5,000,000	円 5,000,000	円	円 0
別　途　積　立　金　2	25,000,000	25,000,000		0

II　資本金等の額の計算に関する明細書				
区　　　分	期　首　現　在 資本金等の額	当　期　の　増　減		差引翌期首現在 資本金等の額 ①－②＋③
		減	増	
	①	②	③	④
資本金又は出資金　32	円 10,000,000	円 10,000,000	円	円 0

●被合併法人において含み益を益金算入

　非適格合併により資産または負債を移転したときは、時価による譲渡をしたものとして、被合併法人において損益を計上しなければなりません（法62）。 設例 の場合、含み益1,500万円が益金算入となるため、これを別表4 38 で加算します。この加算は社外流出扱いなので、利益積立金額には影響しません。

　資本の部の各項目は別表5⑴の減少欄に記入し、期末現在高をそれぞれ0とします。

　　（注）移転資産等の対価として合併法人から交付される株式は、いったん被合併法人が取得し
　　　　直ちにその株主に交付したものとして、被合併法人で譲渡損益を計上する仕組みとなって
　　　　います。そのため、移転資産等の譲渡損益は留保とせず、社外流出扱いになっています。

［合併法人］

〔調整仕訳〕

　税務と会計の食い違いを調整するため、次のような仕訳を考えることとします。

　（借）土　　　　　地　15,000,000　　（貸）資　本　金　等　45,000,000
　　　　　　　　　　　　　　　　　　　　　　（合　併　差　益）

　　　　利　益　積　立　金　30,000,000

〈別表4〉

　調整仕訳は当期の所得金額に影響を与えないので、処理は不要です。

〈**別表5**(1)〉

Ⅰ 利益積立金額の計算に関する明細書				
区　　　　分	期首現在利益積立金額	当期の増減		差引翌期首現在利益積立金額①−②+③
		減	増	
	①	②	③	④
利 益 準 備 金 　1	円	円	円 5,000,000	円 5,000,000
別 途 積 立 金 　2			25,000,000	25,000,000
合 併 差 益 金			①△30,000,000	△30,000,000

Ⅱ 資本金等の額の計算に関する明細書				
区　　　　分	期首現在資本金等の額	当期の増減		差引翌期首現在資本金等の額①−②+③
		減	増	
	①	②	③	④
資本金又は出資金 32	円 ×　×　×	円	円 10,000,000	円 ×　×　×
利 益 積 立 金 額			② 30,000,000	30,000,000
土　　　　　地			③ 15,000,000	15,000,000

●非適格合併では引継ぎ純資産と増加資本金の差額が合併差益金

　非適格合併の場合、資産と負債を時価で受け入れます。また、利益積立金の引継ぎは認められません。そこで、含み益相当額1,500万円を資本金等として計上します（③）。また、利益積立金の引継ぎ額3,000万円も、資本金等に振り替えます（①→②）。

　以上の結果、別表5(1)において利益積立金額は0、資本金等（合併差益金）の額は4,500万円となります。

3　適格分割型分割の場合

【設例】

　組織再編のため、次の条件で親会社から分割型分割により資産等の移転を受けました。

　　① 　移転を受けた資産　　　帳簿価額　8,000万円

　　② 　移転を受けた負債　　　帳簿価額　4,000万円

　　③ 　引継ぎを受けた利益積立金

　　　　・利益準備金　　　　1,000万円

　　　　・別途積立金　　　　2,000万円

　　④ 　増加した資本金額　1,000万円

(注)　会社分割は、分割承継法人の発行する株式の割当先の違いで、「分割型分割」と「分社型分割」の2つに分類されます。

　・分割会社の株主に割当て　⇒　分割型分割

　・分割会社自身に割当て　⇒　分社型分割

　本設例では、分割会社（親会社）の株主に割当てを行っています。

仕 訳

(借)諸 資 産	80,000,000	(貸)諸 負 債	40,000,000
		資 本 金	10,000,000
		利 益 準 備 金	10,000,000
		別 途 積 立 金	20,000,000

申告調整

〈別表4〉

　当期の所得金額に影響を与えないので、処理は不要です。

〈別表5(1)〉

Ⅰ　利益積立金額の計算に関する明細書		期首現在利益積立金額	当 期 の 増 減		差引翌期首現在利益積立金額①−②+③
区　　分			減	増	
		①	②	③	④
利 益 準 備 金	1	× × × 円	円	10,000,000 円	× × × 円
別 途 積 立 金	2	× × ×		20,000,000	× × ×

Ⅱ　資本金等の額の計算に関する明細書		期首現在資本金等の額	当 期 の 増 減		差引翌期首現在資本金等の額①−②+③
区　　分			減	増	
		①	②	③	④
資本金又は出資金	32	× × × 円	円	10,000,000 円	× × × 円

●各項目を仕訳どおり増加欄に記入

　適格分割型分割の場合、分割法人の有する資産または負債は、帳簿価額によって分割承継法人に引き継がれます（法62の2）。また、分割法人の利益積立金もそのまま分割承継法人に引き継がれます（令9①三）。上記の仕訳は、その税務上の取扱いと食い違いませんから、別表5(1)において、資本金以下の金額を仕訳どおり増加欄に記入します。

上記の 設例 において、分割法人（親会社）側の仕訳と申告調整を示せば、次のとおりです。

仕 訳

（借）諸　負　債	40,000,000	（貸）諸　資　産	80,000,000
資本準備金	10,000,000		
（会社分割差損）			
利益準備金	10,000,000		
別途積立金	20,000,000		

申告調整

〈別表4〉

当期の所得金額に影響を与えないので、処理は不要です。

〈別表5⑴〉

I　利益積立金額の計算に関する明細書				
区　　　分	期首現在利益積立金額	当期の増減		差引翌期首現在利益積立金額 ①−②+③
		減	増	
	①	②	③	④
利　益　準　備　金　1	円 ×××	円 10,000,000	円	円 ×××
別　途　積　立　金　2	×××	20,000,000		×××

II　資本金等の額の計算に関する明細書				
区　　　分	期首現在資本金等の額	当期の増減		差引翌期首現在資本金等の額 ①−②+③
		減	増	
	①	②	③	④
資本金又は出資金　32	円 ×××	円	円	円 ×××
資　本　準　備　金　33	×××	10,000,000		×××

4　非適格分割型分割の場合

設 例

　組織再編のため会社分割をしましたが、適格分割には該当しません。分割法人と分割承継法人において、それぞれ次のように処理しました。なお、土地に1,500万円の含み益があるため、資産の帳簿価額は8,000万円ですが時価は9,500万円です。

〈分割法人〉

（借）諸　負　債	40,000,000	（貸）諸　資　産	80,000,000
資 本 準 備 金 （会社分割差損）	10,000,000		
利 益 準 備 金	10,000,000		
別 途 積 立 金	20,000,000		

〈分割承継法人〉

（借）諸　資　産	80,000,000	（貸）諸　負　債	40,000,000
		資　本　金	10,000,000
		利 益 準 備 金	10,000,000
		別 途 積 立 金	20,000,000

申告調整

［分割法人］

〔調整仕訳〕

　税務と会計の食い違いを調整するため、次のような仕訳を考えることとします。

（借）資 本 金 等	30,000,000	（貸）利 益 積 立 金	30,000,000
（会社分割差損）			

〈別表4〉

区　　　分		総　　額	処　　　　　分		
			留　　保	社 外 流 出	
		①	②	③	
非適格合併又は残余財産の全部分配等による 移転資産等の譲渡利益額又は譲渡損失額	38	15,000,000		※	15,000,000
差　引　計 (34)＋(37)＋(38)	39			外※	

<別表 5 (1)>

Ⅰ　利益積立金額の計算に関する明細書				
区　　　　　分	期首現在利益積立金額	当期の増減		差引翌期首現在利益積立金額①－②+③
		減	増	
	①	②	③	④
利　益　準　備　金　1	×　×　×　円	10,000,000　円	円	×　×　×　円
別　途　積　立　金　2	×　×　×	20,000,000		×　×　×
会　社　分　割　差　損		①△30,000,000		30,000,000

Ⅱ　資本金等の額の計算に関する明細書				
区　　　　　分	期首現在資本金等の額	当期の増減		差引翌期首現在資本金等の額①－②+③
		減	増	
	①	②	③	④
資本金又は出資金　32	×　×　×　円	円	円	×　×　×　円
資　本　準　備　金　33		10,000,000		△ 10,000,000
利　益　積　立　金　額		② 30,000,000		△ 30,000,000

●分割法人において含み益を益金算入

　非適格会社分割により資産または負債を移転したときは、時価による譲渡をしたものとして、分割法人において損益を計上しなければなりません（法62）。 設例 の場合、含み益1,500万円が益金算入となるため、これを別表4（38）で加算します。この加算は社外流出扱いなので、利益積立金額には影響しません。

　　（注）　移転資産等の対価として分割承継法人から交付される株式は、いったん分割法人が取得し直ちにその株主に交付したものとして、分割法人で譲渡損益を計上する仕組みとなっています。そのため、移転資産等の譲渡損益は留保とせず、社外流出扱いになっています。

　また、会計上は利益準備金や別途積立金が減少していますが、税務上は資本金等の減少となります。そこで利益積立金を増加させ（①）、同額だけ資本金等が減少することになります（②）。

　以上の結果、分割法人においては、分割承継法人に引き継いだ純資産額（8,000万円－4,000万円＝4,000万円）が、マイナスの資本金等として残ります。

［分割承継法人］

〔調整仕訳〕

　税務と会計の食い違いを調整するため、次のような仕訳を考えることとします。

　（借）土　　　　　地　15,000,000　（貸）資　本　金　等　45,000,000
　　　　　　　　　　　　　　　　　　　　　　　（会社分割差益）

　　　　利　益　積　立　金　30,000,000

〈別表4〉

　調整仕訳は当期の所得金額に影響を与えないので、処理は不要です。

〈別表5⑴〉

I　利益積立金額の計算に関する明細書				
区　　　分	期 首 現 在 利益積立金額	当 期 の 増 減		差引翌期首現在 利益積立金額 ①－②＋③
		減	増	
	①	②	③	④
利 益 準 備 金　1	円	円	円 10,000,000	円 ×　×　×
別 途 積 立 金　2			20,000,000	×　×　×
会 社 分 割 差 益			①△30,000,000	△30,000,000

II　資本金等の額の計算に関する明細書				
区　　　分	期 首 現 在 資本金等の額	当 期 の 増 減		差引翌期首現在 資本金等の額 ①－②＋③
		減	増	
	①	②	③	④
資本金又は出資金　32	円 ×　×　×	円	円 10,000,000	円 ×　×　×
利 益 積 立 金 額			②　30,000,000	30,000,000
土　　　　　地			③　15,000,000	15,000,000

●非適格会社分割では引継ぎ純資産と増加資本金の差額が会社分割差益

　非適格会社分割の場合、資産と負債を時価で受け入れます。また、利益積立金の引継ぎは認められません。そこで、含み益相当額1,500万円を資本金等として計上します（③）。また、利益積立金の引継ぎ額3,000万円も、資本金等に振り替えます（①→②）。

　以上の結果、別表5⑴において利益積立金額は0、資本金等（会社分割差益）の額は4,500万円となります。

5　適格分社型分割の場合

設例

　組織再編のため適格分社型分割を行い、分割法人（A社）と分割承継法人（B社）において、それぞれ次のように処理しました。なお、移転資産（建物）に対して400万

円の減価償却超過額があります。

〈分割法人〉

（借）諸　負　債　50,000,000　　（貸）諸　資　産　80,000,000
　　　B　社　株　式　30,000,000

（注）分社型分割なので、分割承継法人の発行する株式は、分割会社に割り当てられます。

〈分割承継法人〉

（借）諸　資　産　80,000,000　　（貸）諸　負　債　50,000,000
　　　　　　　　　　　　　　　　　　資　本　金　20,000,000
　　　　　　　　　　　　　　　　　　資本準備金　10,000,000

申告調整

［分割法人］

〈別表4〉

当期の所得金額に影響を与えないので、処理は不要です。

〈別表5(1)〉

I　利益積立金額の計算に関する明細書				
区　　分		期首現在利益積立金額	当期の増減		差引翌期首現在利益積立金額 ①−②+③
			減	増	
		①	②	③	④
利　益　準　備　金	1	円	円	円	円
積　立　金	2				
減価償却超過額		4,000,000	4,000,000		0
B　社　株　式				4,000,000	4,000,000

II　資本金等の額の計算に関する明細書				
区　　分		期首現在資本金等の額	当期の増減		差引翌期首現在資本金等の額 ①−②+③
			減	増	
		①	②	③	④
資本金又は出資金	32	円 ×　×　×	円	円	円 ×　×　×

●税務否認金は株式の取得価額に計上

適格分社型分割の場合には、移転する資産と負債の差額（純資産額）が、分割法人の取得する株式の取得価額となります。ただしその際、移転資産や移転負債に税務否認金があれば、それも株式の取得価額に加算されます。

そこで、利益積立金の明細書において、移転資産にかかる税務否認金（減価償却超

過額）を減少欄で消去するとともに、増加欄で同額を分割承継法人株式（B社株式）として記載します。

［分割承継法人］

〈別表4〉

資本等取引なので、何ら処理する必要はありません。

〈別表5(1)〉

Ⅰ　利益積立金額の計算に関する明細書					
区　　　分		期首現在利益積立金額	当期の増減		差引翌期首現在利益積立金額 ①－②＋③
			減	増	
		①	②	③	④
利 益 準 備 金	1	円	円	円	円
積 立 金	2				
減 価 償 却 超 過 額				4,000,000	4,000,000
資 本 金 等 の 額				① △4,000,000	△4,000,000

Ⅱ　資本金等の額の計算に関する明細書					
区　　　分		期首現在資本金等の額	当期の増減		差引翌期首現在資本金等の額 ①－②＋③
			減	増	
		①	②	③	④
資本金又は出資金	32	×××円	円	20,000,000円	×××円
資 本 準 備 金	33	×××		10,000,000	×××
利 益 積 立 金 額				② 4,000,000	4,000,000

●分社型分割では利益積立金の引継ぎはない

適格分割型分割の場合と同様、適格分社型分割においても、分割法人における資産・負債の税務上の帳簿価額が分割承継法人に引き継がれますから（法62の3①）、減価償却超過額（400万円）は承継法人に引き継がれ、承継法人において償却不足が生じたときに認容（減算）することができます（法31④）。ただし、適格分割型分割の場合と違い、分社型分割では適格・非適格を問わず、利益積立金は引き継がれません。

そこで別表5(1)の申告調整では、いったん減価償却超過額を利益積立金の増加で計上し、次に利益積立金総額の引継額を0とするために、同額を利益積立金にマイナス計上して資本金等の増加に振り替える処理を行います（①→②）。結果的に、利益積立金と資本金等の間で400万円の入り繰りが生じます。

6 適格現物出資の場合

現物出資により子会社を設立し、時価5,000万円（簿価3,000万円）の土地を移転して次のように処理しました。なお、この現物出資は適格現物出資に該当します。

〈親会社〉

（借）子会社株式 50,000,000 （貸）土 地 30,000,000

土地売却益 20,000,000

〈子会社〉

（借）土 地 50,000,000 （貸）資 本 金 30,000,000

資本準備金 20,000,000

申告調整

［親会社］

〔調整仕訳〕

税務と会計の食い違いを調整するため、次のような仕訳を考えることとします。

（借）土地売却益 20,000,000 （貸）子会社株式 20,000,000

〈別表 4 〉

区 分	総 額	処	分	
		留 保	社 外 流 出	
	①	②	③	
減算 土地売却益の認定損	20,000,000	20,000,000		

〈別表 5 (1)〉

I 利益積立金額の計算に関する明細書				
区 分	期首現在利益積立金額	当 期 の 増 減		差引翌期首現在利益積立金額 ①－②＋③
		減	増	
	①	②	③	④
利 益 準 備 金 1	円	円	円	円
積 立 金 2				
子 会 社 株 式			△ 20,000,000	△ 20,000,000

●税務否認金は株式の取得価額に計上

　適格現物出資により子会社に資産または負債を移転したときは、帳簿価額により譲渡したものとされます（法62の４、令119①七）。そこで、親会社が計上した土地売却益を別表４で減算し取り消します。また、株式の取得価額が同額だけ過大となっているため、これを別表５(1)においてマイナスの利益積立金として計上します。

［子会社］

〔調整仕訳〕

　税務と会計の食い違いを調整するため、次のような仕訳を考えることとします。

　　（借）資 本 金 等　20,000,000　　（貸）土　　　　地　　20,000,000

〈別表４〉

　調整仕訳は当期の所得金額に影響を与えないので、処理は不要です。

〈別表５(1)〉

I　利 益 積 立 金 額 の 計 算 に 関 す る 明 細 書				
区　　　　分	期 首 現 在 利 益 積 立 金 額	当 期 の 増 減		差引翌期首現在 利 益 積 立 金 額 ①－②＋③
		減	増	
	①	②	③	④
利 益 準 備 金　1	円	円	円	円
積 立 金　2				

II　資 本 金 等 の 額 の 計 算 に 関 す る 明 細 書				
区　　　　分	期 首 現 在 資 本 金 等 の 額	当 期 の 増 減		差引翌期首現在 資 本 金 等 の 額 ①－②＋③
		減	増	
	①	②	③	④
資 本 金 又 は 出 資 金　32	×××円	円	30,000,000円	×××円
資 本 準 備 金　33			20,000,000	20,000,000
土　　　　地			△ 20,000,000	△ 20,000,000

●親会社の帳簿価額が資本金等の額

　適格現物出資の場合、資本金等のうち「等」の額は、移転資産の帳簿価額から増加資本金額を差し引いた金額とされます（令8①八）。そこで上記の調整仕訳を行った結果、資本金等の「等」の額は０となります。また、土地の取得価額は親会社の帳簿価額相当額とされます（令123の５）。

7　株式交換の場合

　A社はB社を完全子会社とするため、その株主であるM社からB社株式を次の条件で取得しました。

　　①　M社が保有するB社株式の帳簿価額　　5,000万円
　　②　株式交換による増加資本金額　　　　　4,000万円

この株式交換は、税制上の適格要件を満たしています。

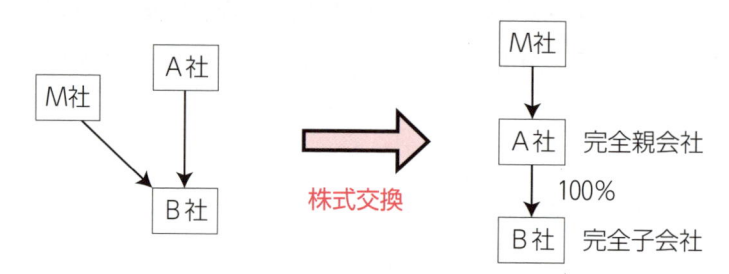

仕 訳

〈A社（完全親会社）〉

　（借）B 社 株 式　50,000,000　　（貸）資　本　金　40,000,000
　　　　　　　　　　　　　　　　　　資 本 準 備 金　10,000,000
　　　　　　　　　　　　　　　　　（株式交換差益）

〈M社（株主）〉

　（借）A 社 株 式　50,000,000　　（貸）B 社 株 式　50,000,000

申告調整

［A社］

〈別表4〉

　資本等取引なので、何ら処理する必要はありません。

〈別表5(1)〉

Ⅰ　利益積立金額の計算に関する明細書				
区　　　分	期　首　現　在 利 益 積 立 金 額 ①	当　期　の　増　減		差引翌期首現在 利益積立金額 ①－②＋③ ④
		減 ②	増 ③	
利 益 準 備 金　1	円	円	円	円
積 立 金　2				

Ⅱ　資本金等の額の計算に関する明細書				
区　　　分	期　首　現　在 資 本 金 等 の 額 ①	当　期　の　増　減		差引翌期首現在 資本金等の額 ①－②＋③ ④
		減 ②	増 ③	
資本金又は出資金　32	円 ×　×　×	円	円 40,000,000	円 ×　×　×
資 本 準 備 金　33	×　×　×		10,000,000	×　×　×

●税務と会計の食い違いはない

　「株式交換」とは、所有している株式を交換して完全親子会社関係を作ることをいいます。税務上の取扱いとして、本事例の場合、金銭以外の資産（B社株式）による5,000万円の払込みがあったので、同額だけ資本金等の額が増加したものとされ、会計処理との間で食い違いはありません。

　資本金以外の資本金等の額（株式交換差益）は、株式交換により移転を受けた株式の取得価額（5,000万円）から増加資本金額（4,000万円）を差し引いた金額とされます（令8①十）。

[M社]

　完全子会社の株主が完全親会社から新株の割当てを受けるとき、原則として、旧株を時価で譲渡したものとして譲渡損益を計上しなければなりません。ただし、税制上の適格要件を満たす株式交換の場合には、旧株の帳簿価額を新規に取得する株式の時価とみて、譲渡損益の計上を繰り延べることとされています（法61の2⑨）。

　したがって、本設例の場合、M社は何ら申告調整を行う必要がありません。

◆参考

　税制上の適格要件を満たさない株式交換の場合、完全親会社（A社）の処理は変わりませんが、完全子会社（B社）およびその株主（M社）について、次のような課税

関係が生じます。

① 完全子会社の課税問題

非適格の株式交換が行われたときは、完全子会社が有する資産について、時価による評価損益を計上しなければなりません（法62の9）。

時価評価を要する資産は、固定資産、土地等、有価証券、金銭債権および繰延資産です。ただし、帳簿価額が1,000万円未満のもの、含み損益が資本金等の2分の1または1,000万円のいずれか少ない金額に満たないものは除かれます（令123の11①四・五）。

② 完全子会社の株主の課税問題

非適格の株式交換が行われたとき、完全子会社の株主は旧株を時価で譲渡したものとして譲渡損益を計上しなければなりません。本設例において、B社株式の時価が9,000万円であるとすれば、4,000万円の譲渡益が発生します。

そこでM社において、次のような申告調整が必要となります。

〈調整仕訳〉

税務と会計の食い違いを調整するため、次のような仕訳を考えることとします。

（借）A 社 株 式 40,000,000 　（貸）株 式 売 却 益 40,000,000

申告調整

〈別表4〉

区　　　　分	総　　額	処　　　　　分	
		留　　保	社 外 流 出
	①	②	③
加算 株式売却益の益金算入	40,000,000	40,000,000	

〈別表5(1)〉

Ⅰ　利 益 積 立 金 額 の 計 算 に 関 す る 明 細 書				
区　　　　　分	期 首 現 在 利益積立金額	当 期 の 増 減		差引翌期首現在 利益積立金額 ①-②+③
		減	増	
	①	②	③	④
利 益 準 備 金 1	円	円	円	円
積 立 金 2				
A 社 株 式			40,000,000	40,000,000

8　株式移転の場合

設 例

　A社およびB社の株主であるN社は、株式移転により両者の持ち株会社としてのC社を設立しました。

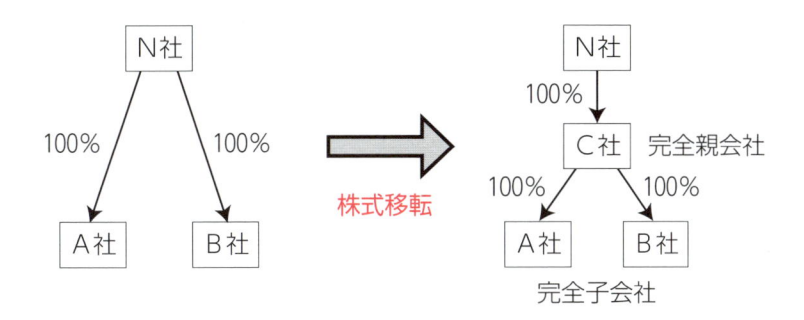

　具体的には、N社が保有するA社株式（簿価1,600万円）およびB社株式（簿価1,200万円）を出資して、資本金2,000万円のC社を設立しました。

　この株式移転は、税制上の適格要件を満たしています。

仕 訳

〈N社（株主）〉

　（借）C 社 株 式　28,000,000　　（貸）A 社 株 式　16,000,000

　　　　　　　　　　　　　　　　　　　　B 社 株 式　12,000,000

〈C社（完全親会社）〉

　（借）A 社 株 式　16,000,000　　（貸）資　　本　　金　20,000,000

　　　　B 社 株 式　12,000,000　　　　　資 本 準 備 金　 8,000,000
　　　　　　　　　　　　　　　　　　　　（株式移転差益）

申告調整

[N社]

　株式移転により完全親会社に現物出資を行うとき、原則として、旧株を時価で譲渡したものとして譲渡損益を計上しなければなりません。ただし、税制上の適格要件を満たす株式移転の場合には、旧株の帳簿価額を新規に取得する株式の時価とみて、譲渡損益の計上を繰り延べることとされています（法61の2⑪）。

　したがって、本設例の場合、N社は何ら申告調整を行う必要がありません。

〈別表 4 〉

資本等取引なので、何ら処理する必要はありません。

〈別表 5 (1)〉

Ⅰ　利益積立金額の計算に関する明細書				
区　　　　分	期 首 現 在 利益積立金額 ①	当　期　の　増　減		差引翌期首現在 利益積立金額 ①－②＋③ ④
		減 ②	増 ③	
利 益 準 備 金　1	円	円	円	円
積 立 金　2				

Ⅱ　資本金等の額の計算に関する明細書				
区　　　　分	期 首 現 在 資本金等の額 ①	当　期　の　増　減		差引翌期首現在 資本金等の額 ①－②＋③ ④
		減 ②	増 ③	
資本金又は出資金　32	円	円	20,000,000 円	20,000,000 円
資 本 準 備 金　33			8,000,000	8,000,000

●税務と会計の食い違いはない

「株式移転」とは、所有している株式を新しく設立した会社に移し、完全親子会社関係を作ることをいいます。税務上の取扱いとして、本設例の場合、C社は金銭以外の資産（A社・B社株式）による2,800万円の払込みがあったので、同額だけ資本金等の額が増加したものとされ、会計処理との間で食い違いはありません。

資本金以外の資本金等の額（株式移転差益）は、株式移転により移転を受けた株式の取得価額（2,800万円）から増加資本金額（2,000万円）を差し引いた金額とされます（令8①十一）。

9　ケーススタディ

ケース1　合併と分割を同時に行う組織再編

X社は、100％子会社のA社を吸収合併し、同日付でX社の100％親会社の100％子会社であるB社を承継会社とする吸収分割を行いました。いずれも税務上の適格要件を満たしています。

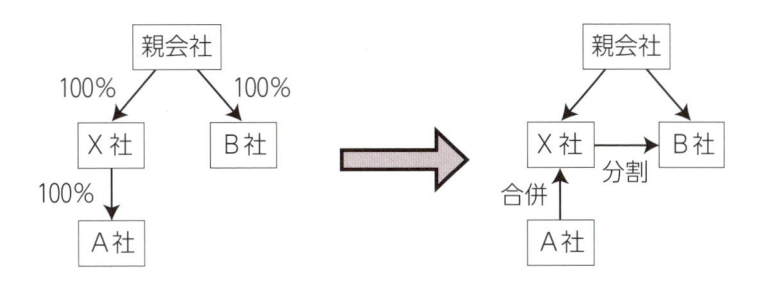

合併の日の前日における貸借対照表等の数値は、下記のとおりです。

〈貸借対照表〉

(単位：百万円)

	X社	A社
資　　本　　金	2,000	500
資　本　準　備　金	2,000	400
繰　越　利　益　剰　余　金	4,700	1,600
純　資　産　合　計	8,700	2,500
A　社　株　式	900	―

〈別表5(1)〉

(単位：百万円)

	X社	A社
繰　越　利　益　剰　余　金	4,700	1,600
その他の利益積立金 （減価償却超過額等）	900	300
利　益　積　立　金　合　計	5,600	1,900
資　　本　　金	2,000	500
資　本　準　備　金	2,000	400
資　本　金　等　合　計	4,000	900

A社の吸収合併につき、X社は次の仕訳を行っています。

（借）純　資　産　　2,500　　（貸）A　社　株　式　　　　900
　　　　　　　　　　　　　　　　　　　抱合株式消滅益　　1,600

　組織再編の基本契約書では、まず上記のようにX社がA社を吸収合併し、次にX社の一事業部門（純資産額1,800百万円）をB社に分割することになっています。その際、分割型分割とするためB社から交付される株式を配当財産として、X社の100％親会社に対し剰余金の配当を行い、それに伴ってX社の株主資本は資本金が1,000百万円、利益剰余金が800百万円減少します。また、B社では資本金1,000百万円および利益剰

余金800百万円が増加します。

    （注）　Ｂ社に移転する純資産1,800百万円（会計上の簿価）には、減価償却超過額等が200百万円生じており、これも合わせてＢ社に引き継ぎます。

この会社分割に対して、Ｘ社は次のように仕訳を行っています。

  （借）Ｂ　社　株　式　　　1,800　　（貸）純　　資　　産　　　1,800

  （借）資　　本　　金　　　1,000　　（貸）Ｂ　社　株　式　　　1,800

      繰越利益剰余金　　　800

以上の場合、合併と分割に関して税務上の引継ぎ純資産額の計算と申告調整はどのように行えばいいのでしょうか。

ケースの検討

（1）合併に対する処理

100％親子会社間で合併が行われた場合、会計上は、子会社の株主資本の額と親会社が保有していた子会社株式（抱合せ株式）の帳簿価額との差額は、特別損益（抱合株式消滅差損益）として計上されます（計規14⑤、企業結合会計基準及び事業分離等会計基準に関する適用指針206(2)①）。これは、子会社株式の取得から合併時点までの間に子会社で発生した利益を、その株式を売却する場合と同様に親会社の決算で特別利益として計上するための処理です。

一方、税務上の取扱いは、次の①および②のようになっています。

①　適格合併においては、被合併法人の資本金等の額から増加資本金額を控除した額が、合併法人の資本金等の額とされる（令8①五）。

②　被合併法人の合併の日の前日の属する事業年度終了時の純資産価額から、合併により増加した資本金等の額を控除した金額が、合併法人の利益積立金額とされる（令9①二）。

そこで、この取扱いに基づく税務上の仕訳は次のようになります。

  （借）純　　資　　産　　　2,800（注1）　（貸）資　本　金　等　　　900

                            利　益　積　立　金　　1,900

  （注1）繰越利益剰余金以外の利益積立金が300百万円あるため、税務上の純資産額は、会計上のもの（2,500百万円）よりもその金額分だけ大きくなります。

  （注2）抱合せ株式に対して株式の割当てをしなかった場合であっても、税務上は合併新株（合併法人にとって自己株式）の交付があったものとされます（法24②、令23⑤）。

　さらに、税務上の取扱いとしてもう一つ、適格合併で自己の株式の交付を受けた場合には、その合併法人が有する被合併法人株式の帳簿価額を、資本金等の額から控除することとされています（令8①二十一ロ・119①五）。

　そこでX社の場合、抱合せ株式に対する新株の割当てが実際には行われず、手持ちのA社株式と相殺されることに対して、税務上は次の仕訳を追加で行うことになります。

　　（借）資 本 金 等　　　　900　　　（貸）A 社 株 式　　　　900

　この処理により、新株の割当てを行わないことで生ずる合併減資益が、みなし割当てされた株式の消却損と相殺され、結果的に課税関係が生じないことになります。

　以上の結果、X社では次のような申告調整が必要です。

〈別表4〉

区　　　分	総　　額	処		分	
		留　　保		社 外 流 出	
	①	②		③	
減算　抱合株式消滅益	1,600	1,600			

〈別表5⑴〉

I　　利 益 積 立 金 額 の 計 算 に 関 す る 明 細 書					
区　　　分	期 首 現 在利益積立金額	当 期 の 増 減			差引翌期首現在利益積立金額①－②＋③
		減		増	
	①	②		③	④
各種利益積立金額				① 300	
繰 越 損 益 金　25		③ 1,600		① 1,600 ② 1,600	

II　　資 本 金 等 の 額 の 計 算 に 関 す る 明 細 書					
区　　　分	期 首 現 在資本金等の額	当 期 の 増 減			差引翌期首現在資本金等の額①－②＋③
		減		増	
	①	②		③	④
資 本 金 又 は 出 資 金　32	円	円		円	円
資 本 準 備 金　33					
合 併 差 益 金		900		900	

まず、会計上は抱合株式消滅益（1,600百万円）を収益として計上していますが、税務上、これは益金に算入されないので別表4で減算します。つぎに、別表5(1)の利益積立金の計算において、A社の利益積立金1,900百万円をそのまま引き継ぎます（令9①二）。その際、繰越損益金の増減欄で『1,600百万円』が3つ計上されていますが、これらはそれぞれ次のことを意味します。

① 　A社における繰越利益剰余金を減価償却超過額等と共にそのまま引き継ぐ。

② 　抱合株式消滅益が特別利益に計上されることにより、繰越利益剰余金が増加する。

③ 　別表4で抱合株式消滅益が減算されたことにより、利益積立金が減少する。

以上の結果、合併によってX社の利益積立金は1,900百万円だけ増加します。

引継ぎ利益積立金		特別利益		抱合株式消滅益の減算		
1,900百万円	＋	1,600百万円	－	1,600百万円	＝	1,900百万円

　また、別表5(1)の資本金等の計算では、先の仕訳にみられるとおり、吸収合併により資本金等がまず900百万円増加し、次に、抱合せ株式に対して株式の割当てをせず手持ちのA社株式（簿価900百万円）と相殺することで、同額だけ資本金等が減少します。結果的に、X社の資本金等の額に変動は生じません。

■（2）会社分割に対する処理

　会社法では、会社分割として「分社型分割」のみを定め、旧商法で規定していた「分割型分割」は剰余金の配当として規定されています。

> （注）分割承継法人の株式を、分割法人自体に交付するのが「分社型分割」、分割法人の株主に交付するのが「分割型分割」です。

　そこで、分割型分割を行うときの会計処理は、分割承継法人（B社）の株式をいったん分割法人（X社）に交付し、次に、分割法人が剰余金の配当としてその株式を分割法人の株主（親会社）に分配することとなります。

　一方、法人税法では、分割により分割法人が交付を受ける分割承継法人の株式のすべてが分割法人の株主に交付される場合を「分割型分割」、交付されない場合を「分社型分割」と規定しています（法2十二の九・十二の十）。

　そして移転する純資産額の計算において、本件のように適格分割型分割の場合には、「分割の直前の資本金等の額」に「移転割合」（移転する純資産額／純資産の総額）を乗じた金額だけ分割法人の資本金等が減少し（令8①十五）、さらに、「分割により移転する純資産価額」から「引継ぎ資本金等の額」を控除した額だけ、分割法人の利益

積立金が減少することとされています（令9①十）。

　なお、以上の計算をどの時点の数値に基づいて行うか、すなわち、合併前と合併後のいずれの数値で計算するべきかですが、基本的に複数の再編が行われる順番によります。本件では基本契約において、まず吸収合併、その後に分割を行うとされているので、それに合わせてA社を吸収合併した後の数値により、次のように計算することとなります。

〈分割時の純資産額〉

（単位：百万円）

	X社	A社	合計
資本金等	4,000	0	4,000
利益積立金	5,600	1,900	7,500
計	9,600	1,900	11,500

（注1）　A社の資本金等は、抱合せ株式と相殺され0円となります。

（注2）　合計11,500百万円の純資産のうち2,000百万円（減価償却超過額等200百万円を含む）がB社に引き継がれます。

〈移転割合〉

$$\underset{\text{移転する純資産額}}{(1,800+200)} \div \underset{\text{純資産総額}}{11,500} = 0.1739 \rightarrow 0.174$$

小数点以下3位未満を四捨五入（令8①十五かっこ書）

〈移転する資本金等の額〉

$$4,000 \times 0.174 = 696$$

〈移転する利益積立金額〉

$$2,000 - 696 = 1,304$$

以上の計算の結果、X社では次のような申告調整が必要となります。

〈別表4〉

　資本等取引で所得計算には影響しないので、調整は不要

〈別表5(1)〉

Ⅰ　利益積立金額の計算に関する明細書				
区　　分	期首現在利益積立金額 ①	当　期　の　増　減		差引翌期首現在利益積立金額 ①−②+③ ④
		減 ②	増 ③	
減価償却超過額等			200	
資　本　金　等　の　額			（注1）304	
繰　越　損　益　金　25			800	
差　引　合　計　額　31			1,304	

Ⅱ　資本金等の額の計算に関する明細書				
区　　分	期首現在資本金等の額 ①	当　期　の　増　減		差引翌期首現在資本金等の額 ①−②+③ ④
		減 ②	増 ③	
資本金又は出資金　32	円	円 1,000	円	円
利　益　積　立　金　額			（注2）△304	
差　引　合　計　額　36			696	

（注1）1,304−（200+800）=304

（注2）696−1,000=△304

　結論として、このケースでは、利益積立金額と資本金等の額の間で304百万円の入り繰りが生じることとなります。この入り繰り額は、先に計算した移転する利益積立金額および資本金等の額のそれぞれから逆算して求めます。

ケース2　決算日を合併・分割の日とする組織再編

　Y社の100％子会社であるA社（資本金10億円）は業績が良く、内部留保の厚い優良企業です。一方、A社の100％子会社（Y社の孫会社）であるB社（資本金3億円）は、業績不振が続き、当期末には債務超過となる見通しです。

　このたび、B社を再建するため両社を合併させることにしました。ただし、A社の事業の一部は別会社で運営する必要があるため、新たにC社（資本金1億円）を設立して、会社分割によりA社の事業に関する資産・負債をC社に移転します。また、対外上B社を存続会社とする必要があるため、C社に分割後、A社に残された財産をB社が吸収する形をとります。

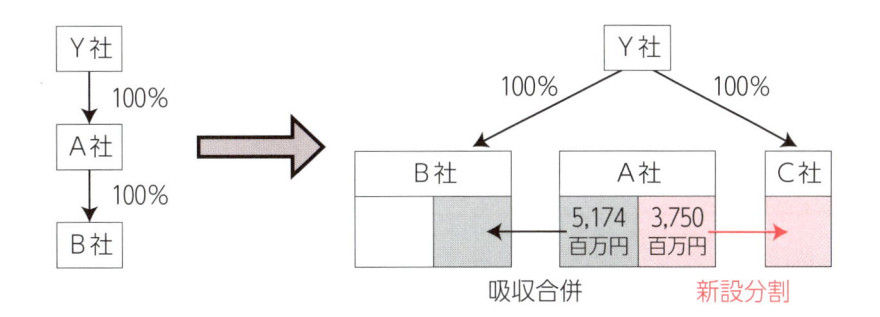

　以上の組織再編はいずれも税制上の適格要件を満たしており、各社は次のように経理処理を行っています（単位：百万円）。

(1)　会社分割に関する仕訳

　〈A社〉

　　①　分割の対価として株式を受領

　　　（借）C　社　株　式　3,750　　（貸）純　　資　　産　　3,750

　　②　分割型分割とするためY社に対し株式を現物分配

　　　（借）繰越利益剰余金　3,750　　（貸）C　社　株　式　　3,750

　〈C社〉

　　③　A社から分割財産を受入れ

　　　（借）純　　資　　産　3,750　　（貸）資　　本　　金　　　100

　　　　　　　　　　　　　　　　　　　　　　会 社 分 割 差 益　3,650

　〈Y社〉

　　④　A社から株式を現物分配

　　　（借）C　社　株　式　3,750　　（貸）受 取 配 当 金　3,750

(2)　合併に関する仕訳

　〈B社〉

　　⑤　A社から合併財産を受入れ

　　　（借）純　　資　　産　5,174　　（貸）合　併　差　益　　5,174

　　⑥　子会社株式から自己株式へ振替え

　　　（借）自　己　株　式　　300　　（貸）B　社　株　式　　　300

　なお、A社およびB社の当期末における税務上の純資産額（別表5(1)）は、次のとおりです。

〈A社〉

（単位：百万円）

	会社分割前	C社への分割額	差　　引
利益積立金額	8,645	3,921（注1）	4,724（注2）
資本金等の額	1,000	—	1,000
合　　計	9,645	3,921	5,724

（注1）償却超過額等の税務否認額171百万円を含む。

（注2）償却超過額等の税務否認額550百万円を含む。

〈B社〉

（単位：百万円）

	合　併　前
利益積立金額	△1,128
資本金等の額	300
合　　計	△828

　Y社のグループ企業の決算日は、新設のC社も含め、すべて年1回3月末となっています。組織再編は通常、決算日の翌日（4月1日）付けで行う場合が多いのですが、今回の会社分割および合併は、B社が期末日現在で債務超過となるのを回避するため、決算日（3月31日）付けで行います。

　以上のようなグループ再編を行った場合、会社分割と合併に関して、各社の税務申告手続きをどのように行えばいいでしょうか。

> **ケースの検討**

　本ケースのような会社分割と合併を行った法人の税務申告において、ポイントとなるのは次の4点と考えられます。

　　①　各社の事業年度の範囲

　　②　各社の損金算入額

　　③　分割に伴う各社の申告調整

　　④　合併に伴う各社の申告調整

以下、順番に検討します。

（1）みなし事業年度

　A社は、B社との合併とC社への業務移転により、解散することになります。その

場合、明確にしなければならないのが、「申告における各社の事業年度の範囲等」です。

　法人税法14条に「みなし事業年度」の定めがあり、法人が合併により解散したときは、事業年度開始の日から合併の日の前日までの期間が事業年度とされます（法14①二）。

　　（注）平成21年度までは、分割型分割についても同様に定められていましたが（旧法14①三）、22年度の改正でこの規定は削除されました。

　本ケースの場合、3月31日がA社とB社の合併の日ですから、A社の事業年度（みなし事業年度）はその前日の3月30日までとなります。なお、B社は3月31日に吸収合併でA社の財産を引き継ぎますから、3月31日で終了する当事業年度末の貸借対照表において、その引継ぎ財産が計上されます。

　C社については、新設法人初年度の申告義務があります。その際、C社は3月31日に設立され同日が決算日となっていますから、設立初年度は1日間だけの所得計算を行い申告することになります。ただし、建前上はそうであっても、現実に1日分だけ切り離して決算を行うやり方には無理があります。

　たとえば、減価償却の計算では、資産の使用期間が1日でも1か月扱いとされ（令59②）、年額の12分の1に相当する額を損金算入することが可能で、通常、C社で初年度に課税所得が生じるとは考えられません。したがって、決算日の3月31日までの損益はすべてA社で計上し、3月31日当日分の所得をA社で申告することも、実務上は認められるでしょう。

　したがって、C社の初年度においては、収益・費用とも0で、分割受入れ財産のみ計上した決算書を作成し申告することになります。その際、申告期限の1か月延長届はその事業年度終了の日までに行わねばならず（法75の2③）、時間の制約上それが無理であれば、C社の初年度の申告期限は5月末となります。

（2）期中損金経理額の損金算入等に関する届出

　つぎに、「損金算入」について確認します。

　毎期の決算を行う際、たとえば減価償却費の損金算入は、原則として"事業年度終了時"に有する資産について、損金経理を行うことにより認められます（法31①）。例外として、期中に行われた適格分割等により事業年度終了時に有しない資産についても同様の計算が認められますが、その際は、適格分割等の日以後2か月以内に納税地の所轄税務署長に、「期中損金経理額」等の事項を記載した書類を提出しなければなりません（法31②・③）。

同様の規定は、繰延資産の償却費（法32②・③）、貸倒引当金（法52⑤～⑦）、一括償却資産の損金算入（令133の２②・③）、控除対象外消費税等の損金算入（令139の４⑦・⑧）等に関しても設けられています。

　また、上記とは別に、適格分割等により移転する繰延資産（法32⑤）、一括償却資産（令133の２⑧）、繰延消費税額等（令139の４⑬）の分割承継法人への引継ぎに関する届出の制度も設けられています。なお、以上の届出は、確定申告書の提出期限延長の特例を受けている法人であっても、適格分割等の日以後２か月以内に行わねばなりません。

■（3）会社分割に対する処理

⑴　会社法と法人税法における会社分割の定め

　会社法では、会社分割として「分社型分割」のみを定め、旧商法で規定していた「分割型分割」は、剰余金の配当として規定されています。

　　(注)　分割承継法人の株式を、分割法人自体に交付するのが分社型分割、分割法人の株主に交付するのが分割型分割です。

　そこで、分割型分割を行うときには、分割承継法人（Ｃ社）の株式をいったん分割法人（Ａ社）に交付し、次に、分割法人がその株式を、剰余金の配当として分割法人の株主（Ｙ社）に分配することとなります。

　一方、法人税法では、分割法人が交付を受ける分割承継法人の株式のすべてが分割法人の株主に交付される場合を分割型分割、交付されない場合を分社型分割と規定しています（法２十二の九・十二の十）。

　また、移転する純資産額の計算において、本ケースのように適格分割型分割の場合には、分割の直前の資本金等の額に「移転割合」（移転する純資産額÷純資産の総額）を乗じた金額だけ、分割法人の資本金等が減少し（令８①十五）、さらに、分割により移転する純資産額から引継ぎ資本金等の額を控除した額だけ、分割法人の利益積立金が減少することとされています（令９①十）。

　この規定を本件の分割にあてはめると、具体的な計算は、次のようになります。

〈移転割合〉

　移転する純資産額　　純資産総額
　3,921百万円　÷　9,645百万円　＝　0.4065　→　0.407
　　　　　　　　　　　　　　　　　小数点以下３位未満を四捨五入（令８①十五かっこ書）

〈移転する資本金等の額〉

　　1,000百万円×0.407＝407百万円

〈移転する利益積立金額〉

　　3,921百万円－407百万円＝3,514百万円

(2)　申告調整

　以上の計算の結果、A社では次のような申告調整が必要となります。

〈別表4〉

　資本等取引で所得計算には影響しないので、調整は不要

〈別表5⑴〉

（単位：百万円）

Ⅰ　利 益 積 立 金 額 の 計 算 に 関 す る 明 細 書				
区　　　　分	期 首 現 在利 益 積 立 金 額	当 期 の 増 減		差引翌期首現在利 益 積 立 金 額①－②＋③
		減	増	
	①	②	③	④
各種利益積立金額		3,921		
資 本 金 等 の 額		△407		
差 引 合 計 額　31		3,514		

Ⅱ　資 本 金 等 の 額 の 計 算 に 関 す る 明 細 書				
区　　　　分	期 首 現 在資 本 金 等 の 額	当 期 の 増 減		差引翌期首現在資 本 金 等 の 額①－②＋③
		減	増	
	①	②	③	④
資本金又は出資金　32	円	円	円	円
利 益 積 立 金 額		407		
差 引 合 計 額　36		407		

　（注）移転する純資産額（資本金等407百万円、利益積立金3,514百万円）に対してそれぞれ407

　　　百万円の差額が生じ、これをプラスとマイナスの入り繰り額で計上します。

　また、C社の申告調整は次のように行います。

（単位：百万円）

I 利益積立金額の計算に関する明細書				
区　　分	期首現在利益積立金額 ①	当期の増減 減 ②	当期の増減 増 ③	差引翌期首現在利益積立金額 ①－②＋③ ④
償却超過額等			171	171
資本金等の額			3,343	3,343
差引合計額 31			3,514	3,514

II 資本金等の額の計算に関する明細書				
区　　分	期首現在資本金等の額 ①	当期の増減 減 ②	当期の増減 増 ③	差引翌期首現在資本金等の額 ①－②＋③ ④
資本金又は出資金 32	円	円	円 100	円 100
会社分割差益			3,650	3,650
利益積立金額			△ 3,343	△ 3,343
差引合計額 36			407	407

（注）移転する純資産額（資本金等407百万円、利益積立金3,514百万円）に対してそれぞれ3,343
百万円の差額が生じ、これをプラスとマイナスの入り繰り額で計上します。

（4）合併に対する処理

⑴　資本金等と利益積立金の扱い

　　A社の純資産額は、事業の一部をC社に分割した後、次の金額となっています。

（単位：百万円）

	分割前	分割による移転額	分割後
利益積立金額	8,645	3,514	5,131
資本金等の額	1,000	407	593
合　　計	9,645	3,921	5,724

　税務上、適格合併においては、被合併法人の資本金等の額から増加資本金額を控除
した額が、合併法人の資本金等の額とされ（令8①五）、さらに、被合併法人の合併の
日の前日の属する事業年度終了時の純資産額から、合併により増加した資本金等の額
を控除した額が、合併法人の利益積立金額とされます（令9①二）。

　本ケースでは、合併法人（B社）において資本金額は増加しないので、上記の分割

後の資本金等の額および利益積立金額がそのまま、A社からB社に引き継がれます。なお、従来A社が保有していたB社株式は自己株式となるため、これをマイナスの資本金等として計上することになります（令8①二十一）。

(2)　申告調整

以上の結果、B社では次のような申告調整が必要となります。

〈別表4〉

資本等取引で所得計算には影響しないので、調整は不要

〈別表5(1)〉

（単位：百万円）

Ⅰ　　利益積立金額の計算に関する明細書				
区　　　　　分	期首現在利益積立金額 ①	当　期　の　増　減		差引翌期首現在利益積立金額 ①－②＋③ ④
		減 ②	増 ③	
償却超過額等			550	
自　己　株　式			300	
資　本　金　等　の　額			4,281	
差　引　合　計　額　31			5,131	

Ⅱ　　資本金等の額の計算に関する明細書				
区　　　　　分	期首現在資本金等の額 ①	当　期　の　増　減		差引翌期首現在資本金等の額 ①－②＋③ ④
		減 ②	増 ③	
資本金又は出資金　32	円	円	円	円
合　併　差　益			5,174	
自　己　株　式			△300	
利　益　積　立　金　額			△4,281	
差　引　合　計　額　36			593	

（注）移転する純資産額（資本金等593百万円、利益積立金5,131百万円）に対してそれぞれ4,281百万円の差額が生じ、これをプラスとマイナスの入り繰り額で計上します。

ケース3　完全支配グループ内における支配関係の整理

Z社には、完全支配子会社が6社（A社～F社）あります。そのうち間接支配の4社（C社～F社）については、出資関係が錯綜しており経営面で支障があるため、次

図のように、Ａ社またはＢ社の100％出資に整理・統合することとしました。

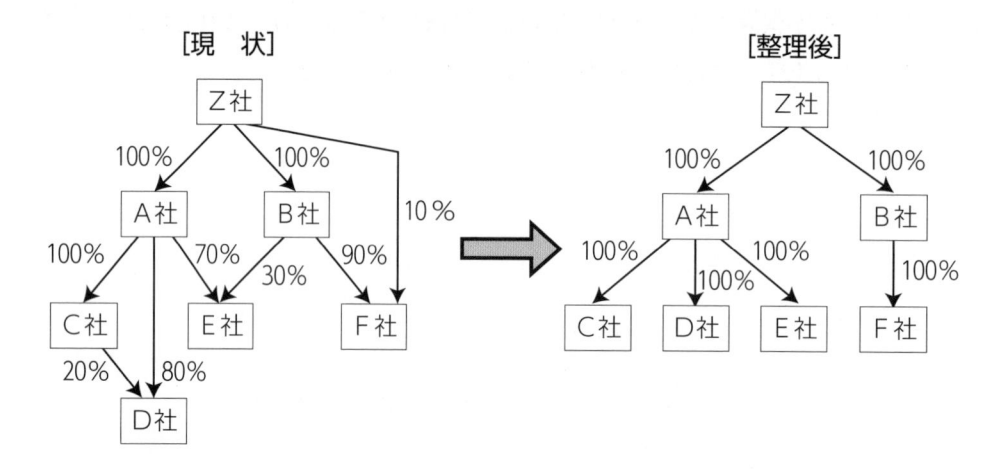

この整理・統合は、具体的には次の手順で行う予定です。

(1)　Ｃ社が保有するＤ社株式（20％）をＡ社に「現物分配」する。

(2)　Ｂ社が保有するＥ社株式（30％）をＡ社に「売却」する。

　　　(1)と(2)によりＡ社が、Ｄ社およびＥ社を直接支配することになります。

(3)　Ｚ社が保有するＦ社株式（10％）をＢ社に「現物出資」する。

　　　これにより、Ｂ社はＦ社を直接支配することになります。

　以上の株式取得・処分につき、各社は次のように経理処理を行います（単位：百万円）。

(1)　Ｄ社株式の現物分配

〈Ｃ社〉

　　（借）繰越利益剰余金　　　180　　（貸）Ｄ　社　株　式　　　180

　　　　（注）『180百万円』は、Ｃ社が保有するＤ社株式の簿価

　　（借）繰越利益剰余金　　　　18　　（貸）利　益　準　備　金　　　18

　　　　（注）剰余金の配当に伴う利益準備金の積立て（配当額の1/10）

〈Ａ社〉

　　（借）Ｄ　社　株　式　　　235　　（貸）Ｃ　社　株　式　　　235

　　　　（注）現物分配を行ったＣ社の株式簿価の一部を減額し、Ｄ社株式の取得価額に付け替えるための仕訳。『235百万円』は、Ａ社が保有するＣ社株式の簿価をＣ社およびＤ社の株主資本額で合理的に按分した金額

(2)　E社株式の売買

〈B社〉

（借）現　金　預　金　　　60　　（貸）E　社　株　式　　　60

　　（注）過年度に減損損失320百万円（別表４で加算）を計上しており、減損後の簿価（＝時価）により譲渡

〈A社〉

（借）E　社　株　式　　　60　　（貸）現　金　預　金　　　60

(3)　F社株式の現物出資

〈Z社〉

（借）B　社　株　式　　　50　　（貸）F　社　株　式　　　50

　　（注）『50百万円』は、Z社が保有するF社株式の簿価

〈B社〉

（借）F　社　株　式　　　50　　（貸）資　　本　　金　　　50

以上一連の経理処理に対して、各社は申告調整をどのように行えばいいでしょうか。

ケースの検討

　本ケースにおける一連の整理・統合は、組織再編税制に関連してきます。ここでは、上記(1)～(3)に即して、株式の現物分配、株式の売買、株式の現物出資についてそれぞれ検討します。

（1）株式の現物分配について

(1)　適格現物分配の取扱い

　法人が株主に対して、剰余金の配当として金銭以外の資産の交付を行うことを「現物分配」といい（法２十二の五の二）、これは資産の譲渡とされるので、原則として帳簿価額と時価の差額に対して課税されます（法62の５①・②）。この課税を避けるためには、税制適格の会社分割を行えばいいのですが、それには手続的・時間的な手間がかかります。そこで、この問題を解決するために、平成22年度の税制改正で「適格現物分配」の取扱いが設けられました。

　すなわち、組織再編税制の一環として、完全支配関係にあるグループ内で行われる適格現物分配（法２十二の十五）については、分配直前の帳簿価額で譲渡したものとし、一方、現物分配を受ける法人側では、そこで生ずる収益を益金に算入しないこととされています（法62の５③・④）。

　適格現物分配は、通常の配当とは異なるので源泉徴収は不要ですが（所法24①かっ

こ書)、受取配当等の益金不算入規定の適用はありません（法23①かっこ書）。本ケースでは、この取扱いを利用することにより、無税でD社をA社の直接支配とすることができます。

　現物分配に対するC社の経理処理は、税務上の取扱いどおり帳簿価額で行っているので、別表4において加減算の必要はなく、スタートの当期利益（1）の社外流出欄に「配当」として180百万円の記載をします。

　また、別表5(1)では、利益準備金（1）および繰越損益金（25）の欄に、それぞれ増減額を仕訳どおりの金額で記入することになります。

［C社の申告調整］

〈別表4〉

区　　　　分		総　　　額	処		分	
			留　　保		社　外　流　出	
		①	②		③	
当期利益又は当期欠損の額	1			配　当	180百万円	
				その他		

〈別表5(1)〉

I　利益積立金額の計算に関する明細書					
区　　　　分		期　首　現　在利益積立金額	当　期　の　増　減		差引翌期首現在利益積立金額①−②+③
			減	増	
		①	②	③	④
利　益　準　備　金	1			18百万円	
繰　越　損　益　金	25		198百万円		

(2)　被現物分配側法人の付替え計算における齟齬

　一方、現物分配を受けたA社の側では、C社株式からD社株式への帳簿価額の付替え処理が必要となります。すなわち本ケースでは、A社において実質的に、D社株式の取得と引き換えに、保有するC社株式の価値減少が生じているからです。そこで会計上は、現物分配を行ったC社の株式簿価から、以下の①から③のうち合理的な方法により算定した額を減額し、同額をD社株式の取得価額とすることとされています

（企業結合会計基準及び事業分離等会計基準に関する適用指針295）。

　①　関連する時価の比率で按分する方法

　②　時価総額の比率で按分する方法

　③　関連する帳簿価額の比率で按分する方法

　以上の取扱いに対して税務上は、あくまでC社で計上していた帳簿価額（180百万円）で配当を受け取ったこととされるので（法62の5④）、会計と税務で仕訳が次のように食い違うことになります（単位：百万円）。

〈会計仕訳〉

　（借）D　社　株　式　　　235　　（貸）C　社　株　式　　　235

〈税務仕訳〉

　（借）D　社　株　式　　　180　　（貸）受　取　配　当　金　　　180

(3)　被現物分配側法人の申告調整

　そこで、A社では次のように申告調整を行います。

［A社の申告調整］

〈別表4〉

区　　　分	総　　額	処　　　　分	
		留　　保	社　外　流　出
	①	②	③
加算　受取配当金計上洩れ	180百万円	180百万円	
減算　適格現物分配に係る益金不算入額　17	180百万円		※　180百万円

〈別表5(1)〉

I　　利益積立金額の計算に関する明細書				
区　　　分	期首現在利益積立金額	当　期　の　増　減		差引翌期首現在利益積立金額　①－②＋③
		減	増	
	①	②	③	④
C　社　株　式			235百万円	235百万円
D　社　株　式			△235百万円　180百万円	△55百万円

　まず、税務仕訳の貸方で計上される収益180百万円を、「受取配当金計上洩れ」として別表4に加算（留保）します。ただし、適格の現物分配は益金不算入（法62の5④）とされるので、同額を減算（社外流出）します。

　つまり、被現物分配法人における別表4の調整は、税務上の配当金額（＝孫会社株

式の簿価）『180百万円』による加算・減算の両建て計上なので、所得金額には影響しません。なお、加算は留保、減算は社外流出とされるので、加算額は別表5(1)において利益積立金の増加として計上します。

　また、保有株式の帳簿価額に関する税務と会計の食い違いを調整するため、会計で計上した「Ｃ社株式の減額」と「Ｄ社株式の増額」を、それぞれ取り消さなければなりません。

　そこで別表5(1)において、付替え額の235百万円をプラスとマイナスの利益積立金で両建て計上、すなわち、Ｃ社株式については引き下げられた簿価を元に戻すためにプラスの利益積立金、Ｄ社株式については取得価額に計上された金額を取り消すためにマイナスの利益積立金を、それぞれ計上します。

　その際、Ｄ社株式については、先の受取配当金計上洩れの加算調整に伴いプラスの利益積立金180百万円が計上されているので、結果的に、差引き55百万円のマイナス利益積立金となります。

　以上の申告調整を仕訳で表現すれば、次のようになります。

〈調整仕訳〉

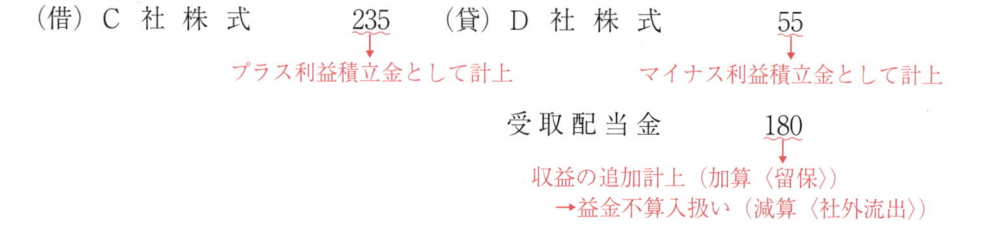

（借）Ｃ 社 株 式　　235　　（貸）Ｄ 社 株 式　　55
　　　　　　　　プラス利益積立金として計上　　　　マイナス利益積立金として計上

　　　　　　　　　　　　受 取 配 当 金　　180
　　　　　　　　　　　　収益の追加計上（加算〈留保〉）
　　　　　　　　　　　　→益金不算入扱い（減算〈社外流出〉）

（2）株式の売買について

　Ｂ社は、Ｅ社株式の売却により、申告調整で過年度に加算処理した、その株式にかかる「減損損失」（320百万円）が認容されます。そこで、別表4でこれを減算（留保）し、別表5(1)において過年度に計上され、当期に繰り越された利益積立金額が減少します。

［B社の申告調整］

〈別表4〉

区　　　　分	総　　額	処　　　　　　分		
		留　　保	社　外　流　出	
	①	②	③	
加算 株式譲渡損失繰延べ	320百万円	320百万円		
減算 株式減損損失認容	320百万円	320百万円		

〈別表5⑴〉

I　利益積立金額の計算に関する明細書				
区　　　分	期　首　現　在 利益積立金額	当　期　の　増　減		差引翌期首現在 利益積立金額 ①－②＋③
		減	増	
	①	②	③	
E社株式評価損	320百万円	320百万円		0
E社株式譲渡損			320百万円	320百万円

II　資本金等の額の計算に関する明細書				
区　　　分	期　首　現　在 資本金等の額	当　期　の　増　減		差引翌期首現在 資本金等の額 ①－②＋③
		減	増	④
	①	②	③	
資本金又は出資金 32	円	円	円 50百万円	円

　一方、この株式売買により、税務上は320百万円の売却損（60百万円－380百万円＝△320百万円）が生じますが、グループ法人税制の適用により、この売却損は繰り延べられます。すなわち、完全支配関係があるグループ法人間において、一定の資産（譲渡損益調整資産）を譲渡したことにより生ずる譲渡損益は、譲受法人側で"譲渡"等の特定の事由が生じるまで、損益計上を繰り延べることとされています（法61の13①）。したがって、譲渡法人（B社）においては、譲渡損失に相当する額を、益金に計上しなければなりません。

　そこで、B社の別表4において320百万円を加算（留保）し、別表5⑴で同額が利益積立金として計上されます。将来、A社がこの株式を売却した時点で、今回の売却損が実現し、B社の別表4において減算（留保）され利益積立金は消滅します。

　なお、今回の株式売買に関し、購入側（A社）では何ら申告調整を要しません。

（3）株式の現物出資について

　本ケースにおける現物出資は、完全支配関係にあるＺ社からＢ社へ金銭等の交付なしで行われたので、Ｆ社株式の引渡しは適格現物出資となり、譲渡損益は繰り延べられます（法62の4①）。両社とも、会計仕訳は税務の取扱いどおり帳簿価額で行っており、申告調整は不要です。なお、Ｂ社における別表5(1)の「資本金等の増減」欄で、資本金50百万円の増加が記載されます。

［一口ゼミ⑬］　組織再編と消費税

　会社法の会社分割による資産の移転は、合併の場合と同様、消費税法上の資産の譲渡等に該当しません。したがって、税制上の適格・非適格を問わず、会社分割は消費税の課税対象外です。

　また、会社分割で取得する不動産に対する不動産取得税も、一定の要件を満たせば非課税とされます。特別土地保有税、自動車取得税も同様です。

　さらに、分割に関する登録免許税は、税制適格・非適格を問わず、合併と同じ水準とされています。会社設立等の商業登記だけでなく、所有権移転等の不動産登記についても同様に措置されています。

第8章

グループ法人税制と別表4・5

1 グループ法人税制の概要

●直接・間接支配による100％企業グループに適用

　企業グループの一体的運営が進展する経済実態に合わせて、平成22年度の改正でグループ法人税制が創設されました。従来からある連結納税制度と違って、この税制は100％企業グループにおいて強制適用されます。

　グループ法人税制の適用対象は、完全支配関係（一の者が発行済株式の全部を所有する関係）にある法人です（法2十二の七の六）。一の者には個人や外国法人も含まれるので、100％親会社・子会社の関係以外に、同一の外国法人の100％子会社である内国法人、同一の個人（同族関係者を含む）によって100％所有されている内国法人も適用対象とされます。

　100％所有に関しては、一の者による直接支配だけでなく、次のように他の者による間接支配（いわゆる孫会社、兄弟会社）のケースも含まれます。

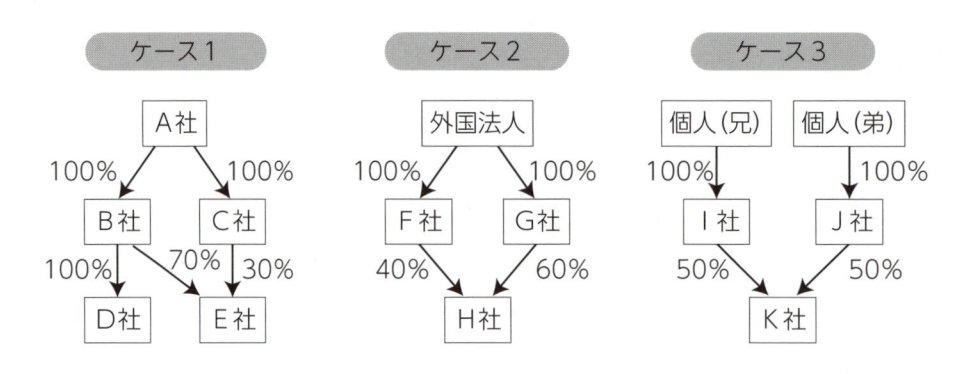

この場合、A社〜E社、F社〜H社、I社〜K社はそれぞれ完全支配関係にあり、すべてグループ法人税制の適用対象となります。

●譲渡損益の繰延べ等の取扱いが適用

この税制には、具体的に次のような取扱いが設けられています。

① 一定の資産を譲渡したことにより生ずる譲渡損益は、特定の事由が生じるまで損益計上が繰り延べられます（法61の13）。

② 寄附金について、支出側で全額損金不算入、受領側は全額益金不算入とされます（法37②・25の2①）。

③ 受取配当金について、負債利子の控除を行わず受取額の全額が益金不算入とされます（法23④）。

④ 株式を発行法人に対して譲渡する場合、譲渡損益を計上しないこととされます（法61の2⑰）。

⑤ 資本金額が5億円以上の大法人の100％子会社（100％グループ内の複数の大法人に発行済株式の全部を保有されている法人を含む）について、中小企業特例（軽減税率等）が適用されません（法66⑥二イ他）。

2 譲渡損益の繰延べ

　A社は、所有土地（簿価3,000万円）を完全支配関係があるB社へ8,000万円（時価）で売却しました。

仕 訳

［A社］

（借）現　　　　金　80,000,000　　（貸）土　　　　　地　30,000,000

　　　　　　　　　　　　　　　　　　　　土 地 売 却 益　50,000,000

［B社］

（借）土　　　　地　80,000,000　　（貸）現　　　　金　80,000,000

申告調整

［A社］

〈別表4〉

区　　　分	総　　額	処　　　　　分	
		留　　保	社 外 流 出
	①	②	③
減算　譲渡損益調整資産 譲渡益の減算調整額	50,000,000	50,000,000	

〈別表5(1)〉

I　利 益 積 立 金 額 の 計 算 に 関 す る 明 細 書				
区　　　分	期 首 現 在 利益積立金額	当 期 の 増 減		差引翌期首現在 利益積立金額 ①－②＋③
		減	増	
	①	②	③	④
譲渡損益調整資産 の 譲 渡 利 益 額			△50,000,000	△50,000,000

［B社］

　調整なし

◉譲受側が譲渡等をするまで譲渡側の損益は繰延べ

　完全支配関係があるグループ法人間において、一定の資産（譲渡損益調整資産）を譲渡したことにより生ずる譲渡損益は、譲受法人側で"譲渡"等の特定の事由が生じるまで損益計上が繰り延べられます。したがって、譲渡法人において譲渡利益または譲渡損失に相当する額を、申告調整により損金または益金に計上することとされています（法61の13①）。

　ここで、規制の対象となる譲渡損益調整資産とは、固定資産、土地等、有価証券、金銭債権および繰延資産をいい、棚卸資産は除かれます。また、固定資産等であっても帳簿価額が1,000万円未満のものも除外されます（令122の14①三）。

3 繰延損益の実現

設 例

2の 設 例 において、B社はA社から8,000万円で購入した土地を、完全支配関係があるC社へ9,000万円（時価）で売却しました。

仕 訳

［B社］

（借）現　　　　　金　90,000,000　　（貸）土　　　　　地　80,000,000

　　　　　　　　　　　　　　　　　　　　土 地 売 却 益　10,000,000

［C社］

（借）土　　　　　地　90,000,000　　（貸）現　　　　　金　90,000,000

申告調整

［A社］

〈別表4〉

区　　　　分	総　　額	処		分	
		留　　保		社 外 流 出	
	①	②		③	
加算 譲渡損益調整資産の減算調整戻入額	50,000,000	50,000,000			

〈別表5⑴〉

I　利益積立金額の計算に関する明細書				
区　　　　分	期 首 現 在利 益 積 立 金 額	当 期 の 増 減		差引翌期首現在利 益 積 立 金 額①－②＋③
		減	増	
	①	②	③	④
譲渡損益調整資産の 譲 渡 利 益 額	△50,000,000	△50,000,000		0

［B社］

〈別表4〉

区　　　　分	総　　額	処　　　　分	
		留　　保	社　外　流　出
	①	②	③
減算 譲渡損益調整資産 譲渡益の減算調整額	10,000,000	10,000,000	

〈別表5(1)〉

I　利益積立金額の計算に関する明細書				
区　　　　分	期　首　現　在 利　益　積　立　金　額	当　期　の　増　減		差引翌期首現在 利益積立金額 ①−②+③
		減	増	
	①	②	③	④
譲渡損益調整資産 の譲渡利益額			△10,000,000	△10,000,000

［C社］

　　調整なし

●譲受側で譲渡等を行ったとき譲渡側の繰延損益が実現

　譲渡損益調整資産を譲り受けた法人において、その資産の譲渡、償却、評価換え、貸倒れ、除却等の事由が生じたとき、譲渡法人（A社）側で譲渡時に繰り延べた譲渡損益につき、一定の計算による金額を益金または損金に戻し入れることになります（法61の13②）。

　なお、対象資産が100％グループ内において再度譲渡された場合、この制度の本来の趣旨からすれば、グループ外に譲渡する時点まで損益計上を繰り延べるのが筋です。しかし、グループ内で転々とする資産の把握は実務的に困難を伴うため、同一資産についてグループ内で2回目の譲渡があったときは、その時点で損益を実現させることとされています（B社でも申告調整が必要）。

　つぎに、転売先のC社がB社と完全支配関係にあるので、**2**の　設例　におけるA社と同様の申告調整（譲渡損益の繰延べ）が、B社において必要となります。1,000万円の譲渡益を損金計上するために別表4で減算し、同額をマイナスの利益積立金として別表5(1)に計上します。

　なお、C社においては何ら申告調整を要しません。

4 減価償却資産の譲渡

D社は、完全支配関係があるE社へ帳簿価額が1,500万円の機械を1,200万円（時価）で売却し、この機械に対してE社は200万円の減価償却を行いました。

仕 訳

［D社］

（借）現 金	12,000,000	（貸）機 械	15,000,000
機 械 売 却 損	3,000,000		

［E社］

（借）機 械	12,000,000	（貸）現 金	12,000,000
減 価 償 却 費	2,000,000	機 械	2,000,000

申告調整

［D社］

〈別表4〉

区　　　　分	総　　額	処　　　　分	
		留　　保	社　外　流　出
	①	②	③
加算　譲渡損益調整資産 譲渡損の加算調整額	3,000,000	3,000,000	
減算　譲渡損益調整資産 の加算調整戻入額	500,000	500,000	

〈別表5(1)〉

I　利益積立金額の計算に関する明細書			
区　　　　分	期 首 現 在 利益積立金額	当 期 の 増 減	差引翌期首現在 利益積立金額 ①－②＋③
		減	増	
	①	②	③	④
譲渡損益調整資産 の 譲 渡 損 失 額		500,000	3,000,000	2,500,000

［E社］

　調整なし

●譲受側の償却により譲渡側の繰延損益が実現

　譲渡損益調整資産が譲受法人において減価償却資産に該当し、償却費が損金に算入された場合には、譲渡法人側で譲渡時に繰り延べた譲渡損益について、次の算式により計算した金額を戻し入れることとされています（令122の14④三）。

$$戻入額 ＝ 譲渡損益調整資産の譲渡損益 \times \frac{償却費損金算入額}{取得価額}$$

$$＝ 300万円 \times \frac{200万円}{1,200万円} ＝ 50万円$$

　なお、減価償却にかかる戻入額の計算については、上記の原則法のほか、次の算式による簡便計算も認められています（令122の14⑥一）。

$$戻入額 ＝ 譲渡損益調整資産の譲渡損益$$

$$\times \frac{譲渡法人の当期の月数（譲渡前の期間を除く）}{減価償却資産の耐用年数 \times 12}$$

5 寄附金

設例 子会社間の寄附

G社は、I社およびJ社の株式をそれぞれ100%保有しており、当期においてI社からJ社へ300万円の寄附が行われました。

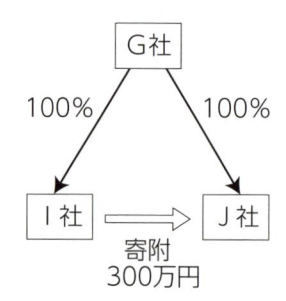

仕訳

［I社］

　（借）寄　附　金　3,000,000　　（貸）現　　　　金　3,000,000

［J社］

　（借）現　　　　金　3,000,000　　（貸）受　贈　益　3,000,000

申告調整

［G社］

〈別表5⑴〉

	I　利益積立金額の計算に関する明細書			
区　　　分	期首現在利益積立金額	当期の増減		差引翌期首現在利益積立金額 ①−②+③
		減	増	
	①	②	③	④
I　社　株　式			△3,000,000	△3,000,000
J　社　株　式			3,000,000	3,000,000

［Ｉ社］

〈別表4〉

区　　　分		総　　額	処		分	
			留　　保		社　外　流　出	
		①	②		③	
加算	寄附金の損金不算入額 （別表十四（二）「24」又は「40」）	27	3,000,000		その他	3,000,000

［Ｊ社］

〈別表4〉

区　　　分		総　　額	処		分	
			留　　保		社　外　流　出	
		①	②		③	
減算	受贈益の益金不算入額	16	3,000,000		※	3,000,000

●**支出側で全額損金不算入、受領側は全額益金不算入**

　100％グループ内における内国法人間の寄附金については、その実態を内部の資金移動ととらえて、支出側で全額損金不算入、受領側は全額益金不算入とされます（法37②・25の2①）。なお、個人により100％保有される法人間の寄附については、相続税や贈与税の潜脱行為に利用されないように、この規定は適用されず通常どおりの扱いとされます。

●**寄附に伴い親会社株式の簿価を修正**

　次に、100％グループ内の寄附に伴って、親会社が保有する株式の「簿価調整」の問題が生じます。すなわち、Ｉ社からＪ社に300万円の寄附が行われたことにより、Ｇ社（親会社）が保有する株式の価値は、Ｉ社分が300万円減少し、Ｊ社分は同額だけ増加するので、両株式の帳簿価額をそれぞれ調整します。

　具体的には、親会社等が有する完全子会社の株式について「寄附修正事由」が生じる場合、次の金額を利益積立金額に加減算し（令9①七）、寄附直前の帳簿価額につきその金額を調整することとされています（令119の3⑥）。

受贈益の額 × 持分割合 － 寄附金の額 × 持分割合

（注）寄附修正事由とは、次のことをいいます。
　　・子会社が他の内国法人から法人税法25条の2第1項の規定の適用のある受贈益を受けた。
　　・子会社が他の内国法人に対して法人税法37条2項の規定の適用のある寄附金を支出した。

親会社から子会社への寄附

P社はQ社の株式を80％保有しており、残りの20％はP社の100％子会社であるR社が保有しています。当期において、P社はQ社へ2,000万円の寄附を行いました。

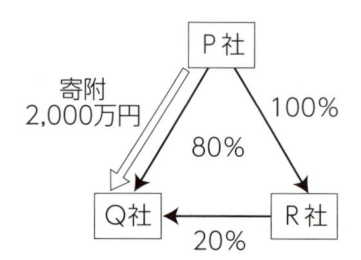

仕 訳

[P社]

（借）寄 附 金 20,000,000 （貸）現 金 20,000,000

[Q社]

（借）現 金 20,000,000 （貸）受 贈 益 20,000,000

申告調整

[P社]

〈別表4〉

区 分		総 額	処	分
			留 保	社 外 流 出
		①	②	③
加算	寄附金の損金不算入額 （別表十四㈢『24』又は『40』） 27	20,000,000		その他 20,000,000

〈別表5(1)〉

I 利 益 積 立 金 額 の 計 算 に 関 す る 明 細 書				
区 分	期 首 現 在 利益積立金額	当 期 の 増 減		差引翌期首現在 利益積立金額 ①－②＋③
		減	増	
	①	②	③	④
Q 社 株 式			16,000,000	16,000,000

（注）2,000万円×80％＝1,600万円の株式簿価修正を行います。この利益積立金額の増加は、所得計算とは連動しません。別表4における加算は社外流出項目であり、その申告調整との直接の関連はありません。

［Q社］

〈別表 4 〉

区　　　分		総　　額	処		分	
			留　　保		社 外 流 出	
		①	②		③	
減算	受贈益の益金不算入額	16	20,000,000		※	20,000,000

［R社］

〈別表 5 (1)〉

I　利 益 積 立 金 額 の 計 算 に 関 す る 明 細 書					
区　　　分	期 首 現 在利 益 積 立 金 額	当 期 の 増 減		差引翌期首現在利 益 積 立 金 額①－②＋③
		減	増	
	①	②	③	④
Q 社 株 式			4,000,000	4,000,000

（注）2,000万円×20％＝400万円の株式簿価修正を行います。

設例3　　**時価と異なる価額での譲渡**

S社は、保有していた土地（簿価5,000万円、時価8,000万円）を、100％出資の子会社T社に対して簿価5,000万円で譲渡しました。

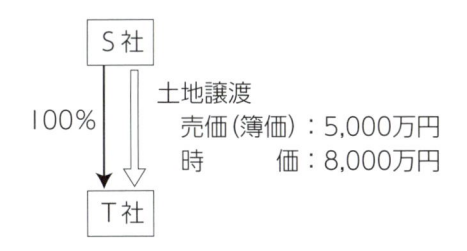

仕訳

〔会計上〕

［S社］

（借）現　　　金　50,000,000　　（貸）土　　　地　50,000,000

［T社］

（借）土　　　地　50,000,000　　（貸）現　　　金　50,000,000

〔税務上〕

[S社]

（借）現　　　　金　50,000,000　　（貸）土　　　　地　50,000,000

　　　　未 収 入 金　30,000,000　　　　　土地売却益　30,000,000

（借）寄　附　金　30,000,000　　（貸）未 収 入 金　30,000,000

[T社]

（借）土　　　　地　80,000,000　　（貸）現　　　　金　50,000,000

　　　　　　　　　　　　　　　　　　　　未　払　金　30,000,000

（借）未　払　金　30,000,000　　（貸）受　贈　益　30,000,000

申告調整

[S社]

〈別表4〉

区　　　分	総　　額	処		分		
	①	留　　保 ②		社 外 流 出 ③		
加算	売却益計上漏れ	30,000,000	① 30,000,000			
	寄附金の損金不算入額（別表十四㈡「24」又は「40」） 27	30,000,000			その他	30,000,000
減算	譲渡損益調整資産譲渡益の減算調整額	30,000,000	② 30,000,000			
	寄 附 金 認 容 額	30,000,000	③ 30,000,000			

〈別表5⑴〉

I　利 益 積 立 金 額 の 計 算 に 関 す る 明 細 書					
区　　　分	期 首 現 在利益積立金額	当 期 の 増 減		差引翌期首現在利益積立金額 ① − ② + ③
		減	増	
	①	②	③	④
未　収　入　金		③ 30,000,000	① 30,000,000	0
譲渡損益調整資産の 譲 渡 利 益 額			②△30,000,000	△30,000,000
T　社　株　式			④ 30,000,000	30,000,000

●譲渡損益の計上漏れ→寄附金の認容→譲渡損益の繰延べ→寄附金の損金不算入

　完全支配関係がある法人間における譲渡損益の繰延計算において、譲渡対価の額は譲渡時の時価とされています（基通12の4−1−1）。したがって、時価8,000万円と

売価（簿価）5,000万円との差額3,000万円を、売却益として別表4で追加計上（加算）したうえで、その譲渡利益を繰り延べるために別表4で減算します。

　また、譲渡対価の額が時価に比して低く、時価との差額が実質的に贈与したと認められる場合、それは寄附金とされます（法37⑧）。そこで、会計上は費用計上していないので別表4において、いったんこれを損金に算入（減算）したうえで、100％グループ内の寄附につき、その全額を損金不算入として加算することになります。

　別表4の留保欄における以上の加減算に関し、別表5(1)で利益積立金の増減が生じます（①〜③）。なお、④（株式簿価修正）については、別表4の申告調整との関連はなく、別表5(1)のみの調整項目です。

［T社］

〈別表4〉

区　　　　分	総　　　額	処　　　分		社　外　流　出
		留　　保		
	①	②		③
加算　受贈益計上洩れ	30,000,000	30,000,000		
減算　受贈益の益金不算入額 16	30,000,000		※	30,000,000

〈別表5(1)〉

I　利　益　積　立　金　額　の　計　算　に　関　す　る　明　細　書				
区　　　　分	期　首　現　在利　益　積　立　金　額	当　期　の　増　減		差引翌期首現在利益積立金額①−②+③
		減	増	
	①	②	③	④
土　　　　地			30,000,000	30,000,000

●受贈益を加算したうえで減算

　S社における寄附金3,000万円は、T社において受贈益として認識されます（法22②）。会計上はこれを収益計上していないので、いったんこれを益金に算入（加算）したうえで、100％グループ内の寄附につき、受贈額の全額を益金不算入として減算することになります。

　また、土地の取得価額（税務上）は8,000万円なので、支払額5,000万円との差額3,000万円を、利益積立金として別表5(1)に計上します。この処理を行うことにより、T社が将来この土地を売却する際の税務上の譲渡原価は8,000万円となります。

6 自己株式の譲渡

　手持ちの株式1万株（1株あたり帳簿価額900円）を、完全支配関係がある発行会社に1株あたり2,000円で売却しました。売却時の発行会社の純資産額は、資本金5,000万円（1株あたり500円）、利益積立金15,000万円（1株あたり1,500円）です。

仕 訳

〔会計上〕

　（借）現　金　預　金　20,000,000　　（貸）有　価　証　券　　9,000,000
　　　　　　　　　　　　　　　　　　　　　　　有価証券売却益　11,000,000

〔税務上〕

　（借）現　金　預　金　20,000,000　　（貸）有　価　証　券　　9,000,000
　　　　資　本　金　等　　4,000,000 [注2]　　受　取　配　当　金　15,000,000 [注1]

　　　（注1）みなし配当額の計算

　　　　　　　2,000円−500円＝1,500円

　　　　　　　1,500円×10,000株＝15,000,000円

　　　（注2）売却損益の計算

　　　　　　　500円−900円＝△400円

　　　　　　　△400円×10,000株＝△4,000,000円

　　　（注3）みなし配当に対する所得税の源泉徴収は考慮外とします。

〔調整仕訳〕

　税務と会計の食い違いを調整するため、次のような仕訳を考えることとします。

　（借）有価証券売却益　11,000,000　　（貸）受　取　配　当　金　15,000,000
　　　　資　本　金　等　　4,000,000

申告調整

〈別表4〉

区　　　分	総　　額	処　　　分		
		留　保	社　外　流　出	
	①	②	③	
加算 みなし配当	15,000,000	15,000,000		
減算 受取配当等の益金不算入額 （別表八㈠「5」） 14	15,000,000		※	15,000,000
有価証券売却益否認	11,000,000	11,000,000		

〈別表5⑴〉

Ⅰ　利益積立金額の計算に関する明細書				
区　　分	期首現在 利益積立金額	当期の増減		差引翌期首現在 利益積立金額 ①−②+③
		減	増	
	①	②	③	④
資本金等の額		11,000,000	15,000,000	4,000,000

Ⅱ　資本金等の額の計算に関する明細書				
区　　分	期首現在 資本金等の額	当期の増減		差引翌期首現在 資本金等の額 ①−②+③
		減	増	
	①	②	③	④
利益積立金額			△4,000,000	△4,000,000

●100％グループ内での自己株式の譲渡損益は計上しない

　完全支配関係にある他の内国法人の株式を所有していた法人が、その株式を発行法人に対して譲渡する場合には、譲渡対価を譲渡原価相当額とすることにより、譲渡損益を計上しないこととされています（法61の2⑰）。そこで、有価証券売却損400万円は別表4で加算することになります。上記の申告調整では両建て方式により、利益積立金の払戻し額（みなし配当）1,500万円を加算し、収益計上した有価証券売却益1,100万円を減算しています。

　なお、別表5⑴においてこの400万円は、資本金等の額から減算されるので、結果的に利益積立金と資本金等の間で同額の入り繰りが生じます。

●100％グループ内の受取配当は負債利子の控除を行わず全額が益金不算入

　また、みなし配当の益金不算入制度を利用した租税回避行為を規制するため、平成22年度の改正で、自己株式として取得されることを予定して取得した株式については、

みなし配当にかかる益金不算入を認めないこととされました（法23③）。その際、100％グループ内での自己株式の譲渡については、上記のように譲渡損益を計上しない（租税回避ができない）仕組みとなっているため、通常どおり益金不算入の適用が認められます。したがって、受取配当金について負債利子の控除を行わず、受取額の全額が益金不算入とされます（法23④）。

（注）自己株式を取得した側の処理については、第7章・**4**を参照のこと。

第9章

会計基準と
別表4・5

1 税効果会計を適用した場合

　本節では、第2章で登場した阪神産業株式会社が税効果会計を適用している場合、決算書および申告書がどのように変化するかを検討します。

1　決算書の比較

◉決算書の数値が変わる

　税効果会計を適用した結果、決算書は【50ページ】のものと比べて、【次ページ】以下のように変わります。

貸 借 対 照 表

（令和 7 年 3 月31日現在）

阪神産業 株式会社 （単位：円）

科　目	金　額	科　目	金　額
（資 産 の 部）		（負 債 の 部）	
流 動 資 産	7,571,311,952	流 動 負 債	4,669,239,571
現 金 預 金	874,456,649	支 払 手 形	715,594,381
受 取 手 形	297,990,910	買 掛 金	261,416,797
売 掛 金	3,907,300,650	短 期 借 入 金	1,568,000,000
製 品 及 び 商 品	597,898,380	1 年以内返済予定長期借入金	620,800,000
仕 掛 品	917,956,958	未 払 金	801,203,261
原 材 料	312,686,714	未 払 法 人 税 等	299,950,800
貯 蔵 品	59,391,533	未 払 消 費 税 等	65,084,200
そ の 他	619,216,138	未 払 費 用	125,135,453
貸 倒 引 当 金	△ 15,585,980	預 り 金	82,309,329
固 定 資 産	10,165,998,884	賞 与 引 当 金	37,139,940
有 形 固 定 資 産	7,712,129,229	返 品 調 整 引 当 金	25,555,198
建 物	2,987,570,803	販 売 促 進 費 引 当 金	37,800,000
構 築 物	391,033,257	そ の 他	29,250,212
機 械 装 置	3,006,226,635	固 定 負 債	3,385,450,405
車 両 運 搬 具	10,767,440	長 期 借 入 金	2,210,400,000
工 具 器 具 備 品	456,422,923	退 職 給 付 引 当 金	885,290,157
土 地	812,000,871	役 員 退 職 慰 労 引 当 金	232,975,000
建 設 仮 勘 定	48,107,300	繰 延 税 金 負 債	56,785,248
無 形 固 定 資 産	12,403,661	負 債 合 計	8,054,689,976
投 資 そ の 他 の 資 産	2,441,465,994		
投 資 有 価 証 券	438,364,025	（純 資 産 の 部）	
子 会 社 株 式	373,128,194	株 主 資 本	9,682,620,860
出 資 金	11,500,000	資 本 金	500,000,000
差 入 保 証 金	197,604,868	資 本 剰 余 金	184,000,000
長 期 貸 付 金	870,000,000	資 本 準 備 金	184,000,000
長 期 前 払 費 用	23,944,950	利 益 剰 余 金	8,998,620,860
繰 延 税 金 資 産	378,962,636	利 益 準 備 金	125,000,000
そ の 他	152,564,671	特 別 償 却 準 備 金	45,301,650
貸 倒 引 当 金	△ 4,603,350	資 産 圧 縮 積 立 金	88,852,068
		別 途 積 立 金	6,962,000,000
		繰 越 利 益 剰 余 金	1,777,467,142
		純 資 産 合 計	9,682,620,860
資 産 合 計	17,737,310,836	負 債 及 び 純 資 産 合 計	17,737,310,836

〈貸借対照表の変更点〉

① 税効果会計に特有の勘定科目が登場しました。

「繰延税金資産」（固定資産）　　378,962,636円

「繰延税金負債」（固定負債）　　56,785,248円

（注）正式の会計基準では、資産と負債を相殺し純額表示しますが、ここでは税効果仕訳および申告書とのつながりが分かり易いように、両建て表示しています。

② 税務上の準備金の金額が変わりました。

「特別償却準備金」　　64,477,156円　➡　45,301,650円

「資産圧縮積立金」　126,461,810円　➡　88,852,068円

③ 繰越利益剰余金の金額が変わりました。

1,398,504,506円　➡　1,777,467,142円

損 益 計 算 書

（自令和 6 年 4 月 1 日　至令和 7 年 3 月31日）

阪神産業 株式会社　　　　　　　　　　　　　　　　（単位：円）

科目		
売　　上　　高		18,736,671,878
売　　上　　原　　価		12,815,623,851
売 上 総 利 益		5,921,048,027
販 売 費 及 び 一 般 管 理 費		4,107,093,533
営 業 利 益		1,813,954,494
営 業 外 収 益		
受 取 利 息 及 び 配 当 金	19,272,663	
賃 貸 料 収 入	92,706,684	
雑 収 入	39,249,314	151,228,661
営 業 外 費 用		
支 払 利 息	81,155,675	
雑 損 失	47,202,286	128,357,961
経 常 利 益		1,836,825,194
税 引 前 当 期 純 利 益		1,836,825,194
法 人 税、住 民 税 及 び 事 業 税		575,040,807
法 人 税 等 調 整 額		△ 9,792,966
当 期 純 利 益		1,271,577,353

〈損益計算書の変更点〉

① 税効果会計に特有の勘定科目が登場しました。

「法人税等調整額」　　9,792,966円

② 当期純利益の金額が変わりました。

1,261,784,387円 ➡ 1,271,577,353円

※ 税引前当期純利益までの計算は変わりません。①を収益計上した結果、その金額分だけ最終利益が増加します。

株 主 資 本 等 変 動 計 算 書

（自令和 6 年 4 月 1 日　至令和 7 年 3 月31日）

阪神産業 株式会社　　　　　　　　　　　　　　　　　　　　　　　　　（単位：円）

	株　　主　　資　　本				
	資　本　金	資本剰余金	利　益　剰　余　金		
		資本準備金	利益準備金	特別償却準備金	資産圧縮積立金
前 期 末 残 高	500,000,000	184,000,000	125,000,000	59,719,666	88,060,247
当 期 変 動 額					
剰 余 金 の 配 当					
剰 余 金 の 取 崩				△ 19,453,280	△ 5,308,855
剰 余 金 の 積 立				5,035,264	6,100,676
当 期 純 利 益					
当 期 変 動 額 合 計	0	0	0	△ 14,418,016	791,821
当 期 末 残 高	500,000,000	184,000,000	125,000,000	45,301,650	88,852,068

	株　　主　　資　　本			純資産合計
	利　益　剰　余　金		株主資本合計	
	別途積立金	繰越利益剰余金		
前 期 末 残 高	6,262,000,000	1,272,263,594	8,491,043,507	8,491,043,507
当 期 変 動 額				
剰 余 金 の 配 当		△ 80,000,000	△ 80,000,0000	△ 80,000,0000
剰 余 金 の 取 崩		24,762,135	0	0
剰 余 金 の 積 立	700,000,000	△ 711,135,940	0	0
当 期 純 利 益		1,271,577,353	1,271,577,353	1,271,577,353
当 期 変 動 額 合 計	700,000,000	505,203,548	1,191,577,353	1,191,577,353
当 期 末 残 高	6,962,000,000	1,777,467,142	9,682,620,860	9,682,620,860

〈株主資本等変動計算書の変更点〉

①　前期末残高の金額が変わりました。

特別償却準備金：　84,998,101円 ➡ 　59,719,666円

資産圧縮積立金：125,334,824円 ➡ 　88,060,247円

繰越利益剰余金：897,326,160円 ➡ 1,272,263,594円

②　税務上の準備金の取崩額と積立額が変わりました。

「特別償却準備金」

取崩額：27,687,561円 ➡ 19,453,280円

積立額：　7,166,616円 ➡ 　5,035,264円

「資産圧縮積立金」

取崩額：　7,556,014円 ➡ 　5,308,855円

積立額：　8,683,000円 ➡ 　6,100,676円

※ それぞれ、税効果適用前の金額に70.26％を乗じた額です。つまり、税効果
（29.74％）の部分は別に負債として計上されるので、利益剰余金としての取崩
額および積立額は、残りの70.26％相当額となります。

◉税効果会計で自己資本が増加

注目すべきは、当期純利益と繰越利益剰余金の金額が増加している点です。とくに後者は大幅に増加し、その結果、貸借対照表における純資産額が、適用前に9,360百万円であったものが、適用後は9,682百万円と322百万円も増加しています。

税効果会計を適用すると、一般に自己資本が増加します。そういう意味では、税効果会計には"利益捻出効果"があるといえます。

2　税効果会計とは

◉損益計算書で合理的な税負担割合を示す

税効果会計とは、適正な期間損益計算の観点から、法人税等の額を税引前当期純利益に合理的に対応させるための会計です。つまり、この会計を行うことで損益計算書上、税引前当期純利益に対する法人税等の割合を"実効税率"で表示することができます。

阪神産業㈱の場合、税効果会計を適用しないときの税金負担割合は、次の計算により31.31％となっていました。

575,040千円（法人税等）÷1,836,825千円（税引前当期純利益）≒31.31％

実効税率は、次の計算により29.74％ですから、同社の場合、1.57％高い割合となっています。

（法人税率＋住民税率＋事業税率）÷（1＋事業税率）

$$= （23.2％＋23.2％×17.3％＋3.6％）÷（1＋3.6％）$$

$$≒ 29.74％$$

（注）法人税の基本税率は23.2％、住民税と事業税の標準税率は、地方法人税および地方法人特別税を含めて、それぞれ17.3％と3.6％とされています。

◉税金負担割合を実効税率に直す

31.31％の税率を実効税率（29.74％）に修正するため税効果会計を適用しますが、そもそも、このように税率が食い違う原因は、損益計上に関する税務と会計の取扱いの違いにあります。たとえば、当期に費用で計上してもそれが損金に算入されないとき、その分課税所得が過大となって納税額がふくらむ、といった具合です。

◉食い違い項目に関する会計上と税務上の分類

収益と益金、費用と損金の食い違い項目を、税効果会計では次のように分類します。

一時差異 ┤ 将来減算一時差異
　　　　　└ 将来加算一時差異
永久差異

　これを税務用語で分類し直せば、次のようになります。

$$\left\{ \begin{array}{l} 留保項目 \left\{ \begin{array}{l} 加算項目 \\ 減算項目 \end{array} \right. \\ 社外流出項目 \end{array} \right.$$

　食い違い項目（申告調整項目）のうち税効果会計の対象となるのは、原則として「一時差異」（留保項目）だけです。「永久差異」（社外流出項目）は対象としません。

●将来の所得計算に影響するかどうかの違い

　両者の違いは、申告調整で加算または減算したものが、翌期以降に認容（減算または加算）されるかどうかです。受取配当等の益金不算入や交際費の損金不算入など社外流出項目は、その期に加減算を行うだけで、将来の所得計算には影響しません。

　一方、減価償却費や引当金の限度超過額、貸倒損失の損金不算入などの留保項目は、条件が整えば翌期以降に加減算が生じます。将来の加減算に備えて調整計算を行う、それが税効果会計です。

　一時差異はさらに、当期において加算し将来減算される見込みのもの（将来減算一時差異）と、当期に減算し将来加算されるもの（将来加算一時差異）に分類されます。

●永久差異相当額を調整して税率を計算

　阪神産業㈱の場合、税効果適用後の損益計算書で税金負担割合を計算すると、次のようになります。

　　　575,040千円（法人税等）－9,792千円（法人税等調整額）＝565,248千円

　　　565,248千円（調整後法人税等）÷1,836,825千円（税引前当期純利益）≒30.77％

　これでも、実効税率（29.74％）と比べるとまだまだ高い水準ですが、それは同社の場合、税効果の対象とならない永久差異（社外流出項目）が、次のように多額にあるためです（**【52ページ】**参照）。

　　　・役員給与の損金不算入額　　　　16,500,000円
　　　・交際費等の損金不算入額　　　　 3,930,206円
　　　・受取配当等の益金不算入額　　△ 13,402,016円
　　　・寄附金の損金不算入額　　　　　 1,548,940円
　　　・控 除 所 得 税 額　　　　　　 2,951,607円
　　　・住 民 税 均 等 割　　　　　　　 740,000円

　上記の永久差異については、主要な内容を決算書に注記することとされています（財務諸表等規則8条の12第2号）。

税 効 果 計

区　　　分	期　　　首		当　期　中
	利益積立金	税効果	減　少
	①	①×29.74%（Ⓐ）	②
賞　与　引　当　金	39,196,632		39,196,632
貸　倒　引　当　金	19,142,700		19,142,700
販 売 促 進 費 引 当 金	35,600,000		35,600,000
一　括　償　却　資　産	2,324,760		1,563,730
福 利 厚 生 会 残 高	3,100,285		3,100,285
未　払　事　業　税	52,593,900		52,593,900
退 職 給 付 引 当 金	887,019,266		68,861,500
役員退職慰労引当金	209,325,000		0
繰延資産償却超過額	5,930,104		1,959,762
減 価 償 却 超 過 額	6,485,019		1,694,352
資　産　合　計	1,260,717,666	374,937,434	223,712,861
特別償却準備金認容	△ 84,998,101		△ 27,687,561
資産圧縮積立金認容	△ 125,334,824		△ 7,556,014
負　債　合　計	△ 210,332,925	△ 62,553,012	△ 35,243,575
合　　　　計	1,050,384,741	312,384,422	188,469,286

算　表

の　増　減	期　　末		税効果増減額
増　加	利益積立金	税効果	
③	①－②＋③＝④	④×29.74％（Ⓑ）	Ⓑ－Ⓐ
37,139,940	37,139,940		
20,189,330	20,189,330		
37,800,000	37,800,000		
1,771,420	2,532,450		
2,537,803	2,537,803		
49,744,800	49,744,800		
64,414,210	882,571,976		
23,650,000	232,975,000		
0	3,970,342		
0	4,790,667		
237,247,503	1,274,252,308	378,962,636	ⓐ 4,025,202
△ 7,166,616	△ 64,477,156		
△ 8,683,000	△ 126,461,810		
△ 15,849,616	△ 190,938,966	△ 56,785,248	ⓑ 5,767,764
221,397,887	1,083,313,342	322,177,388	ⓒ 9,792,966

3 税効果計算表

●別表5⑴から該当項目を抜き出して作成

税効果会計を行う際、一般に【前ページ】のような様式の計算表を作成します。税効果を適用するのは、主として利益積立金のうちの"税務否認項目"ですから、実務上、この表は別表5⑴から該当項目を抜き出して作成します（【次ページ】の図表13参照）。

●未払事業税も税効果の適用対象

なお、税金関連項目である「納税充当金」のうち"未払事業税"は、一時差異となります。期末に未払い計上された事業税は、税務の取扱いでは損金に算入されず、翌期に認容（減算）されます。したがって将来減算一時差異項目となり、税効果の適用対象となります。

　（注）法人税と住民税は永久に損金算入されないので、永久差異項目です。

●期中増減額に対する税効果相当額により仕訳

税効果計算表において、期首と期末の残高に実効税率（29.74％）をかけて「税効果」の金額を算定します。そして、資産と負債の別に、当期中の差引き増減額に対する税効果相当額を使って、次のように仕訳します。

仕訳1

　（借）繰 延 税 金 資 産　ⓐ　4,025,202　　（貸）法 人 税 等 調 整 額　ⓒ　9,792,966
　　　　繰 延 税 金 負 債　ⓑ　5,767,764

　（注）ⓐ〜ⓒの記号は、税効果計算表との関連を示しています。

●当期分納税額の一部取消し

当期において、賞与引当金などの税務否認項目が増加しました。ということは、その金額分だけ別表4で所得が増加し、それに対する税率分だけ当期の納税額がふくらみます。ところが、これらの否認額は翌期以降にいずれ認容されます。そうするとその年度の課税所得は減少し、その分還付（またはその期の納税額の減少）が起こります。

そこで上記の仕訳では、否認額の純増額に対する税金相当額（上記仕訳のⓒ）を、当期の損益計算書で収益として計上します。これは、当期分として実際に納付する税額の減少を意味します。

〈図表13　税務果計算表の作成基礎〉

利益積立金額及び資本金等の額の計算に関する明細書

| 事業年度 | 6・4・1　7・3・31 | 法人名 | 阪神産業株式会社 | 別表五(一) |

Ⅰ　利益積立金額の計算に関する明細書

区　分		期首現在利益積立金額 ①	当期の増減 減 ②	当期の増減 増 ③	差引翌期首現在利益積立金額 ①－②+③ ④
利　益　準　備　金	1	125,000,000円	円	円	125,000,000円
別　途　積　立　金	2	6,262,000,000		700,000,000	6,962,000,000
特　別　償　却　準　備　金	3	84,998,101	27,687,561	7,166,616	64,477,156
特別償却準備金認容額	4	△84,998,101	△27,687,561	△7,166,616	△64,477,156
資　産　圧　縮　積　立　金	5	125,334,824	7,556,014	8,683,000	126,461,810
資産圧縮積立金認容額	6	△125,334,824	△7,556,014	△8,683,000	△126,461,810
退　職　給　付　引　当　金	7	887,019,266	68,861,500	64,414,210	882,571,976
役員退職慰労引当金	8	209,325,000		23,650,000	232,975,000
賞　与　引　当　金	9	39,196,632	39,196,632	37,139,940	37,139,940
貸　倒　引　当　金	10	19,142,700	19,142,700	20,189,330	20,189,330
一　括　償　却　資　産	11	2,324,760	1,563,730	1,771,420	2,532,450
繰　延　資　産　償　却　超　過　額	12	5,930,104	1,959,762		3,970,342
減　価　償　却　超　過　額	13	6,485,019	1,694,352		4,790,667
販　売　促　進　費　引　当　金	14	35,600,000	35,600,000	37,800,000	37,800,000
福　利　厚　生　会　残　高	15	3,100,285	3,100,285	2,537,803	2,537,803
	16				
	17				
	18				
	19				
	20				
	21				
	22				
内．未　払　事　業　税	23	52,593,900	52,593,900	49,744,800	49,744,800
	24				
繰　越　損　益　金（損　は　赤）	25	897,326,160		501,178,346	1,398,504,506
納　税　充　当　金	26	313,250,600	313,250,600	299,950,800	299,950,800
未納法人税等 未納法人税及び未納地方法人税（附帯税を除く。）	27	△238,097,600	△470,151,400	中間 △232,053,800　確定 △228,177,900	△228,177,900
未払通算税効果額（附帯税の額に係る部分の金額を除く。）	28			中間　確定	
未納道府県民税（均等割を含む。）	29	△ 4,401,300	△ 8,604,700	中間 △ 4,203,400　確定 △ 4,455,200	△ 4,455,200
未納市町村民税（均等割を含む。）	30	△ 18,157,800	△ 35,499,100	中間 △ 17,341,300　確定 △ 17,572,900	△ 17,572,900
差　引　合　計　額	31	8,545,043,826	△29,885,639	1,184,827,349	9,759,756,814

Ⅱ　資本金等の額の計算に関する明細書

区　分		期首現在資本金等の額 ①	当期の増減 減 ②	当期の増減 増 ③	差引翌期首現在資本金等の額 ①－②+③ ④
資　本　金　又　は　出　資　金	32	500,000,000円	円	円	500,000,000円
資　本　準　備　金	33	184,000,000			184,000,000
	34				
	35				
差　引　合　計　額	36	684,000,000			684,000,000

<損 益 計 算 書>

⋮	⋮
税 引 前 当 期 純 利 益	1,836,825,194
法人税、住民税及び事業税	575,040,807 ← 当期分の実際納付税額
法 人 税 等 調 整 額	△ 9,792,966 ← 将来の還付予定額
当 期 純 利 益	1,271,577,353

●還付予定額を資産計上

上記 [仕訳 1] における "繰延税金資産" は、将来の還付予定額を資産として計上しているものです。なお、"繰延税金負債" は、特別償却準備金等に基づくもので、税の恩典により課税が繰り延べられているものに対し将来納税が生ずることから、その納税債務を負債として計上するための科目です。

4 適用初年度の処理

●税効果の適用初年度は別の処理

以上、従来から税効果会計を適用していたケースで説明しましたが、当期に初めて適用する場合には、さらに考慮すべきことがあります。それは、前期末すなわち当期首現在の食い違い項目の繰越高に関して、税効果を考えなければならないという点です。それを考慮しないと、繰延税金資産等の期末残高がおかしくなります。

そこで、当期が税効果会計の適用初年度である場合は、次のように仕訳します。

[仕訳 2]

(借) 繰 延 税 金 資 産 Ⓐ 378,962,636 (貸) 繰 延 税 金 負 債 Ⓑ 56,785,248

法人税等調整額 Ⓒ 322,177,388

(注) Ⓐ～Ⓒの記号は、税効果計算表(【326ページ】)との関連を示しています。

●過年度分の税効果を含めて当期に計上

上記の仕訳では、期末時点での食い違い額(利益積立金額)に実効税率をかけた税効果の金額(ⒶとⒷ)につき、相手勘定を当期の収益(法人税等調整額)として資産および負債に計上しています。

この処理に関して会計理論上、当期中の増減額を除いた金額は、過年度分の税効果なので当期の損益計算に計上せず、株主資本等変動計算書において繰越利益剰余金の増減額として計上する、という考え方もあります。しかし、現行の制度会計では「過年度遡及会計基準」において、このような場合には当期の期間損益に計上し、遡及修

正は行わないこととされています。

◉準備金に対する税効果相当額を資本から負債に振替え

　さらに、阪神産業㈱のように税務上の準備金を剰余金処分で設定している場合には、税効果会計の適用初年度において、もう一つ仕訳が必要となります。それは、特別償却準備金等に対して税効果を適用することにより、その残高に対する実効税率分だけ"繰延税金負債"が計上され、その分、準備金自体の金額が減少することに関する仕訳です。

　税効果を適用しないときは、全額が利益剰余金として純資産の部に計上されていました。ところが、税効果会計の導入により実効税率相当額は負債として計上されます。

　繰延税金負債を計上する処理は、 仕訳2 に含めて行いました。そこで、特別償却準備金等の金額を減少させるために、次の仕訳を行います。

仕訳3

　　（借）特別償却準備金　Ⓓ　25,278,435　　（貸）繰越利益剰余金　Ⓕ　62,553,012
　　　　　資産圧縮積立金　Ⓔ　37,274,577

　　　　（注）Ⓓ～Ⓕの記号は、【次ページ】の税効果計算表（適用初年度）との関連を示しています。

　 仕訳2 と 仕訳3 の処理を行った結果、損益計算書と株主資本等変動計算書は【328・329ページ】以下のように変わります。

税　効　果　計

区　　　分	期　　首	
	利益積立金	税効果
	①	①×29.74%
賞　与　引　当　金	39,196,632	
貸　倒　引　当　金	19,142,700	
販 売 促 進 費 引 当 金	35,600,000	
一　括　償　却　資　産	2,324,760	
福 利 厚 生 会 残 高	3,100,285	
未　払　事　業　税	52,593,900	
退 職 給 付 引 当 金	887,019,266	
役員退職慰労引当金	209,325,000	
繰延資産償却超過額	5,930,104	
減 価 償 却 超 過 額	6,485,019	
資　産　合　計	1,260,717,666	374,937,434
特別償却準備金認容	△ 84,998,101　Ⓓ	△ 25,278,435
資産圧縮積立金認容	△ 125,334,824　Ⓔ	△ 37,274,577
負　債　合　計	△ 210,332,925　Ⓕ	△ 62,553,012
合　　　計	1,050,384,741	312,384,422

算　表　（適用初年度）

当　期　中　の　増　減		期　　末	
減　少	増　加	利益積立金	税効果
②	③	①－②＋③＝④	④×29.74％
39,196,632	37,139,940	37,139,940	
19,142,700	20,189,330	20,189,330	
35,600,000	37,800,000	37,800,000	
1,563,730	1,771,420	2,532,450	
3,100,285	2,537,803	2,537,803	
52,593,900	49,744,800	49,744,800	
68,861,500	64,414,210	882,571,976	
0	23,650,000	232,975,000	
1,959,762	0	3,970,342	
1,694,352	0	4,790,667	
223,712,861	237,247,503	1,274,252,308 Ⓐ	378,962,636
△ 27,687,561	△ 7,166,616	△ 64,477,156	△ 19,175,506
△ 7,556,014	△ 8,683,000	△ 126,461,810	△ 37,609,742
△ 35,243,575	△ 15,849,616	△ 190,938,966 Ⓑ	△ 56,785,248
188,469,286	221,397,887	1,083,313,342 Ⓒ	322,177,388

損 益 計 算 書

（自令和 6 年 4 月 1 日　至令和 7 年 3 月31日）

阪神産業 株式会社　　　　　　　　　　　　　　　　　（単位：円）

売　　上　　高		18,736,671,878
売　上　原　価		12,815,623,851
売 上 総 利 益		5,921,048,027
販 売 費 及 び 一 般 管 理 費		4,107,093,533
営 業 利 益		1,813,954,494
営 業 外 収 益		
受 取 利 息 及 び 配 当 金	19,272,663	
賃 貸 料 収 入	92,706,684	
雑 収 入	39,249,314	151,228,661
営 業 外 費 用		
支 払 利 息	81,155,675	
雑 損 失	47,202,286	128,357,961
経 常 利 益		1,836,825,194
税 引 前 当 期 純 利 益		1,836,825,194
法人税、住民税及び事業税		575,040,807
法 人 税 等 調 整 額		△ 322,177,388
当 期 純 利 益		1,583,961,775

（税効果適用初年度）

株 主 資 本 等 変 動 計 算 書
（自令和6年4月1日　至令和7年3月31日）

阪神産業 株式会社 （単位：円）

	株　主　資　本				
	資　本　金	資本剰余金	利　益　剰　余　金		
		資本準備金	利益準備金	特別償却準備金	資産圧縮積立金
前 期 末 残 高	500,000,000	184,000,000	125,000,000	84,998,101	125,334,824
当 期 変 動 額					
剰余金の配当					
剰余金の取崩				△ 44,731,715	△ 42,583,432
剰余金の積立				5,035,264	6,100,676
当 期 純 利 益					
当期変動額合計	0	0	0	△ 39,696,451	△ 36,482,756
当 期 末 残 高	500,000,000	184,000,000	125,000,000	45,301,650	88,852,068

	株　主　資　本			純資産合計
	利　益　剰　余　金		株主資本合計	
	別途積立金	繰越利益剰余金		
前 期 末 残 高	6,262,000,000	897,326,160	8,178,659,085	8,178,659,085
当 期 変 動 額				
剰余金の配当		△ 80,000,000	△ 80,000,0000	△ 80,000,0000
剰余金の取崩		87,717,853	0	0
剰余金の積立	700,000,000	△ 711,538,646	0	0
当 期 純 利 益		1,583,961,775	1,583,961,775	1,583,961,775
当期変動額合計	700,000,000	880,140,982	1,503,961,775	1,503,961,775
当 期 末 残 高	6,962,000,000	1,777,467,142	9,682,620,860	9,682,620,860

5　税効果会計適用後の別表4・5

（1）別表4の変化

●所得金額は変わらない

税効果会計を適用すると、別表4は【次ページ】以下のようになります。

> （注）　以下、初年度ではなく従来から税効果会計を適用している場合の別表4について説明します。

適用前の別表4（【52・53ページ】参照）と比べて、次の箇所が変わっています。

①　「当期利益」が変わりました。

　　　1,261,784,387円　➡　1,271,577,353円

ただし、「所得金額」は1,810,046,225円で変わりません。

②　減算欄に2行追加されました。

　　　「繰延税金資産損金算入額」　　　4,025,202円

　　　「繰延税金負債益金不算入額」　　5,767,764円

●当期利益の増加額と同額を減算

税効果の仕訳を追加したことで、損益計算書の当期純利益が変化し、それによって別表4のスタートの数字も変わりました。税効果適用前と比べて、9,792,966円増加していますが、それは次の仕訳によるものです（先の　仕訳1　）。

　　（借）繰延税金資産　　4,025,202　　　（貸）法人税等調整　　　9,792,966
　　　　　繰延税金負債　　5,767,764

借方は資産ないし負債の科目で、貸方が損益計算書に収益として計上されます。この「法人税等調整額」は、費用としての"法人税、住民税及び事業税"の金額を減額するための科目です。法人税等が損金不算入であるのと表裏の関係で、この科目は益金不算入となります。

そこで、別表4において、総額9,792,966円を減算します。当期利益の増加額と同額を調整するので、最終行の所得金額は変わりません。

所得の金額の計算に関する明細書（簡易様式）

事 業 年 度	6 . 4 . 1 7 . 3 . 31	法人名	阪神産業株式会社（税効果）

区　　　　分		総　額	処　　　　分		
			留　保	社 外 流 出	
		①	②	③	
当 期 利 益 又 は 当 期 欠 損 の 額	1	1,271,577,353 円	1,191,577,353 円	配当	80,000,000 円
				その他	
加	損 金 経 理 を し た 法 人 税 及 び 地 方 法 人 税（附帯税を除く。）	2	232,053,800	232,053,800		
	損金経理をした道府県民税及び市町村民税	3	21,544,700	21,544,700		
	損 金 経 理 を し た 納 税 充 当 金	4	299,950,800	299,950,800		
	損金経理をした附帯税（利子税を除く。）、加算金、延滞金（延納分を除く。）及び過怠税	5			その他	
	減 価 償 却 の 償 却 超 過 額	6				
	役 員 給 与 の 損 金 不 算 入 額	7	16,500,000		その他	16,500,000
	交 際 費 等 の 損 金 不 算 入 額	8	3,930,206		その他	3,930,206
	通 算 法 人 に 係 る 加 算 額 （別表四付表「5」）	9			外 ※	
	一 括 償 却 資 産 損 金 不 算 入 額	10	1,771,420	1,771,420		
	特 別 償 却 準 備 金 取 崩 額		27,687,561	27,687,561		
算	資 産 圧 縮 積 立 金 取 崩 額		7,556,014	7,556,014		
	次 　 葉 　 合 　 計		185,731,283	185,731,283		
	小　　　計	11	796,725,784	776,295,578	外 ※	20,430,206
減	減 価 償 却 超 過 額 の 当 期 認 容 額	12	1,694,352	1,694,352		
	納税充当金から支出した事業税等の金額	13	52,593,900	52,593,900		
	受 取 配 当 等 の 益 金 不 算 入 額 （別表八（一）「5」）	14	13,402,016		※	13,402,016
	外国子会社から受ける剰余金の配当等の益金不算入額（別表八（二）「26」）	15			※	
	受 贈 益 の 益 金 不 算 入 額	16			※	
	適格現物分配に係る益金不算入額	17			※	
	法 人 税 等 の 中 間 納 付 額 及 び 過 誤 納 に 係 る 還 付 金 額	18				
	所 得 税 額 等 及 び 欠 損 金 の 繰 戻 し に よ る 還 付 金 額 等	19			※	
	通 算 法 人 に 係 る 減 算 額 （別表四付表「10」）	20			※	
	一 括 償 却 資 産 当 期 認 容 額	21	1,563,730	1,563,730		
	特 別 償 却 準 備 金 当 期 認 容 額		7,166,616	7,166,616		
算	資 産 圧 縮 積 立 金 当 期 認 容 額		8,683,000	8,683,000		
	次 　 葉 　 合 　 計		177,653,845	177,653,845		
	小　　　計	22	262,757,459	249,355,443	外 ※	13,402,016 0
仮　　　計 （1）＋（11）－（22）	23	1,805,545,678	1,718,517,488	外 ※	△13,402,016 100,430,206
対 象 純 支 払 利 子 等 の 損 金 不 算 入 額 （別表十七（二の二）「29」又は「34」）	24			その他	
超 過 利 子 額 の 損 金 算 入 額 （別表十七（二の三）「10」）	25	△		※	△
仮　　　計 （（23）から（25）までの計）	26	1,805,545,678	1,718,517,488	外 ※	△13,402,016 100,430,206
寄 附 金 の 損 金 不 算 入 額 （別表十四（二）「24」又は「40」）	27	1,548,940		その他	1,548,940
法 人 税 額 か ら 控 除 さ れ る 所 得 税 額 （別表六（一）「6の③」）	29	2,951,607		その他	2,951,607
税 額 控 除 の 対 象 と な る 外 国 法 人 税 の 額 （別表六（二の二）「7」）	30			その他	
分配時調整外国税相当額及び外国関係会社等に係る控除対象所得税額等相当額 （別表六（五の二）「5の②」）＋（別表十七（三の六）「1」）	31			その他	
合　　　計 （26）＋（27）＋（29）＋（30）＋（31）	34	1,810,046,225	1,718,517,488	外 ※	△13,402,016 104,930,753
中 間 申 告 に お け る 繰 戻 し に よ る 還 付 に 係 る 災 害 損 失 欠 損 金 額 の 益 金 算 入 額	37			※	
非適格合併又は残余財産の全部分配等による移転資産等の譲渡利益額又は譲渡損失額	38			※	
差　　引　　計 （34）＋（37）＋（38）	39	1,810,046,225	1,718,517,488	外 ※	△13,402,016 104,930,753
更生欠損金又は民事再生等評価換えが行われる場合の再生等欠損金の損金算入額（別表七（三）「9」又は「21」）	40	△		※	△
通算対象欠損金額の損金算入額又は通算対象所得金額の益金算入額（別表七の二「5」又は「11」）	41			※	
差　　引　　計 （39）＋（40）±（41）	43	1,810,046,225	1,718,517,488	外 ※	△13,402,016 104,930,753
欠 損 金 等 の 当 期 控 除 額 （別表七（一）「4の計」）＋（別表七（四）「10」）	44	△		※	△
総　　　計 （43）＋（44）	45	1,810,046,225	1,718,517,488	外 ※	△13,402,016 104,930,753
残余財産の確定の日の属する事業年度に係る事業税及び特別法人事業税の損金算入額	51	△	△		
所 得 金 額 又 は 欠 損 金 額	52	1,810,046,225	1,718,517,488	外 ※	△13,402,016 104,930,753

所得の金額の計算に関する明細書（次葉）

事業年度	6 · 4 · 1 〜 7 · 3 · 31	法人名	阪神産業株式会社（税効果）

区　　分	総　額①	処分　留保②	処分　社外流出③
加　退職給付費用の損金不算入額	64,414,210 円	64,414,210 円	円
役員退職慰労引当金損金不算入額	23,650,000	23,650,000	
賞与引当金損金不算入額	37,139,940	37,139,940	
貸倒引当金損金不算入額	20,189,330	20,189,330	
販売促進費引当金損金不算入額	37,800,000	37,800,000	
福利厚生会残高損金不算入額	2,537,803	2,537,803	
算			
次　葉　合　計	185,731,283	185,731,283	
減　繰延資産償却超過額の当期認容額	1,959,762	1,959,762	
退職給付引当金当期認容額	68,861,500	68,861,500	
賞与引当金当期認容額	39,196,632	39,196,632	
貸倒引当金当期認容額	19,142,700	19,142,700	
販売促進費引当金当期認容額	35,600,000	35,600,000	
福利厚生会残高当期認容額	3,100,285	3,100,285	
繰延税金資産損金算入額	4,025,202	4,025,202	
繰延税金負債益金不算入額	5,767,764	5,767,764	
算			
次　葉　合　計	177,653,845	177,653,845	

●損益計算書および株主資本等変動計算書の数字と一致

【次ページ】をご覧ください。別表4と決算書との数字の関連を示しています。

損益計算書の最終数値（当期純利益）が、別表4のスタートの金額となっています。同じ金額が、株主資本等変動計算書にも記載されています。また、損益計算書の下から2行目に収益として計上されている「法人税等調整額」は、別表4の減算欄に計上されています。

さらに、別表4の①の留保金額1,191,577,353円は、株主資本等変動計算書（【316ページ】）における株主資本合計欄の当期変動額合計の金額と一致しています。

●3段階に分けて別表4を作成

なお、税効果会計を適用する場合、実務的には次の要領で別表4を作成することになります。

まずは、第2章の **1**・**4**（所得計算の実務）で説明したように、税効果を適用する前の姿で、税引前当期純利益からスタートして所得金額を計算します。そしてその金額に基づいて法人税等の金額を求め、次の仕訳により確定税額を未払い計上します。

（借）法 人 税 等　299,950,800　（貸）未 払 法 人 税 等　299,950,800

この仕訳に基づき、（仮）別表4（【66ページ】参照）を修正して【52ページ】の別表4を作成します。つぎに、税効果適用後の別表4への手直しです。

会計上、税効果計算書に基づいて　仕訳1　が行われました。

（借）繰 延 税 金 資 産　4,025,202　（貸）法 人 税 等 調 整 額　9,792,966

　　　繰 延 税 金 負 債　5,767,764

この仕訳で収益が9,792,966円計上されるので、会計上、最終の当期純利益は同額だけ増加します。一方、税務上は法人税等は損金不算入なので、それを収益計上したとき益金不算入とされます。そこで、【52ページ】の別表4を次のように手直しすれば、最終の別表4が出来上がります。

区　　分	税効果適用前	手直し	税効果適用後
当 期 利 益	1,261,784,387	＋9,792,966	1,271,577,353
繰延税金資産損金算入額		△4,025,202	△4,025,202
繰延税金負債益金不算入額		△5,767,764	△5,767,764
所 得 金 額	1,810,046,225	0	1,810,046,225

別表4と決算書の関連（税効果適用）

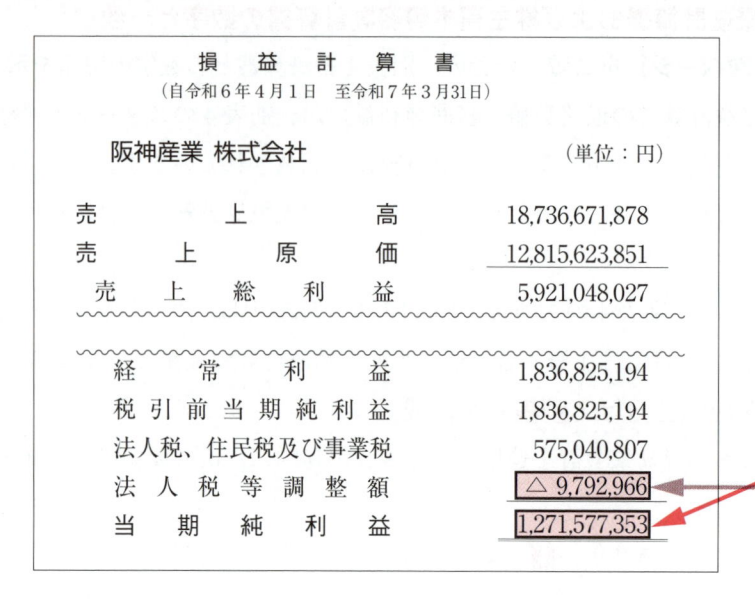

損　益　計　算　書
（自令和6年4月1日　至令和7年3月31日）

阪神産業 株式会社　　　　　　　　　　　　　　　（単位：円）

売　　　　　上　　　　　高	18,736,671,878
売　　上　　原　　価	12,815,623,851
売　上　総　利　益	5,921,048,027
経　　常　　利　　益	1,836,825,194
税　引　前　当　期　純　利　益	1,836,825,194
法人税、住民税及び事業税	575,040,807
法　人　税　等　調　整　額	△ 9,792,966
当　　期　　純　　利　　益	1,271,577,353

株 主 資 本 等 変 動 計 算 書
（自令和6年4月1日　至令和7年3月31日）

阪神産業　株式会社

	株　　主　　資　　本			純資産合計
	利　益　剰　余　金		株主資本合計	
	別途積立金	繰越利益剰余金		
前　期　末　残　高	6,262,000,000	1,272,263,594	8,491,043,507	8,491,043,507
当　期　変　動　額				
剰余金の配当		△ 80,000,000	△ 80,000,000	△ 80,000,000
剰余金の取崩		24,762,135	0	0
剰余金の積立	700,000,000	△ 711,135,940	0	0
当　期　純　利　益		1,271,577,353	1,271,577,353	1,271,577,353
当期変動額合計	700,000,000	505,203,548	1,191,577,353	1,191,577,353
当　期　末　残　高	6,962,000,000	1,777,467,142	9,682,620,860	9,682,620,860

所得の金額の計算に関する明細書（簡易様式）

| 事 業 年 度 | 6・4・1 7・3・31 | 法人名 | 阪神産業株式会社（税効果） | 別表四（簡易様式） |

区　　　　分		総　　額	処　　　　　　分		
			留　　保	社　外　流　出	
		①	②	③	
当 期 利 益 又 は 当 期 欠 損 の 額	1	1,271,577,353 円	1,191,577,353 円	配当　　80,000,000円	
				その他	
加	損金経理をした法人税及び地方法人税（附帯税を除く。）	2	232,053,800	232,053,800		
	損金経理をした道府県民税及び市町村民税	3	21,544,700	21,544,700		
	損金経理をした納税充当金	4	299,950,800	299,950,800		
	損金経理をした附帯税（利子税を除く。）、加算金、延滞金（延納分を除く。）及び過怠税	5			その他	
	減価償却の償却超過額	6				
差　　引　　計　(39)+(40)±(41)	43	1,810,046,225	1,718,517,488	外※	△13,402,016 104,930,753
欠損金等の当期控除額（別表七（一）「4の計」）+（別表七（四）「10」）	44	△		△	
総　　　　　　計　(43)+(44)	45	1,810,046,225	1,718,517,488	外※	△13,402,016 104,930,753
残余財産の確定の日の属する事業年度に係る事業税及び特別法人事業税の損金算入額	51	△	△		
所 得 金 額 又 は 欠 損 金 額	52	1,810,046,225	1,718,517,488	外※	△13,402,016 104,930,753

所得の金額の計算に関する明細書（次葉）

| 事 業 年 度 | 6・4・1 7・3・31 | 法人名 | 阪神産業株式会社（税効果） | 別表四次葉 |

区　　　分	総　　額	処　　　　　　分		
		留　　保	社　外　流　出	
	①	②	③	
加　退職給付費用の損金不算入額	64,414,210 円	64,414,210 円		円
役員退職慰労引当金損金不算入額	23,650,000	23,650,000		
賞与引当金損金不算入額	37,139,940	37,139,940		
貸倒引当金損金不算入額	20,189,330	20,189,330		
販売促進費引当金損金不算入額	37,800,000	37,800,000		
福利厚生会残高損金不算入額	2,537,803	2,537,803		
次 葉 合 計	185,731,283	185,731,283		
繰延資産償却超過額の当期認容額	1,959,762	1,959,762		
退職給付引当金当期認容額	68,861,500	68,861,500		
賞与引当金当期認容額	39,196,632	39,196,632		
貸倒引当金当期認容額	19,142,700	19,142,700		
販売促進費引当金当期認容額	35,600,000	35,600,000		
減　福利厚生会残高当期認容額	3,100,285	3,100,285		
繰延税金資産損金算入額	4,025,202	4,025,202		
繰延税金負債益金不算入額	5,767,764	5,767,764		
次 葉 合 計	177,653,845	177,653,845		

（2）別表5⑴の変化

◉税効果の仕訳金額と増減額が一致

つぎに、税効果会計適用後の別表5⑴は、【次ページ】のとおりです。

（注）ⓐ・ⓑの記号は、下記の税効果仕訳との関連を示しています。

〈当期分税効果の仕訳〉

（借）繰延税金資産　ⓐ　　4,025,202　　　（貸）法人税等調整額　　9,792,966

　　　繰延税金負債　ⓑ　　5,767,764

◉利益積立金の合計額は変わらない

税効果適用後の別表5⑴は、適用前のもの（【74ページ】参照）と比べて、次の箇所が変わっています。

① 　利益積立金項目が2つ追加されました。

「繰延税金資産」（⑯）　△ 378,962,636円

「繰延税金負債」（⑰）　　　56,785,248円

② 　税務上の準備金の残高が変わりました。

「特別償却準備金」（③）　64,477,156円 ➡ 45,301,650円

「資産圧縮積立金」（⑤）　126,461,810円 ➡ 88,852,068円

③ 　「繰越損益金」（㉕）の残高が変わりました。

　　　1,398,504,506円 ➡ 1,777,467,142円

以上の変化はありますが、利益積立金合計の期末残高は9,759,756,814円で変わりません。

◉税効果適用後の決算書数値で別表5⑴に計上

上記3点の変更は、いずれも決算書の数字が変化したことに対応しています。変更後の別表5⑴と決算書の関係につき、まず、貸借対照表との関連は【338ページ】のとおりです。

利益剰余金項目としての特別償却準備金と資産圧縮積立金の減少は、税効果（29.74％）相当額を負債（繰延税金負債）に振り替えたことによります。また、繰越損益金（繰越利益剰余金）は、税効果会計の適用に伴う"利益捻出効果"により増加しています。

⑯と⑰で追加された2項目は、税務否認項目です。繰延税金資産は資産項目なのでマイナスの利益積立金、繰延税金負債は負債項目ですから、プラスの利益積立金となります。

利益積立金額及び資本金等の額の計算に関する明細書

| 事業年度 | 6・4・1 〜 7・3・31 | 法人名 | 阪神産業株式会社（税効果） | 別表五(一) |

Ⅰ　利益積立金額の計算に関する明細書

区　分		期首現在利益積立金額 ①	当期の増減 減 ②	当期の増減 増 ③	差引翌期首現在利益積立金額 ①−②+③ ④
利　益　準　備　金	1	125,000,000円	円	円	125,000,000円
別　途　積　立　金	2	6,262,000,000		700,000,000	6,962,000,000
特　別　償　却　準　備　金	3	59,719,666	19,453,280	5,035,264	45,301,650
特別償却準備金認容額	4	△84,998,101	△27,687,561	△7,166,616	△64,477,156
資　産　圧　縮　積　立　金	5	88,060,247	5,308,855	6,100,676	88,852,068
資産圧縮積立金認容額	6	△125,334,824	△7,556,014	△8,683,000	△126,461,810
退　職　給　付　引　当　金	7	887,019,266	68,861,500	64,414,210	882,571,976
役　員　退　職　慰　労　引　当　金	8	209,325,000		23,650,000	232,975,000
賞　与　引　当　金	9	39,196,632	39,196,632	37,139,940	37,139,940
貸　倒　引　当　金	10	19,142,700	19,142,700	20,189,330	20,189,330
一　括　償　却　資　産	11	2,324,760	1,563,730	1,771,420	2,532,450
繰　延　資　産　償　却　超　過　額	12	5,930,104	1,959,762		3,970,342
減　価　償　却　超　過　額	13	6,485,019	1,694,352		4,790,667
販　売　促　進　費　引　当　金	14	35,600,000	35,600,000	37,800,000	37,800,000
福　利　厚　生　会　残　高	15	3,100,285	3,100,285	2,537,803	2,537,803
繰　延　税　金　資　産	16	△374,937,434		ⓐ △4,025,202	△378,962,636
繰　延　税　金　負　債	17	62,553,012	ⓑ 5,767,764		56,785,248
	18				
	19				
	20				
	21				
	22				
	23				
	24				
繰　越　損　益　金（損は赤）	25	1,272,263,594		505,203,548	1,777,467,142
納　税　充　当　金	26	313,250,600	313,250,600	299,950,800	299,950,800
未納法人税等（各事業年度の所得に対するものに限る。） 未納法人税及び未納地方法人税（附帯税を除く。）	27	△238,097,600	△470,151,400	中間 △232,053,800 確定 △228,177,900	△228,177,900
未払通算税効果額（附帯税の額に係る部分の金額を除く。）	28			中間 確定	
未納道府県民税（均等割を含む。）	29	△4,401,300	△8,604,700	中間 △4,203,400 確定 △4,455,200	△4,455,200
未納市町村民税（均等割を含む。）	30	△18,157,800	△35,499,100	中間 △17,341,300 確定 △17,572,900	△17,572,900
差　引　合　計　額	31	8,545,043,826	△34,599,315	1,180,113,673	9,759,756,814

Ⅱ　資本金等の額の計算に関する明細書

区　分		期首現在資本金等の額 ①	当期の増減 減 ②	当期の増減 増 ③	差引翌期首現在資本金等の額 ①−②+③ ④
資　本　金　又　は　出　資　金	32	500,000,000円	円	円	500,000,000円
資　本　準　備　金	33	184,000,000			184,000,000
	34				
	35				
差　引　合　計　額	36	684,000,000			684,000,000

別表5⑴と貸借対照表の関連（税効果適用）

利益積立金額及び資本金等の額の計算に関する明細書

事業年度	6・4・1 〜 7・3・31	法人名	阪神産業株式会社（税効果）	別表五(一)

I 利益積立金額の計算に関する明細書

区分		期首現在利益積立金額 ①	当期の増減 減 ②	当期の増減 増 ③	差引翌期首現在利益積立金額 ①－②＋③ ④
利益準備金	1	125,000,000 円	円	円	125,000,000 円
別途積立金	2	6,262,000,000		700,000,000	6,962,000,000
特別償却準備金	3	59,719,666	19,453,280	5,035,264	45,301,650
特別償却準備金認容額	4	△84,998,101	△27,687,561	△7,166,616	△64,477,156
資産圧縮積立金	5	88,060,247	5,308,855	6,100,676	88,852,068
資産圧縮積立金認容額	6	△125,334,824	△7,556,014	△8,683,000	△126,461,810
退職給付引当金	7	887,019,266	68,861,500	64,414,210	882,571,976
役員退職慰労引当金	8	209,325,000		23,650,000	232,975,000
賞与引当金	9	39,196,632	39,196,632	37,139,940	37,139,940
貸倒引当金	10	19,142,700	19,142,700	20,189,330	20,189,330
一括償却資産	11	2,324,760	1,563,730	1,771,420	2,532,450
繰延資産償却超過額	12	5,930,104	1,959,762		3,970,342
減価償却超過額	13	6,485,019	1,694,352		4,790,667
販売促進費引当金	14	35,600,000	35,600,000	37,800,000	37,800,000
福利厚生会残高	15	3,100,285	3,100,285	2,537,803	2,537,803
繰延税金資産	16	△374,937,434		ⓐ △4,025,202	△378,962,636
繰延税金負債	17	62,553,012	ⓑ 5,767,764		56,785,248
	18				
	19				
	20				
	21				
	22				
	23				
	24				
繰越損益金（損は赤）	25	1,272,263,594		505,203,548	1,777,467,142
納税充当金	26	313,250,600	313,250,600	299,950,800	299,950,800
未納法人税等 未納法人税及び未納地方法人税（附帯税を除く。）	27	△238,097,600	△470,151,400	中間 △232,053,800 確定 △228,177,900	△228,177,900
未払通算税効果額（附帯税の額に係る部分の金額を除く。）	28			中間 確定	
未納道府県民税（均等割を含む。）	29	△ 4,401,300	△ 8,604,700	中間 △ 4,203,400 確定 △ 4,455,200	△ 4,455,200
未納市町村民税（均等割を含む。）	30	△ 18,157,800	△ 35,499,100	中間 △ 17,341,300 確定 △ 17,572,900	△ 17,572,900
差引合計額	31	8,545,043,826	△34,599,315	1,180,113,673	9,759,756,814

II 資本金等の額の計算に関する明細書

区分		期首現在資本金等の額 ①	当期の増減 減 ②	当期の増減 増 ③	差引翌期首現在資本金等の額 ①－②＋③ ④
資本金又は出資金	32	500,000,000 円	円	円	500,000,000 円
資本準備金	33	184,000,000			184,000,000
	34				
	35				
差引合計額	36	684,000,000			684,000,000

貸 借 対 照 表

（令和７年３月31日現在）

阪神産業 株式会社　　　　　　　　　　　　　　　　　　　　　（単位：円）

科　目	金　額	科　目	金　額
（資 産 の 部）		（負 債 の 部）	
流 動 資 産	7,571,311,952	流 動 負 債	4,669,239,571
現 金 預 金	874,456,649	支 払 手 形	715,594,381
受 取 手 形	297,990,910	買 掛 金	261,416,797
売 掛 金	3,907,300,650	短 期 借 入 金	1,568,000,000
製 品 及 び 商 品	597,898,380	1 年以内返済予定長期借入金	620,800,000
仕 掛 品	917,956,958	未 払 金	801,203,261
原 材 料	312,686,714	未 払 法 人 税 等	299,950,800
貯 蔵 品	59,391,533	未 払 消 費 税 等	65,084,200
そ の 他	619,216,138	未 払 費 用	125,135,453
貸 倒 引 当 金	△ 15,585,980	預 り 金	82,309,329
固 定 資 産	10,165,998,884	賞 与 引 当 金	37,139,940
有 形 固 定 資 産	7,712,129,229	返 品 調 整 引 当 金	25,555,198
建 物	2,987,570,803	販 売 促 進 費 引 当 金	37,800,000
構 築 物	391,033,257	そ の 他	29,250,212
機 械 装 置	3,006,226,635	固 定 負 債	3,385,450,405
車 両 運 搬 具	10,767,440	長 期 借 入 金	2,210,400,000
工 具 器 具 備 品	456,422,923	退 職 給 付 引 当 金	885,290,157
土 地	812,000,871	役 員 退 職 慰 労 引 当 金	232,975,000
建 設 仮 勘 定	48,107,300	繰 延 税 金 負 債	56,785,248
無 形 固 定 資 産	12,403,661		
投 資 そ の 他 の 資 産	2,441,465,994	負 債 合 計	8,054,689,976
投 資 有 価 証 券	438,364,025	（純 資 産 の 部）	
子 会 社 株 式	373,128,194	株 主 資 本	9,682,620,860
出 資 金	11,500,000	資 本 金	500,000,000
差 入 保 証 金	197,604,868	資 本 剰 余 金	184,000,000
長 期 貸 付 金	870,000,000	資 本 準 備 金	184,000,000
長 期 前 払 費 用	23,944,950	利 益 剰 余 金	8,998,620,860
繰 延 税 金 資 産	378,962,636	利 益 準 備 金	125,000,000
そ の 他	152,564,671	特 別 償 却 準 備 金	45,301,650
貸 倒 引 当 金	△ 4,603,350	資 産 圧 縮 積 立 金	88,852,068
		別 途 積 立 金	6,962,000,000
		繰 越 利 益 剰 余 金	1,777,467,142
		純 資 産 合 計	9,682,620,860
資 産 合 計	17,737,310,836	負 債 及 び 純 資 産 合 計	17,737,310,836

●繰延税金負債を加えると適用前の別表５⑴と一致

　ちなみに、税効果適用前の別表５⑴における特別償却準備金および資産圧縮積立金の金額と、適用後の別表５⑴の金額との関係は、次のようになります。

	適用前		適用後
特別償却準備金	64,477,156円　（③）	➡	45,301,650円　（③）
			＋19,175,506円　（⑰の一部）
資産圧縮積立金	126,461,810円　（⑤）	➡	88,852,068円　（⑤）
			＋37,609,742円　（⑰の一部）

●準備金の増減額も変わる

　株主資本等変動計算書と別表５⑴の関連も、【342ページ】のように変わります。

　税効果会計の適用により、特別償却準備金や資産圧縮積立金の取崩しと積立ては、税効果（29.74％）相当額を控除した金額で行います。そこで、別表５⑴の③および⑤の増減額も、それに対応して変化します。

（３）別表４と別表５⑴の関連

●税効果会計を適用しても別表４と別表５⑴はつながる

　税効果会計の適用による変更箇所に関して、別表４と別表５⑴の関連は【344・345ページ】のとおりです。

　別表４の留保欄の数字が別表５⑴の増減欄に現れますが、まず、別表４のスタートの「当期利益」1,191,577,353円は、いくつかの箇所を加減算した金額と一致します。

　また、別表５⑴の⑯〜⑱の増加欄に記載している数字は、当期分税効果の純増額または純減額で、これらは次の規則性に従って、別表４の加減算の金額とつながります。

別表４	別表５⑴
加　算　⇨	増加欄
減　算　⇨	減少欄

　上記の税効果関連項目以外の項目に関する、別表４と別表５⑴の関連については、第３章・**3**をご参照ください。

─[一口ゼミ⑭]　**中小企業の実効税率**─

　現在のところ、実効税率は『29.74％』とされています（318ページ参照）。しかし、これはあくまで法人税の基本税率『23.2％』を使って計算した、大企業における税率です。

　中小法人には、所得800万円まで『15％』の軽減税率が設けられています。さてそうなると、中小企業の実効税率は29.74％よりも低いのでしょうか。

　中小法人の事業税の税率は3段階とされ、特別法人事業税を含めて、所得のうち400万円まで4.8％、400万円超800万円まで7.3％、800万円超の部分は9.6％となっています。そうすると所得金額が800万円以下であれば、次の計算で実効税率は21.37％～23.20％となります。

　（法人税率＋住民税率＋事業税率）÷（1＋事業税率）

$$= （15％＋15％×17.3％＋4.8％）÷（1＋4.8％）＝21.37％$$

$$または$$

$$= （15％＋15％×17.3％＋7.3％）÷（1＋7.3％）＝23.20％$$

　やっぱり大企業より低いんだ、と安心しないでください。所得が800万円以下ならそういうことですが、所得が800万円を超え23.2％の基本税率になると、次の計算です。

　（法人税率＋住民税率＋事業税率）÷（1＋事業税率）

$$= （23.2％＋23.2％×17.3％＋9.6％）÷（1＋9.6％）＝33.59％$$

　外形標準課税逃れで資本金を1億円以下にした企業の中には、課税所得が○億円、○十億円というところも珍しくありません。そういう企業には、29.74％よりも過大な実効税率で法人税等が課されます。

別表5⑴と株主資本等変動計算書の関連（税効果適用）

利益積立金額及び資本金等の額の計算に関する明細書

| 事業年度 | 6 . 4 . 1 7 . 3 . 31 | 法人名 | 阪神産業株式会社（税効果） | 別表五（一） |

Ⅰ　利益積立金額の計算に関する明細書

区　　　分		期首現在利益積立金額 ①	当期の増減 減 ②	当期の増減 増 ③	差引翌期首現在利益積立金額 ①－②＋③ ④
利　益　準　備　金	1	125,000,000円	円	円	125,000,000円
別　途　積　立　金	2	6,262,000,000		700,000,000	6,962,000,000
特　別　償　却　準　備　金	3	59,719,666	19,453,280	5,035,264	45,301,650
特別償却準備金認容額	4	△84,998,101	△27,687,561	△7,166,616	△64,477,156
資　産　圧　縮　積　立　金	5	88,060,247	5,308,855	6,100,676	88,852,068
資産圧縮積立金認容額	6	△125,334,824	△7,556,014	△8,683,000	△126,461,810
退　職　給　付　引　当　金	7	887,019,266	68,861,500	64,414,210	882,571,976
役員退職慰労引当金	8	209,325,000		23,650,000	232,975,000
賞　　与　　引　　当　　金	9	39,196,632	39,196,632	37,139,940	37,139,940
貸　　倒　　引　　当　　金	10	19,142,700	19,142,700	20,189,330	20,189,330
一　括　償　却　資　産	11	2,324,760	1,563,730	1,771,420	2,532,450
繰延資産償却超過額	12	5,930,104	1,959,762		3,970,342
減　価　償　却　超　過　額	13	6,485,019	1,694,352		4,790,667
販売促進費引当金	14	35,600,000	35,600,000	37,800,000	37,800,000
福　利　厚　生　会　残　高	15	3,100,285	3,100,285	2,537,803	2,537,803
繰　延　税　金　資　産	16	△374,937,434		ⓐ△4,025,202	△378,962,636
繰　延　税　金　負　債	17	62,553,012	ⓑ 5,767,764		56,785,248
	18				
	19				
	20				
	21				
	22				
	23				
	24				
繰越損益金（損は赤）	25	1,272,263,594		505,203,548	1,777,467,142
納　　税　　充　　当　　金	26	313,250,600	313,250,600	299,950,800	299,950,800
未納法人税及び未納地方法人税（附帯税を除く。）	27	△238,097,600	△470,151,400	中間 △232,053,800 確定 △228,177,900	△228,177,900
未払通算税効果額（附帯税の額に係る部分の金額を除く。）	28			中間 確定	
未納道府県民税（均等割を含む。）	29	△ 4,401,300	△ 8,604,700	中間 △ 4,203,400 確定 △ 4,455,200	△ 4,455,200
未納市町村民税（均等割を含む。）	30	△ 18,157,800	△ 35,499,100	中間 △17,341,300 確定 △17,572,900	△ 17,572,900
差　　引　　合　　計　　額	31	8,545,043,826	△34,599,315	1,180,113,673	9,759,756,814

Ⅱ　資本金等の額の計算に関する明細書

区　　　分		期首現在資本金等の額 ①	当期の増減 減 ②	当期の増減 増 ③	差引翌期首現在資本金等の額 ①－②＋③ ④
資　本　金　又　は　出　資　金	32	500,000,000円	円	円	500,000,000円
資　本　準　備　金	33	184,000,000			184,000,000
	34				
	35				
差　　引　　合　　計　　額	36	684,000,000			684,000,000

株 主 資 本 等 変 動 計 算 書

（自令和6年4月1日　至令和7年3月31日）

阪神産業 株式会社　　　　　　　　　　　　　　　　　　　　　　　　　（単位：円）

	株　　主　　資　　本				
	資　本　金	資本剰余金	利　益　剰　余　金		
		資本準備金	利益準備金	特別償却準備金	資産圧縮積立金
前 期 末 残 高	500,000,000	184,000,000	125,000,000	59,719,666	88,060,247
当 期 変 動 額					
剰余金の配当					
剰余金の取崩				△ 19,453,280	△ 5,308,855
剰余金の積立				5,035,264	6,100,676
当 期 純 利 益					
当期変動額合計	0	0	0	△ 14,418,016	791,821
当 期 末 残 高	500,000,000	184,000,000	125,000,000	45,301,650	88,852,068

	株　　主　　資　　本			純資産合計
	利　益　剰　余　金		株主資本合計	
	別途積立金	繰越利益剰余金		
前 期 末 残 高	6,262,000,000	1,272,263,594	8,491,043,507	8,491,043,507
当 期 変 動 額				
剰余金の配当		△ 80,000,000	△ 80,000,000	△ 80,000,000
剰余金の取崩		24,762,135	0	0
剰余金の積立	700,000,000	△ 711,135,940	0	0
当 期 純 利 益		1,271,577,353	1,271,577,353	1,271,577,353
当期変動額合計	700,000,000	505,203,548	1,191,577,353	1,191,577,353
当 期 末 残 高	6,962,000,000	1,777,467,142	9,682,620,860	9,682,620,860

別表4と別表5⑴の関連（税効果適用）

〈その1〉

所得の金額の計算に関する明細書（簡易様式）

| 事業年度 | 6・4・1　7・3・31 | 法人名 | 阪神産業株式会社（税効果） |

区　　　　　分		総　　額 ①	処　　　　分		
			留　保 ②	社　外　流　出 ③	
当期利益又は当期欠損の額	1	1,271,577,353 円	1,191,577,353 円	配当	80,000,000 円
				その他	
加	損金経理をした法人税及び地方法人税（附帯税を除く）	2	232,053,800	232,053,800	
	損金経理をした道府県民税及び市町村民税	3	21,544,700	21,544,700	
	損金経理をした納税充当金	4	299,950,800	299,950,800	
	損金経理をした附帯税（利子税を除く。）、加算金、延滞金（延納分を除く。）及び過怠税	5			その他
	減価償却の償却超過額	6			

利益積立金額及び資本金等の額の計算に関する明細書

| 事業年度 | 6・4・1　7・3・31 | 法人名 | 阪神産業株式会社（税効果） |

I　利益積立金額の計算に関する明細書

区　　　分		期首現在利益積立金額 ①	当期の増減		差引翌期首現在利益積立金額 ①−②＋③ ④
			減 ②	増 ③	
利 益 準 備 金	1	125,000,000 円	円	円	125,000,000 円
別 途 積 立 金	2	6,262,000,000		700,000,000	6,962,000,000
特 別 償 却 準 備 金	3	59,719,666	19,453,280	5,035,264	45,301,650
特 別 償 却 準 備 金 認 容 額	4	△84,998,101	△27,687,561	△7,166,616	△64,477,156
資 産 圧 縮 積 立 金	5	88,060,247	5,308,855	6,100,676	88,852,068
資 産 圧 縮 積 立 金 認 容 額	6	△125,334,824	△7,556,014	△8,683,000	△126,461,810
退 職 給 付 引 当 金	7	887,019,266	68,861,500	64,414,210	882,571,976
役 員 退 職 慰 労 引 当 金	8	209,325,000		23,650,000	232,975,000
賞 与 引 当 金	9	39,196,632	39,196,632	37,139,940	37,139,940
貸 倒 引 当 金	10	19,142,700	19,142,700	20,189,330	20,189,330
一 括 償 却 資 産	11	2,324,760	1,563,730	1,771,420	2,532,450
繰 延 資 産 償 却 超 過 額	12	5,930,104	1,959,762		3,970,342
減 価 償 却 超 過 額	13	6,485,019	1,694,352		4,790,667
販 売 促 進 費 引 当 金	14	35,600,000	35,600,000	37,800,000	37,800,000
福 利 厚 生 会 残 高	15	3,100,285	3,100,285	2,537,803	2,537,803
繰 延 税 金 資 産	16	△374,937,434		ⓐ △4,025,202	△378,962,636
繰 延 税 金 負 債	17	62,553,012	ⓑ 5,767,764		56,785,248
	18				
	19				
	20				
	21				
	22				
	23				
	24				
繰 越 損 益 金（損 は 赤）	25	1,272,263,594		505,203,548	1,777,467,142
納 税 充 当 金	26	313,250,600	313,250,600	299,950,800	299,950,800
未納法人税等	未 納 法 人 税 及 び 未 納 地 方 法 人 税（附帯税を除く。）	27	△238,097,600	△470,151,400	中間 △232,053,800 確定 △228,177,900	△228,177,900
	未 払 通 算 税 効 果 額（附帯税の額に係る部分の金額を除く。）	28			中間 確定	

の差引計

1,191,577,353

344

〈その2〉

所得の金額の計算に関する明細書
（ 次 葉 ）

| | 事業年度 | 6・4・1 7・3・31 | 法人名 | 阪神産業株式会社（税効果） | 別表四次葉 |

区　　　分	総　額	処　　分		
		留　保	社　外　流　出	
	①	②	③	
退職給付費用の損金不参入額	64,414,210 円	64,414,210 円		円
役員退職慰労引当金損金不算入額	23,650,000	23,650,000		
賞与引当金損金不算入額	37,139,940	37,139,940		
貸倒引当金損金不算入額	20,189,330	20,189,330		
販売促進費引当金損金不算入額	37,800,000	37,800,000		
福利厚生会残高損金不算入額	2,537,803	2,537,803		

加

次 葉 合 計	185,731,283	185,731,283		
繰延資産償却超過額の当期認容額	1,959,762	1,959,762		
退職給付引当金当期認容額	68,861,500	68,861,500		
賞与引当金当期認容額	39,196,632	39,196,632		
貸倒引当金当期認容額	19,142,700	19,142,700		
販売促進費引当金当期認容額	35,600,000	35,600,000		
福利厚生会残高当期認容額	3,100,285	3,100,285		
繰延税金資産損金算入額	4,025,202	4,025,202		
繰延税金負債益金不算入額	5,767,764	5,767,764		

減

利益積立金額及び資本金等の額の計算に関する明細書

| | 事業年度 | 6・4・1 7・3・31 | 法人名 | 阪神産業株式会社（税効果） | 別表五(一) |

I　利益積立金額の計算に関する明細書

区　　　分		期首現在利益積立金額	当期の増減		差引翌期首現在利益積立金額 ①−②+③
			減	増	
		①	②	③	④
利 益 準 備 金	1	125,000,000 円	円	円	125,000,000 円
別 途 積 立 金	2	6,262,000,000		700,000,000	6,962,000,000

販 売 促 進 費 引 当 金	14	35,600,000	35,600,000	37,800,000	37,800,000
福 利 厚 生 会 残 高	15	3,100,285	3,100,285	2,537,803	2,537,803
繰 延 税 金 資 産	16	△374,937,434		ⓐ △4,025,202	△378,962,636
繰 延 税 金 負 債	17	62,553,012	ⓑ 5,767,764		56,785,248
	18				
	19				

（4）適用初年度の別表 4 と別表 5 (1)

●所得金額と利益積立金残高は変わらない

　適用初年度の決算書を【328・329ページ】に示しましたが、その場合の別表 4 と別表 5 (1)は【次ページ】以下のようになります。

　税効果会計を適用しない場合の申告書（【52ページ】）や、従来から税効果会計を適用している場合の申告書（【331・332・337ページ】）と比べて、別表 4 における最終行の所得金額、別表 5 (1)における利益積立金合計の期末残高は変わりません。

所得の金額の計算に関する明細書（簡易様式）

事業年度	6 . 4 . 1 〜 7 . 3 . 31	法人名	阪神産業株式会社 〔税効果〕初年度

別表四（簡易様式）

区　　　　　分		総　　額 ①	処　　　　分		
			留　保 ②	社　外　流　出 ③	
当期利益又は当期欠損の額	1	1,583,961,775 円	1,503,961,775 円	配当	80,000,000 円
				その他	
加 / 算	損金経理をした法人税及び地方法人税（附帯税を除く。）	2	232,053,800	232,053,800		
	損金経理をした道府県民税及び市町村民税	3	21,544,700	21,544,700		
	損金経理をした納税充当金	4	299,950,800	299,950,800		
	損金経理をした附帯税（利子税を除く。）、加算金、延滞金（延納分を除く。）及び過怠税	5			その他	
	減価償却の償却超過額	6				
	役員給与の損金不算入額	7	16,500,000		その他	16,500,000
	交際費等の損金不算入額	8	3,930,206		その他	3,930,206
	通算法人に係る加算額（別表四付表「5」）	9			外 ※	
	一括償却資産損金不算入額	10	1,771,420	1,771,420		
	特別償却準備金取崩額		27,687,561	27,687,561		
	資産圧縮積立金取崩額		7,556,014	7,556,014		
	次　葉　合　計		242,516,531	242,516,531		
	小　　　計	11	853,511,032	833,080,826	外 ※	20,430,206
減 / 算	減価償却超過額の当期認容額	12	1,694,352	1,694,352		
	納税充当金から支出した事業税等の金額	13	52,593,900	52,593,900		
	受取配当等の益金不算入額（別表八（一）「5」）	14	13,402,016		※	13,402,016
	外国子会社から受ける剰余金の配当等の益金不算入額（別表八（二）「26」）	15			※	
	受贈益の益金不算入額	16			※	
	適格現物分配に係る益金不算入額	17			※	
	法人税等の中間納付額及び過誤納に係る還付金額	18				
	所得税額等及び欠損金の繰戻しによる還付金額等	19			※	
	通算法人に係る減算額（別表四付表「10」）	20			※	
	一括償却資産当期認容額	21	1,563,730	1,563,730		
	特別償却準備金当期認容額		7,166,616	7,166,616		
	資産圧縮積立金当期認容額		8,683,000	8,683,000		
	次　葉　合　計		546,823,515	546,823,515		
	小　　　計	22	631,927,129	618,525,113	外 ※	13,402,016 / 0
仮　計 (1)+(11)−(22)		23	1,805,545,678	1,718,517,488	外 ※	△13,402,016 / 100,430,206
対象純支払利子等の損金不算入額（別表十七（二の二）「29」又は「34」）		24			その他	
超過利子額の損金算入額（別表十七（二の三）「10」）		25	△		※	△
仮　計 ((23)から(25)までの計)		26	1,805,545,678	1,718,517,488	外 ※	△13,402,016 / 100,430,206
寄附金の損金不算入額（別表十四（二）「24」又は「40」）		27	1,548,940		その他	1,548,940
法人税額から控除される所得税額（別表六（一）「6の③」）		29	2,951,607		その他	2,951,607
税額控除の対象となる外国法人税の額（別表六（二の二）「7」）		30			その他	
分配時調整外国税相当額及び外国関係会社等に係る控除対象所得税額等相当額（別表六（五の二）「5の②」）+（別表十七（三の六）「1」）		31			その他	
合　計 (26)+(27)+(29)+(30)+(31)		34	1,810,046,225	1,718,517,488	外 ※	△13,402,016 / 104,930,753
中間申告における繰戻しによる還付に係る災害損失欠損金額の益金算入額		37			※	
非適格合併又は残余財産の全部分配等による移転資産等の譲渡利益額又は譲渡損失額		38			※	
差　引　計 (34)+(37)+(38)		39	1,810,046,225	1,718,517,488	外 ※	△13,402,016 / 104,930,753
更生欠損金又は民事再生等評価換えが行われる場合の再生等欠損金の損金算入額（別表七（三）「9」又は「21」）		40	△		※	△
通算対象欠損金額の損金算入額又は通算対象所得金額の益金算入額（別表七の二「5」又は「11」）		41			※	
差　引　計 (39)+(40)±(41)		43	1,810,046,225	1,718,517,488	外 ※	△13,402,016 / 104,930,753
欠損金等の当期控除額（別表七（一）「4の計」）+（別表七（四）「10」）		44	△		※	△
総　計 (43)+(44)		45	1,810,046,225	1,718,517,488	外 ※	△13,402,016 / 104,930,753
残余財産の確定の日の属する事業年度に係る事業税及び特別法人事業税の損金算入額		51	△	△		
所得金額又は欠損金額		52	1,810,046,225	1,718,517,488	外 ※	△13,402,016 / 104,930,753

所得の金額の計算に関する明細書（　次　葉　）

| 事業年度 | 6・4・1 ～ 7・3・31 | 法人名 | 阪神産業株式会社〔税効果 初年度〕 | 別表四 次葉 |

区　分		総　　額 ①	処　　　　　分	
			留　　保 ②	社　外　流　出 ③
加	退職給付費用の損金不算入額	64,414,210 円	64,414,210 円	円
	役員退職慰労引当金損金不算入額	23,650,000	23,650,000	
	賞与引当金損金不算入額	37,139,940	37,139,940	
	貸倒引当金損金不算入額	20,189,330	20,189,330	
	販売促進費引当金損金不算入額	37,800,000	37,800,000	
	福利厚生会残高損金不算入額	2,537,803	2,537,803	
	繰延税金負債益金算入額	56,785,248	56,785,248	
算				
	次　葉　合　計	242,516,531	242,516,531	
減	繰延資産償却超過額の当期認容額	1,959,762	1,959,762	
	退職給付引当金当期認容額	68,861,500	68,861,500	
	賞与引当金当期認容額	39,196,632	39,196,632	
	貸倒引当金当期認容額	19,142,700	19,142,700	
	販売促進費引当金当期認容額	35,600,000	35,600,000	
	福利厚生会残高当期認容額	3,100,285	3,100,285	
	繰延税金資産損金算入額	378,962,636	378,962,636	
算				
	次　葉　合　計	546,823,515	546,823,515	

利益積立金額及び資本金等の額の計算に関する明細書

| 事業年度 | 6・4・1
7・3・31 | 法人名 | 阪神産業株式会社〔税効果初年度〕 | 別表五(一) |

Ⅰ　利益積立金額の計算に関する明細書

区　分		期首現在利益積立金額 ①	当期の増減 減 ②	当期の増減 増 ③	差引翌期首現在利益積立金額 ①−②+③ ④
利　益　準　備　金	1	125,000,000 円	円	円	125,000,000 円
別　途　積　立　金	2	6,262,000,000		700,000,000	6,962,000,000
特 別 償 却 準 備 金	3	84,998,101	44,731,715	5,035,264	45,301,650
特別償却準備金認容額	4	△84,998,101	△27,687,561	△7,166,616	△64,477,156
資 産 圧 縮 積 立 金	5	125,334,824	42,583,432	6,100,676	88,852,068
資産圧縮積立金認容額	6	△125,334,824	△7,556,014	△8,683,000	△126,461,810
退 職 給 付 引 当 金	7	887,019,266	68,861,500	64,414,210	882,571,976
役 員 退 職 慰 労 引 当 金	8	209,325,000		23,650,000	232,975,000
賞　与　引　当　金	9	39,196,632	39,196,632	37,139,940	37,139,940
貸　倒　引　当　金	10	19,142,700	19,142,700	20,189,330	20,189,330
一 括 償 却 資 産	11	2,324,760	1,563,730	1,771,420	2,532,450
繰 延 資 産 償 却 超 過 額	12	5,930,104	1,959,762		3,970,342
減 価 償 却 超 過 額	13	6,485,019	1,694,352		4,790,667
販 売 促 進 費 引 当 金	14	35,600,000	35,600,000	37,800,000	37,800,000
福 利 厚 生 会 残 高	15	3,100,285	3,100,285	2,537,803	2,537,803
繰 延 税 金 資 産	16			△378,962,636	△378,962,636
繰 延 税 金 負 債	17			56,785,248	56,785,248
	18				
	19				
	20				
	21				
	22				
	23				
	24				
繰 越 損 益 金 （ 損 は 赤 ）	25	897,326,160		880,140,982	1,777,467,142
納　税　充　当　金	26	313,250,600	313,250,600	299,950,800	299,950,800
未納法人税等（各事業年度の所得に対するものに限る。） 未 納 法 人 税 及 び 未 納 地 方 法 人 税 （附帯税を除く。）	27	△ 238,097,600	△ 470,151,400	中間 △232,053,800 確定 △228,177,900	△ 228,177,900
未 払 通 算 税 効 果 額 （附帯税の額に係る部分の金額を除く。）	28			中間 確定	
未 納 道 府 県 民 税 （均等割を含む。）	29	△ 4,401,300	△ 8,604,700	中間 △ 4,203,400 確定 △ 4,455,200	△ 4,455,200
未 納 市 町 村 民 税 （均等割を含む。）	30	△ 18,157,800	△ 35,499,100	中間 △ 17,341,300 確定 △ 17,572,900	△ 17,572,900
差 引 合 計 額	31	8,545,043,826	22,185,933	1,236,898,921	9,759,756,814

Ⅱ　資本金等の額の計算に関する明細書

区　分		期首現在資本金等の額 ①	当期の増減 減 ②	当期の増減 増 ③	差引翌期首現在資本金等の額 ①−②+③ ④
資 本 金 又 は 出 資 金	32	500,000,000 円	円	円	500,000,000 円
資　本　準　備　金	33	184,000,000			184,000,000
	34				
	35				
差 引 合 計 額	36	684,000,000			684,000,000

2 退職給付会計を適用した場合

1 退職給付とは

●退職給付は給与の後払い

「退職給付」とは、退職一時金や退職年金のように、従業員が退職した後に受ける給付をいいます。企業は従業員の在職中、労働の対価として給料や賞与を支払いますが、それに加えて、退職後も退職給付という形で労働の対価を支給します。つまり、退職給付は"給与の後払い"としての性格を有しています。

従業員に対する給与は、労力の提供によって企業に収益が生み出されることを期待して支給されます。発生主義会計にあっては、給料や賞与として当期に計上する金額は、当期の収益に対応させねばなりません。同様に、後払いの給与である退職給付も、従業員の労働により企業に収益が生み出される期間に費用として認識すべきです。

そのため退職給付は、支出時の費用とするのではなく、従業員が労力を提供するのに応じて費用計上することになります。

●退職給付会計の特徴は割引計算

退職給付会計の計算で特徴的なことは、"割引計算"です。後述しますが、退職給付会計では、将来、従業員に支給すると見込まれる退職給付の金額を見積もり、その金額に基づいて当期の費用計上額を計算します。このとき通常、費用の認識時点と実際に支出する時点には、期間的に相当な開きがあります。そこで、将来の支払額を現在価値に割り引く必要が生じます。

たとえば、100万円の入金があったとします。これを今受け取るのと、1年後に受け取るのとでは、同じ100万円でも値打ちが違います。

仮に国債の利回りが2％であるとします。今、100万円を受け取ったとして、そのお金を国債の購入にあてれば、1年後には2万円の利息が入ります。その結果、1年後には手持ちのお金は102万円になります。一方、1年後に100万円の入金があったとき、1年後の手持ちは100万円だけです。このように同じ100万円でも、現在と1年後では

利息分だけ価値が異なります。

　以上の例から、次の算式が成り立ちます。

　　　現在の金額×（1＋0.02）＝1年後の金額

　この式を変形すると、次のようになります。

　　　現在の金額＝1年後の金額÷（1＋0.02）

　これは、1年後の金額を現在価値に割り引くための計算式です。退職給付会計で、将来の退職給付の金額を現在価値に割り引く際には、この算式を使います。

2　退職給付費用と退職給付引当金

●退職給付会計で使う科目は2つだけ

　退職給付会計の計算はかなり複雑ですが、そこで使用する勘定科目は2つしかありません。費用科目の「退職給付費用」と、負債科目の「退職給付引当金」です。

　退職給付費用は、当期における従業員の労働の対価として発生した退職給付を意味します。また、退職給付引当金は、企業が将来従業員に対して支給すべき退職給付の金額で、それぞれ次の算式で計算されます。

　　退職給付費用＝勤務費用＋利息費用－年金資産の期待運用収益

　　　　　　　　　　±過去勤務債務の費用処理額±数理計算上の差異の費用処理額

　　退職給付引当金＝退職給付債務－年金資産残高±未認識過去勤務債務

　　　　　　　　　　±未認識数理計算上の差異

　上記はかなり複雑な計算式ですが、ざっくり説明すると次のような内容です。

〈退職給付計算のポイント〉

①　当期末と前期末の退職給付債務の差額を、当期の退職給付費用として計上する。

②　費用の認識時点と支出時点に期間的な開きがあるため、将来の支払額を現在価値に割り引く。

③　退職給付費用は、勤務費用（労力提供で新たに発生した費用）と利息費用（期首時点の退職給付債務につき時の経過により発生する計算上の利息）からなる。

④　企業外部（保険会社や信託銀行）に積み立てた年金資産は、退職給付債務から控除する。

⑤　年金資産の運用収益の見積額（期待運用収益）を退職給付費用から控除する。

⑥　過去勤務債務（給付水準の改定等により生じた増減差異）の調整が必要とされる。

⑦　数理計算上の差異（年金資産の期待運用収益と実際の運用成果など見積りと実績の差異）も調整しなければならない。

⑧　過去勤務債務や数理計算上の差異は一時の損益に計上せず、残存勤務期間内の年数で認識し処理する。

設例1

　A氏は、前期までの勤続年数が2年で、3年後に退職する予定です。5年勤続後の退職時に支払う退職給付はすべて一時金で、支給額は500万円と見込まれます。割引率を年2％とすれば、当期に計上する退職給付費用はいくらですか。

計算

●退職給付総額の見積もりと各期間への配分

　退職給付会計ではまず、将来、従業員に支給する退職給付の総額を見積もります。昇給などで将来、退職給付の増加が合理的に見込まれるのであれば、その影響も加味します。この退職給付の総額が、従業員の勤続期間を通じて費用処理される金額の総額になります。A氏の退職給付総額は500万円です。

　退職給付の総額の見積もりができたら、つぎにその総額を、従業員が労力を提供する各期間に配分します。その際、退職給付会計では"期間定額"の基準で計算します。期間定額基準では、従業員の在職中の各期間に退職給付が同額で発生すると仮定します。A氏の場合、勤続期間が5年で退職給付総額が500万円ですから、各期間の退職給付の発生額は毎期100万円ずつ、ということになります。

●退職給付債務の計算

　つぎに、退職給付債務を計算します。これは将来、従業員に対して支給すべき退職給付のうち、当期末までに発生したものの総額を現在価値に割り引いたもので、この設例では「退職給付引当金」と一致します。

　まずは、前期末における退職給付債務を計算します。A氏は前期までに2年間勤務していますから、前期末までの退職給付の発生額は200万円です。これを3年後に支払います。そこで、割引率を使ってこの金額を割り引くと、

　　2,000,000円 ÷（1＋0.02）÷（1＋0.02）÷（1＋0.02）≒1,884,645円

となります。これが前期末における退職給付債務で、貸借対照表の退職給付引当金勘定の金額となります。

　つぎに、当期末における退職給付債務の計算です。退職給付の発生額は、前期までの200万円に当期分の100万円を加えた300万円となりますから、これを割り引くと、

$$3,000,000円 ÷ （1 + 0.02） ÷ （1 + 0.02） ≒ 2,883,506円$$

となります。これが当期末時点の退職給付債務であり、退職給付引当金の残高となります。

そこで、前期末と当期末の差額が、

$$2,883,506円 － 1,884,645円 = 998,861円$$

となり、これが当期の退職給付費用で、この金額を使って次のように仕訳します。

　　　（借）退 職 給 付 費 用　998,861　　　（貸）退職給付引当金　998,861

なお、退職給付会計では以上の計算を期首に行います。つまり、期首時点で当期末の退職給付債務の金額を計算し、上記の仕訳をします。

●勤務費用と利息費用の計算

退職給付費用は、「勤務費用」と「利息費用」の2つから成っています。勤務費用とは、当期における従業員の労力提供によって新たに発生した退職給付のことで、次の算式で計算します。

$$1,000,000円 ÷ （1 + 0.02） ÷ （1 + 0.02） ≒ 961,168円$$

また、利息費用とは、期首時点の退職給付債務について、時の経過に伴い発生する利息のことです。すなわち、前期末から当期末までの1年間の時の経過により、前期末の退職給付債務の価値が利息分だけ増加することによる費用です。

いいかえると、退職給付債務の計算上、前期末より当期末の方が割引年数は1つ少なくなりますから、その分だけ退職給付債務が増加します。これが利息費用であり、次の算式で計算します。

$$1,884,645円 × 0.02 ≒ 37,693円$$

勤務費用と利息費用を足した金額が、当期の退職給付費用です。

$$961,168円 + 37,693円 = 998,861円$$

3　年金資産の積立て

設例2

（設例1）において、会社はA氏に対する退職給付の支払いに備えて、社外に期首現在で100万円の資産を積み立てています。積立資産の運用利回りを2％としたとき、当期に計上する退職給付費用はいくらですか。

◉前期末の退職給付引当金の計算

将来の退職給付に備えて、企業外部（保険会社や信託銀行）に資産を積み立てる場合があります。これを「年金資産」と呼び、退職給付引当金の計算上、退職給付債務から控除します。将来、従業員に対して支給する退職給付のうち、年金資産を控除した部分だけが企業自身が支払わなければならない退職給付の金額だからです。

設例において、会社は期首現在で100万円の資産を積み立てていますから、前期末の退職給付引当金の残高は、次のように計算されます。

退職給付債務 − 年金資産残高

$$= 1,884,645円 − 1,000,000円 = 884,645円$$

◉当期末の退職給付引当金の計算

つぎに、当期末の退職給付引当金残高ですが、これを計算する際には年金資産の運用収益の影響を考慮しなければなりません。つまり、企業外部に積み立てた年金資産は、運用によって一定の収益をあげていますから、その収益分だけ期末時点の年金資産は増加しているはずです。

年金資産の運用収益の見積額（期待運用収益）が期首年金資産残高の2％だとすれば、期末の退職給付引当金残高は次のようになります。

退職給付債務 − 年金資産残高

$$= 2,883,506円 − 1,000,000円 × （1 + 0.02） = 1,863,506円$$

◉退職給付費用の計算

以上により、当期の退職給付費用の金額は次のように求まります。

$$1,863,506円 − 884,645円 = 978,861円$$

そこで、当期の退職給付に関する仕訳は次のように行います。

（借）退 職 給 付 費 用　978,861　　（貸）退 職 給 付 引 当 金　978,861

設例1 の計算と比べて、年金資産がある場合には、退職給付費用の金額が年金資産の期待運用収益20,000円（1,000,000円 × 2％）の分だけ少なくなっています。

退職給付費用の計算上、年金資産の期待運用収益は控除されます。これは、年金資産の運用で獲得した収益分だけ、企業自身が負担する退職給付の金額が少なくて済むことによるものです。

◉年金資産を追加したときの処理

当期に新たに20万円を年金資産として積み立てた場合は、企業自身が負担する退職

給付の金額は減少しますから、次のように仕訳します。

　　（借）退職給付引当金　200,000　　　（貸）現　　　　　金　200,000

4　見積もりと実績の差異

設例3

　設例2　において、期首時点で年金資産の運用収益率を2％と見積もっていましたが、実際には1％の運用収益しかあげられませんでした。

計算

●過去勤務債務と数理計算上の差異

　退職給付会計では、将来の見積もりに基づいて当期の費用を計算します。そこで、見積もりと実績が乖離する場合には、見積数値を実績値に修正する必要があります。

　見積もりと実績の差異には、次の2種類があります。

　①　過去勤務債務

　　　・給付水準の改定等に起因して生じた退職給付債務の増減差異

　②　数理計算上の差異

　　　・年金資産の期待運用収益と実際の運用成果との差異

　　　・退職給付債務の計算で用いた見積数値と実績との差異

　　　・見積数値の変更等により発生した差異

●数理計算上の差異の計算

　期首の退職給付引当金の繰入時には、年金資産の運用収益を2万円として計算しその分、退職給付費用をマイナスして計上しましたが、実際には1万円の運用収益しかあげられませんでした。いいかえれば、当初の予想どおりに年金資産が運用収益をあげていれば、企業の退職給付負担額は2万円減ったのに、実績では1万円しか減らなかったということです。

　そこで、見積もりで行っていた計算を実績値に直すために、差額の1万円を追加で費用計上しなければならず、次の仕訳が必要となります。

　　（借）退 職 給 付 費 用　10,000　　　（貸）退職給付引当金　10,000

●数理計算上の差異の繰延べ経理

　なお、退職給付会計においては、過去勤務債務や数理計算上の差異は一時の損益に計上せず、従業員の平均残存勤務期間内の一定の年数で処理することになっています。

　Aさんの残存勤務期間は3年ですから、当期の費用処理額は次のように計算されます。

10,000円÷3年≒3,333円

　そこで、当期末には次のように仕訳します。

　　（借）退 職 給 付 費 用　3,333　　　（貸）退職給付引当金　3,333

　そして、当期に費用処理されなかった残りの6,667円（未認識数理計算上の差異）は、次期以降に費用処理されます。

　以上で説明した、年金資産の期待運用収益と実際運用成果との乖離による数理計算上の差異以外の数理計算上の差異や過去勤務債務についても、同様に、見積金額と実績金額の差額を計算し、それを平均残存勤務期間内の一定の年数で損益処理することになります。

設例4

　設例1〜3 の計算結果に基づいて、退職給付費用と退職給付引当金の金額を計算しなさい。

計算

　　退 職 給 付 費 用＝勤務費用＋利息費用−年金資産の期待運用収益
　　　　　　　　　　　＋数理計算上の差異処理額
　　　　　　　　　＝961,168円＋37,693円−20,000円＋3,333円
　　　　　　　　　＝982,194円
　　退職給付引当金＝退職給付債務−年金資産残高−未認識数理計算上の差異額
　　　　　　　　　＝2,883,506円−1,210,000円−6,667円
　　　　　　　　　＝1,666,839円

5　税務上の取扱いと申告調整

●会計上は発生主義で費用計上

　平成10年6月に「退職給付に係る会計基準」が公表され、平成12年4月1日以後開始する事業年度から退職給付会計が適用されています。上場企業など適用対象となる法人は、退職者に直接給付する一時金だけでなく、企業年金など外部（保険会社・信託銀行等）への積立て資産を原資とする間接給付も含めたトータルの金額で、退職給付債務を計上しなければなりません。

　退職給付会計では、企業年金の掛金についても費用発生時に退職給付引当金に繰り入れ、掛金の拠出時に退職給付引当金を取り崩すこととされています。

　①　**期末時**：（借）退 職 給 付 費 用　　×××　　　（貸）退職給付引当金　　×××

② 　拠出時：（借）退職給付引当金　　×××　　　（貸）現　金　預　金　　×××

●企業年金掛金は拠出時に損金算入

　これに対し税務上は、かつて“退職給与引当金”の損金算入制度が設けられていましたが、平成14年度の改正で廃止されました。そこで現在は、将来の退職金の支給に備えて費用処理で退職給付債務を引き当てたとき、全額が損金不算入となります。

　その際、退職一時金は退職者に現実に支給するまで損金とはなりませんが、企業年金の掛金については、外部への拠出時に損金算入する取扱いが設けられています（令135）。

　そこで、企業年金を上記のように処理したときには、①の費用計上額は全額損金不算入、②の支払額は全額が損金算入ということになります。

●税務上は両者の区分計算が必要

　このように、税務上は退職一時金と企業年金とで取扱いが異なりますが、会計上は通常、両者をまとめて引当て計上するので、両者の区別がつきません。そこで、税務上の取扱い（企業年金掛金の損金算入）の適用を受けるためには、一時金部分と年金部分の退職給付引当金を区分して計算する必要があります。後述するように、別表4と別表5(1)における申告調整の記載は、両者を区分して行うほうが分かりやすいと思います。

設例

　退職一時金と企業年金の退職給付引当金について、当期中の増減および経理処理はそれぞれ次のとおりです。

[退職一時金の退職給付引当金]

摘　　要	金　　額
前 期 末 残 高	165,400,000円
退職給付費用	7,940,000円
退職金支給額	4,600,000円
期 　末 　残 　高	168,740,000円

仕訳

　（借）退職給付費用　7,940,000　　　（貸）退職給付引当金　7,940,000

　（借）退職給付引当金　4,600,000　　　（貸）現　金　預　金　4,600,000

［企業年金の退職給付引当金］

摘　要	金　額
前 期 末 残 高	115,830,000円
退 職 給 付 費 用	3,720,000円
掛 金 拠 出 額	3,390,000円
期 末 残 高	116,160,000円

仕 訳

（借）退 職 給 付 費 用　3,720,000　　　（貸）退 職 給 付 引 当 金　3,720,000

（借）退 職 給 付 引 当 金　3,390,000　　　（貸）現 金 預 金　3,390,000

申告調整

〈別表 4 〉

区　　分	総　額	処　分		
		留　保	社 外 流 出	
	①	②	③	
加算　退職給付引当金否認	7,940,000	7,940,000		
算　退職給付費用否認	3,720,000	3,720,000		
減算　退 職 給 与 認 容	4,600,000	4,600,000		
算　企業年金掛金認容	3,390,000	3,390,000		

〈別表 5 (1)〉

I　利 益 積 立 金 額 の 計 算 に 関 す る 明 細 書				
区　　分	期 首 現 在 利益積立金額	当 期 の 増 減		差引翌期首現在 利益積立金額 ①−②+③
		減	増	
	①	②	③	④
退 職 給 付 引 当 金 （ 一 時 金 ）	165,400,000	4,600,000	7,940,000	168,740,000
退 職 給 付 引 当 金 （ 年 金 ）	× × ×	3,390,000	3,720,000	× × ×

◉退職一時金分は支給時に減算

　退職一時金は、退職者に支給するまで損金となりません。そこで、発生主義により

期末に計上する引当金繰入額（7,940,000円）は、全額を別表4で加算します。一方、当期中に現実に支給した退職金（4,600,000円）は損金に算入され、それを損金経理（費用処理）していないので、同額だけ別表4で減算が生じます。

　その際、貸借対照表で負債として計上されている退職給付引当金が、税務上は資本扱いされるため利益積立金として別表5(1)に記入されます。退職一時金の引当額は全額が損金不算入なので、結局のところ別表5(1)の記載は、会計上の増減ならびに残高と一致します。

●企業年金分は掛金拠出時に減算

　企業年金について、期末の引当額（3,720,000円）は退職一時金と同様、別表4で全額が加算されます。一方、支払額は支給時ではなく、掛金の拠出時に損金算入されます。そこで、当期中に引当金の取崩しで拠出した金額（3,390,000円）につき減算が起きます。

　なお、この場合も別表5(1)において利益積立金が計上されますが、前期の費用計上額がそのまま同額で翌期の拠出額となる場合を除き、利益積立金の残高は会計上の引当金残高とは一致しません。

●退職給付額の計算は外部委託が一般的

　退職給付に関する各種の数値を一人ずつ計算するのは、実のところ大変な作業です。会計基準の適用を受ける上場企業等で、そのような計算を自社で行っているところは、極々少数派です。ほとんどが外部の年金数理人（コンサル会社）に委託しています。自社で計算する場合でも、そうしたコンサル会社から計算ソフトを購入して行っています。

　ですから、経理部員は与えられた数字を使って仕訳を切るだけで、その数字や計算式の意味するところを、ほとんどの人が理解できていないと思います。監査を担当する監査法人もしかりです。

●退職給付費用の発生額は全額否認し支払ベースで認容

　経理部員あるいは税理士の方が、退職給付額の計算自体にタッチする機会など、まずありません。そうした方々が退職給付に関する会計や税務の仕事を行う際は、【351ページ】に記した〈退職給付計算のポイント（①〜⑧）〉程度の知識が頭に入っていれば十分です。

　要するに、会計で計上する発生ベースの退職給付費用は全額否認（加算）し、税務では支払ベースで損金算入（減算）という原理原則さえ理解できていれば、退職給付会計がらみの処理は、さほど難しい話ではありません。

3 減損会計を適用した場合

1 減損会計とは

◉減価償却は収益性資産の費用配分手続き

固定資産の取得原価は、減価償却を通じて費用配分されます。しかし、そのやり方に妥当性があるのは、その固定資産が耐用年数の各期間にわたって収益を生み出し続けるという前提があればこそです。そもそも減価償却は、長期間使用する固定資産から生み出される収益と、その資産の取得原価を対応させるための手続きですから、収益を生まなくなれば、償却計算は費用収益対応の観点からの妥当性を失います。

◉収益性が低下すれば減損会計

たとえば、ある製品を生産するために、耐用年数5年の機械を購入しました。購入後2年目の時点でその製品の生産が中止されたとすれば、もはやその機械から収益は生じません。となると、その後の期間に減価償却で費用配分する処理には合理性がなく、そこで生産中止時点の帳簿価額を、費用に振り替える処理を行います。

　　（借）減 損 損 失　　×××　　　（貸）機　　　　械　　×××

収益性の低下した資産を帳簿価額のまま評価するのは妥当でなく、収益性の低下という事実を資産の帳簿価額に反映させるために、帳簿価額を臨時的に減額するための経理処理を行うこととなり、それが減損会計です。

◉減損会計は時価会計ではない

減損会計は金融商品会計などで行われる"時価評価"とは異質のものです。金融商品会計では、保有株式等の値上がりや値下がりによる損益を把握し、貸借対照表に期末時価を反映させるために時価評価が行われ、明らかに取得原価主義会計から逸脱した会計処理となっています。

◉損失の繰延べを避けるための減損会計

これに対して減損会計は、固定資産の取得原価の"回収可能性"を帳簿価額に反映させることを目的としています。収益性の低下した資産については、次期以降の減価

償却費に対応する収益がないため、将来いずれ損失が発生することになります。そこで、将来に損失を繰り延べないため、当期において損失を計上することが必要となるのです。減損会計は、取得原価会計のもとで行われる臨時的な帳簿価額の減額といえます。

　このように目的が違いますから、金融商品会計においては、時価が取得原価を上回る場合に評価益を計上しますが、減損会計では評価益が計上されることはありません。

2　減損会計の手順

（1）5つのステップ

　減損会計は、次の5つのステップを踏んで行われます。

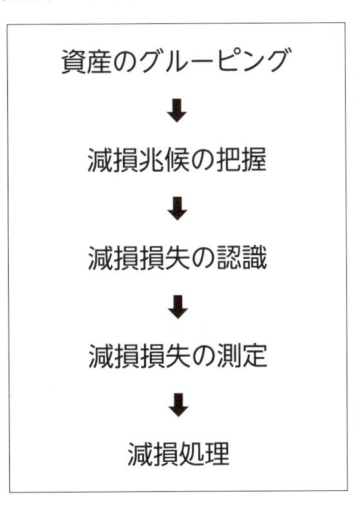

資産のグルーピング
↓
減損兆候の把握
↓
減損損失の認識
↓
減損損失の測定
↓
減損処理

（2）資産のグルーピング

●まず行うのは資産のグルーピング

　減損会計を適用する際、まず行わなければならないのは資産の"グルーピング"です。事業用の固定資産は通常、個々の資産がそれぞれ別個にではなく、複数の資産が一体となって収益を生み出していると考えられます。減損会計の適用にあたっては、同一の収益を生み出している複数の資産をグルーピングし、その資産グループを単位として減損処理します。

　具体的なグルーピングのしかたとして、事業別、製品別、地域別または事業所別などの方法が考えられます。なお、遊休資産については、他の資産とは独立して存在する資産であると考えられるので、個々の資産ごとに減損会計を適用します。

■（3）減損兆候の把握

●減損の兆候があるものに適用

つぎに、"減損の兆候"を把握します。減損の兆候とは、資産の収益性が低下していると考えられる状況のことで、これが生じている資産についてのみ、(4) 以下に述べる減損会計の手続きを適用します。

減損の兆候の具体例には、次のようなものがあります。

①　資産が使用されている営業活動から生ずる損益やキャッシュ・フロー（現金収支）がマイナスとなっている場合

②　資産が遊休状態となっている場合

③　資産の市場価格が著しく下落した場合

④　資産が使用されている事業活動に関して経営環境が著しく悪化した場合

①〜④のような状況にあれば、その資産または資産グループの収益性は低下していると考えられるので、つぎに減損損失を認識するかどうかの判定を行います。

■（4）減損損失の認識

●将来キャッシュ・フローを見積もって減損損失を認識

減損損失を計上するのは、翌期以降にその資産の生み出すキャッシュ・フローの総額が帳簿価額を下回る場合です。そのため減損損失の認識を判定するには、資産または資産グループが、その使用期間にわたって生み出す"将来キャッシュ・フロー"を見積もる必要があります。

その判定に際しては、"割引前"の将来キャッシュ・フローと帳簿価額を比較する、という点に注意する必要があります。通常、将来の数値を現在時点で使用する場合は、「現在価値」に割り引く必要がありますが、減損損失の認識の判定を行うときは、将来のキャッシュ・フローの見積額を割り引かずに使用します。これは、減損損失の計上が将来の見積もりに大きく依存しているので、割引前の金額と比較することによって、減損の存在が相当程度の確実性を持つ場合に限り損失計上することとしているためです。

■（5）減損損失の測定

●回収可能価額と簿価との差額が損失計上額

減損損失の存在が明らかとなれば、つぎにいくらの損失を計上するかです。結論と

して、その資産の期末時点での適正な帳簿価額（回収可能価額）を計算し、それと現在の帳簿価額との差額を減損損失として計上します。

　回収可能価額には2種類あります。それは、収益性が低下した資産に対する企業の対応のしかたに、"売却"と"継続使用"の2通りがあるからです。売却を前提にした回収可能価額を「正味売却価額」、継続使用を前提としたものを「使用価値」といいます。企業は通常、もっとも有利な方法で投資額の回収を図ると考えられますから、正味売却価額と使用価値のうち高いほうが、期末時点での適正な帳簿価額、すなわち回収可能価額といえます。

●減損損失は特別損失として計上

　正味売却価額は、売却を前提とした価額ですから、資産の時価から処分費用の見込額を控除して算定します。また、使用価値は、資産の継続的使用と使用後の処分によって生ずると見込まれる将来キャッシュ・フローを、現在価値に割り引くことにより計算します。

　減損損失の金額が測定できたら、次の仕訳を行って帳簿に反映させます。

　　（借）減 損 損 失　×××　　　（貸）固 定 資 産　×××

　借方の減損損失は、損益計算書で原則として「特別損失」の区分に計上されます。また、貸借対照表上、固定資産の帳簿価額は減損損失控除後の金額で表示されます。

●割引計算はWACCで行う

　ところで、減損損失として計上する金額は将来にわたる数値なので、現在価値への割引計算が必要とされます。その際の割引率をどこから引っ張ってくるか、これには実務でほぼ定着した指標があり、WACC（株主資本コストと負債コスト（自己資本と他人資本の各調達コスト）を加重平均した利率）を使うのが一般的です。

　この利率は株価や企業リスク等を反映したもので、上場企業ごとにオーダーメイドで客観的に設定されています。減損会計のほか資産除去債務会計でも割引率を使った計算が要求されますが、その際、これと乖離した割引率を使っていると、監査法人等が納得しません。よほどの事情がない限り、各企業ともWACCで計算しているようです（WACCの詳細は「資産除去債務会計」（本章の**7**）で説明します）。

3　減損処理の具体例

設例

　帳簿価額が1,000の機械装置について、第1期末に減損の兆候が認められました。こ

の機械装置の第2期以降のキャッシュ・フローは、次のように見積もられます。

	第2期	第3期	第4期
将来キャッシュ・フローの見積額	300	200	100

また、この機械装置の売却価額および処分費用見込額は、第1期末と第4期末でそれぞれ次のとおりです。割引率は2％とします。

	売却価額	処分費用
第1期末	800	100
第4期末	150	100

■ 計算および仕訳

●減損損失の認識

次期以降に生み出される将来キャッシュ・フローの総額は、次のように計算されます。

300（第2期）＋200（第3期）＋150（第4期）＝650

（注）第4期のキャッシュ・フローには、前表の見積額100のほか、処分時のキャッシュ・フロー50（150−100）も含まれますから、合計150となります。

この金額と第1期末の帳簿価額を比較すると、

帳簿価額　1,000　＞　将来キャッシュ・フロー　650

となり、割引前の将来キャッシュ・フローの総額が帳簿価額を下回っているので、この機械装置については減損損失を認識すべきです。

●回収可能価額の算定

回収可能価額は、正味売却価額と使用価値のうち高いほうの金額です。

両者は次のように計算します。

正味売却価額＝売却価額−処分費用

$$＝800−100$$

$$＝700$$

使用価値＝第2期以降のキャッシュ・フローの現在価値

$$＝（300÷1.02）＋（200÷1.02÷1.02）＋（150÷1.02÷1.02÷1.02）$$

$$≒627$$

使用価値より正味売却価額のほうが高いので、この機械装置については、継続して使用するよりも今、売却するほうが有利です。よって、回収可能価額は正味売却価額

の700となります。

●減損損失の測定

　以上より、減損損失の金額は、

　　帳簿価額－正味売却価額

　　　　＝1,000－700＝300

となって、次の仕訳が行われます。

　　（借）減 損 損 失 300　　（貸）機 械 装 置 300

4　税務上の取扱い

●税務上は評価損として検討

　税務上、減損損失について直接の規定はありませんが、この経理処理とよく似た取扱いとして、固定資産の「評価損」に関する定めが設けられています。すなわち法人税法では、資産の評価損は未実現損失であることから、損金不算入扱いを原則としています（法33①）。ただし、固定資産につき以下に該当する事実が生じた場合には、損金経理を条件に評価損の損金算入を認めています（法33②、令68①三）。

　　イ　災害により著しく損傷したこと

　　ロ　１年以上にわたり遊休状態にあること

　　ハ　本来の用途に使用することができないため他の用途に使用されたこと

　　ニ　所在場所の状況が著しく変化したこと

　　ホ　イからニまでに準ずる特別の事実

●評価損の適用に関する通達

　上記のうち、**ホ**の「特別の事実」に該当するものとしては、やむを得ない事情により取得の時から１年以上事業の用に供されないため、価額が低下したと認められる場合などが挙げられます（基通9－1－16）。

　なお、次の場合は固定資産の評価損の計上ができる特別の事実に該当しないものとされています（基通9－1－17）。

　　①　過度の使用または修理の不充分等により著しく損耗していること

　　②　償却を行わなかったため償却不足額が生じていること

　　③　取得時の事情等により同種の資産と比べて取得価額が高いこと

　　④　製造方法の急速な進歩等により機械装置が旧式化していること

●税務上の評価減は限定的に適用

　結局のところ、法人税法における評価損の対象は、特殊なケースで固定資産の価値

が低下したものに限定されています。単なる時価の下落や陳腐化を理由とした評価減は認められません。

　一方、減損会計では、将来キャッシュ・フローの減少や時価の下落など、きわめて広範な事象が減損処理の対象とされます。また、減損会計では資産グループ全体についての損失を認識した上で、それを各資産に配分するという考え方をとっていますが、法人税法では、資産グループについて評価損を計上することを前提としていません。

　以上により、現行税制のもとでは、減損損失のうち法人税法上の損金として認められるものは、ごく一部に限られます。費用計上した減損損失については、ほとんどのケースで申告調整が必要とされます。

5　減損会計と申告調整

（1）減損会計適用期の処理

設例1

　スーパーマーケット業を営むM社において、ある店舗の採算が著しく悪化しているため、当期末に減損会計を適用し、土地・建物の帳簿価額を次のように減損処理しました。

	減損前の簿価	減 損 額	減損後の簿価
土　地	77,360,000円	△ 54,152,000円	23,208,000円
建　物	48,026,500円	△ 33,618,600円	14,407,900円
計	125,386,500円	△ 87,770,600円	37,615,900円

　（注）建物の減損前簿価は、次の計算による減価償却を行った後の金額です。

$$108,460,000円 \times 0.9 \times 0.030 = 2,928,420円$$

$$\left(\begin{array}{l} 取得価額：108,460,000円 \\ 耐用年数：34年 \\ 旧定額法による償却率：0.030 \end{array} \right)$$

仕訳

（借）減 価 償 却 費	2,928,420	（貸）建	物	2,928,420
（借）減 損 損 失	87,770,600	（貸）土	地	54,152,000
		建	物	33,618,600

〈図表14　償却限度額の計算〉

			事業年度	（当期）	法人名	M　社	別表十六(一)
資産区分	種　類	1	建物				
	構　造	2	金属造4mm超				
	細　目	3	店舗用				
	取　得　年　月　日	4	・　・	・　・	・　・	・　・	・　・
	事業の用に供した年月	5					
	耐　用　年　数	6	34 年	年	年	年	年
取得価額	取得価額又は製作価額	7	外 108,460,000 円	外 円	外 円	外 円	外 円
	(7)のうち積立金方式による圧縮記帳の場合の償却額計算の対象となる取得価額に算入しない金額	8					
	差引取得価額 (7)-(8)	9	108,460,000				
帳簿価額	償却額計算の対象となる期末現在の帳簿記載金額	10	14,407,900				
	期末現在の積立金の額	11					
	積立金の期中取崩額	12					
	差引帳簿記載金額 (10)-(11)-(12)	13	外△ 14,407,900	外△	外△	外△	外△
	損金に計上した当期償却額	14	36,547,020				
	前期から繰り越した償却超過額	15	外	外	外	外	外
	合計 (13)+(14)+(15)	16	50,954,920				
当期分の普通償却限度額等	平成19年3月31日以前取得分	残存価額	17	10,846,000				
		差引取得価額×5% (9)×5/100	18	5,423,000				
		(16)>(18)の場合 旧定額法の償却額計算の基礎となる金額 (9)-(17)	19	97,614,000				
		旧定額法の償却率	20	0.030				
		算出償却額 (19)×(20)	21	2,928,420 円	円	円	円	円
		増加償却額 (21)×割増率	22	( )	( )	( )	( )	( )
		計 ((21)+(22))又は((16)-(18))	23	2,928,420				
		(16)≦(18)の場合 算出償却額 ((18)-1円)×60/60	24					
	平成19年4月1日以後取得分	定額法の償却額計算の基礎となる金額 (9)	25					
		定額法の償却率	26					
		算出償却額 (25)×(26)	27	円	円	円	円	円
		増加償却額 (27)×割増率	28	( )	( )	( )	( )	( )
		計 (27)+(28)	29					
当期分の償却限度額	当期分の普通償却限度額等 (23)、(24)又は(29)	30	2,928,420				
	特別償却限度額又は割増償却限度額 租税特別措置法適用条項	31	条 項	条 項	条 項	条 項	条 項
	特別償却限度額	32	外 円	外 円	外 円	外 円	外 円
	前期から繰り越した特別償却不足額又は合併等特別償却不足額	33					
	合計 (30)+(32)+(33)	34	2,928,420				
当期償却額		35	36,547,020				
差引	償却不足額 (34)-(35)	36					
	償却超過額 (35)-(34)	37	33,618,600				
償却超過額	前期からの繰越額	38	外	外	外	外	外
	当期損金認容額 償却不足によるもの	39					
	積立金取崩しによるもの	40					
	差引合計翌期への繰越額 (37)+(38)-(39)-(40)	41	33,618,600				
特別償却不足額	翌期に繰り越すべき特別償却不足額 (((36)-(39))と((32)+(33))のうち少ない金額)	42					
	当期において切り捨てる特別償却不足額又は合併等特別償却不足額	43					
	差引翌期への繰越額 (42)-(43)	44					
	翌期への繰越額の内訳	45	・　・				
	当期分不足額	46					
適格組織再編成により引き継ぐべき合併等特別償却不足額 (((36)-(39))と(32)のうち少ない金額)		47					
備考			減損処理				

367

◉建物の減損損失計上額は償却費扱い

　税務上、減損損失は「償却費として損金経理をした金額」に含まれます（基通7－5－1(5)）。そこで、別表16(1)において減価償却限度額を計算する際、「当期償却額」欄（14および35）には、建物の減損損失計上額33,618,600円を含みます（【前ページ】の図表14参照）。

$$\underset{\text{本来の償却額}}{2,928,420円} + \underset{\text{減損損失}}{33,618,600円} = \underset{\text{当期償却費}}{36,547,020円}$$

◉減損処理により利益積立金が増加

　それに対して、税務上、損金算入となる償却費は2,928,420円（34欄）です。そこで、差引き33,618,600円（37欄）が償却超過額となり、別表4の6欄で加算されます。また、この金額分だけ税務上の建物勘定が過小となっており、次の調整仕訳を考えたとき、貸方で利益積立金が発生するので、それを別表5(1)に計上することになります。

　（借）建　　　　　物　33,618,600　　　（貸）償 却 超 過 額　33,618,600
　　　　　　　　　　　　　　　　　　　　　　　　　（利 益 積 立 金）

　　　会計上の簿価：50,954,920円 － 2,928,420円 － 33,618,600円 = 14,407,900円

　　　税務上の簿価：50,954,920円 － 2,928,420円 = 48,026,500円

　　　　差　　引　：48,026,500円 － 14,407,900円 = 33,618,600円

　なお、土地については償却計算は関係ないので、減損金額54,152,000円がそのまま別表4で加算され、さらに別表5(1)で利益積立金となります。

　以上により、別表4と別表5(1)の記入は、次のようになります。

〈別表4〉

区　　　分		総　　額 ①	処分		
			留　保 ②	社 外 流 出 ③	
加	減価償却の償却超過額 6	33,618,600	33,618,600		
算	土地減損損失否認額	54,152,000	54,152,000		

〈別表5(1)〉

I　利 益 積 立 金 額 の 計 算 に 関 す る 明 細 書				
区　　　分	期 首 現 在 利益積立金額 ①	当 期 の 増 減		差引翌期首現在 利益積立金額 ①－②＋③ ④
		減 ②	増 ③	
減価償却超過額			33,618,600	33,618,600
土　　　地			54,152,000	54,152,000

（2）減損会計適用の翌期以降の処理

設例2

　M社は、減損処理した建物について翌期以降、減損後の帳簿価額を残存耐用期間（13年）で均等償却することとしました。

　　　14,407,900円÷13年＝1,108,300円

仕訳

　（借）減 価 償 却 費　1,108,300　　　（貸）建　　　　物　1,108,300

申告調整

●償却不足額が認容される

　減損処理を行っても、税務上の償却計算は従来どおり、次のように行います。

　　　108,460,000円×0.9×0.030＝2,928,420円

　これに対して、会計上の減価償却費は上記のとおり1,108,300円ですから、差引き1,820,120円の償却不足となっています（**【次ページ】**の図表15参照）。

　この償却不足額（別表16⑴の36欄）は所得計算で認容され、別表4の12欄において減算することになります。また、利益積立金が同額だけ減少します。

　　　会計上の簿価：14,407,900円－ 1,108,300円＝13,299,600円

　　　税務上の簿価：48,026,500円－ 2,928,420円＝45,098,080円

　　　差　　　引　：45,098,080円－13,299,600円＝31,798,480円

　以上により、別表4と別表5⑴の記入は、次のようになります。

〈別表4〉

区　　　分		総　　額	処　　　　分		
			留　保	社 外 流 出	
		①	②	③	
減算	減価償却超過額の当期認容額	12	1,820,120	1,820,120	

〈別表5⑴〉

Ⅰ　利益積立金額の計算に関する明細書				
区　　　分	期首現在利益積立金額	当期の増減		差引翌期首現在利益積立金額①－②＋③
		減	増	
	①	②	③	④
減価償却超過額	33,618,600	1,820,120		31,798,480
土　　　地	54,152,000			54,152,000

〈図表15　償却不足額の計算〉

事業年度	（翌期）	法人名	M 社

区分			行					
資産区分	種類		1	建物				
	構造		2	金属造4mm超				
	細目		3	店舗用				
	取得年月日		4	・　・	・　・	・　・	・　・	・　・
	事業の用に供した年月		5					
	耐用年数		6	34 年	年	年	年	年
取得価額	取得価額又は製作価額		7	外 108,460,000 円	外　　円	外　　円	外　　円	外　　円
	(7)のうち積立金方式による圧縮記帳の場合の償却計算の対象となる取得価額に算入しない金額		8					
	差引取得価額 (7)-(8)		9	108,460,000				
帳簿価額	償却額計算の対象となる期末現在の帳簿記載金額		10	13,299,600				
	期末現在の積立金の額		11					
	積立金の期中取崩額		12					
	差引帳簿記載金額 (10)-(11)-(12)		13	外△ 13,299,600	外△	外△	外△	外△
	損金に計上した当期償却額		14	1,108,300				
	前期から繰り越した償却超過額		15	外 33,618,600	外	外	外	外
	合計 (13)+(14)+(15)		16	48,026,500				
当期分の普通償却限度額等	平成19年3月31日以前取得分	残存価額	17	10,846,000				
		差引取得価額×5% (9)×5/100	18	5,423,000				
		(16)>(18)の場合	旧定額法の償却額計算の基礎となる金額 (9)-(17)	19	97,614,000				
			旧定額法の償却率	20	0.030				
			算出償却額 (19)×(20)	21	2,928,420 円	円	円	円	円
			増加償却額 (21)×割増率	22	( )	( )	( )	( )	( )
			計 ((21)+(22))又は((16)-(18))	23	2,928,420				
		(16)≦(18)の場合	算出償却額 ((18)-1円)×12/60	24					
	平成19年4月1日以後取得分	定額法の償却額計算の基礎となる金額 (9)	25					
		定額法の償却率		26					
		算出償却額 (25)×(26)		27	円	円	円	円	円
		増加償却額 (27)×割増率		28	( )	( )	( )	( )	( )
		計 (27)+(28)		29					
当期分の償却限度額	当期分の普通償却限度額等 (23)、(24)又は(29)		30	2,928,420				
	特別償却限度額	租税特別措置法適用条項	31	条 項 ( )	条 項 ( )	条 項 ( )	条 項 ( )	条 項 ( )
		特別償却限度額	32	外　　円	外　　円	外　　円	外　　円	外　　円
	前期から繰り越した特別償却不足額又は合併等特別償却不足額		33					
	合計 (30)+(32)+(33)		34	2,928,420				
当期償却額			35	1,108,300				
差引	償却不足額 (34)-(35)		36	1,820,120				
	償却超過額 (35)-(34)		37					
償却超過額	前期からの繰越額		38	外 33,618,600	外	外	外	外
	当期損金認容額	償却不足によるもの	39	1,820,120				
		積立金取崩しによるもの	40					
	差引合計翌期への繰越額 (37)+(38)-(39)-(40)		41	31,798,480				
特別償却不足額	翌期に繰り越すべき特別償却不足額 (((36)-(39))と((32)+(33))のうち少ない金額)		42					
	当期において切り捨てる特別償却不足額又は合併等特別償却不足額		43					
	差引翌期への繰越額 (42)-(43)		44					
	翌期への繰越額の内訳	・　・	45					
		当期分不足額	46					
適格組織再編成により引き継ぐべき合併等特別償却不足額 (((36)-(39))と(32)のうち少ない金額)			47					
備考				減損認容				

（3）減損資産を処分したときの処理

設例3

　M社は、減損処理を行った翌々期にその店舗を閉鎖し、土地・建物を以下の金額で売却しました。

土地売却価額	3,500万円
建物売却価額	1,500万円
計	5,000万円

　（注）当該建物について、当期は減価償却を行っていません。

仕 訳

　（借）現 金 預 金 50,000,000 　（貸）土 　　　　地 23,208,000
　　　　　　　　　　　　　　　　　　　　建 　　　　物 13,299,600
　　　　　　　　　　　　　　　　　　　　固定資産売却益 13,492,400

申告調整

●食い違いが解消し全額認容

　土地を売却したことにより、過年度に計上した減損損失（評価損）は全額、"実現損失"となり認容されます。また、建物についても、償却超過扱いされていた減損損失が認容され、ともに別表4で減算されます。併せて、税務と会計の食い違いが解消したので、利益積立金は消滅します。

　別表4と別表5(1)の記入は次のとおりです。

〈別表4〉

区　　　分		総　　　額	処		分	
			留　　　保	社　外　流　出		
		①	②	③		
減算	減価償却超過額の当期認容額 12	31,798,480	31,798,480			
	土地減損損失否認額	54,152,000	54,152,000			

〈別表5(1)〉

I　　利 益 積 立 金 額 の 計 算 に 関 す る 明 細 書					
区　　　分	期 首 現 在利 益 積 立 金 額	当　期　の　増　減		差引翌期首現在利 益 積 立 金 額①－②＋③	
		減	増		
	①	②	③	④	
減価償却超過額	31,798,480	31,798,480		0	
土　　　　地	54,152,000	54,152,000		0	

●売却時の別表16⑴は特殊な書き方

　税務上の減価償却は、期末に有する資産についてのみ行います（法31①）から、期中に売却済みの資産については通常、別表16(1)に記入しません。ただし、別表４の⓬欄と関連付けるために、あえて同表に記入し㊴欄において認容額を明らかにするとすれば、次ページのような書き方をすることになります（**【次ページ】**の図表16参照）。

［一口ゼミ⑮］　有価証券の減損処理

　上場株式等の時価が著しく下落した場合の評価減（減損処理）について、企業会計と税務では規定の仕方が違います。企業会計では回復する見込みが「あると認められる場合を除き」評価減が強制されますが、税務では回復が「見込まれない場合」に評価損の損金算入が認められます。

　つまり、回復見込みが"不明"な場合に、両者の扱いが異なります。企業会計では保守的経理の観点から、その場合も評価減を強制しますが、税務の扱いでは、評価損は原則として損金不算入であることから、回復見込みがない場合にのみ評価減が認められます（不明な場合はダメ）。

　回復の見込みに関して、企業会計では50％以上下落したときは、合理的な反証がない限りその可能性はないものとされます。それに対し税務では、過去の市場価格の推移、発行法人の業況等を踏まえ、"近い将来"において回復が見込まれない場合には評価減ができると規定され、具体的な判定基準は設けられていません。

　税務上、評価損が損金になるかならないか、そのポイントは回復の可能性がないことを、どのようにして立証するかです。本来、将来の株価動向は神のみぞ知る、人智で解決できる問題ではありません。しかし申告納税制度のもと、挙証責任は納税者側にあります。税務当局が回復する見込みが"ある"ことを証明するのではなく、納税者側でそれが"ない"ことを立証しなければなりません。

　一つ救いとなるのは、国税庁Ｑ＆Ａで次のような取扱いが設けられていることです。すなわち、「近い将来回復が見込まれないこと」について、法人が独自に合理的な判断を行うことが困難なときは、証券アナリストなどによる個別銘柄の分析や見通し、株式発行法人に関する企業情報などを根拠に判断することを認める旨の取扱いです。

　つまり、証券新聞・雑誌などで個別銘柄に関する悲観的な先行きの記事があれば、それを根拠として評価損を計上していいことになっています。この取扱いに基づいて評価減を行ったときは、その記事を大切に保管しておいてください。税務調査の折、それを根拠資料として提示することになりますから。

〈図表16 売却時の別表16(1)〉

別表十六(一)

区分	No.	M社（翌々期）
種類	1	建物
構造	2	金属造4mm超
細目	3	店舗用
取得年月日	4	・　・
事業の用に供した年月	5	・
耐用年数	6	34 年
取得価額又は製作価額	7	外 108,460,000 円
(7)のうち積立金方式による圧縮記帳の場合の償却額計算の対象となる取得価額に算入しない金額	8	
差引取得価額 (7)-(8)	9	108,460,000
償却額計算の対象となる期末現在の帳簿記載金額	10	0
期末現在の積立金の額	11	
積立金の期中取崩額	12	
差引帳簿記載金額 (10)-(11)-(12)	13	外△　0
損金に計上した当期償却額	14	0
前期から繰り越した償却超過額	15	31,798,480
合計 (13)+(14)+(15)	16	外△　31,798,480
残存価額	17	31,798,480
差引取得価額×5% (9)×5/100	18	
旧定額法の償却額計算の基礎となる金額 (9)-(17)	19	
旧定額法の償却率	20	
算出償却額 (19)×(20)	21	
増加償却額 (21)×割増率	22	
計 (21)+(22)	23	31,798,480
算出償却額 (16)≦(18)の場合 ((16)-1円)×60	24	
定率法の償却額計算の基礎となる金額 (9)	25	
定率法の償却率	26	
算出償却額 (25)×(26)	27	
増加償却額 (27)×割増率	28	
計 (27)+(28)	29	
当期分の普通償却限度額等 (23)、(24)又は(29)	30	31,798,480
租税特別措置法適用条項	31	条 項
特別償却限度額	32	外 円
前期から繰り越した特別償却不足額又は合併等特別償却不足額	33	
合計 (30)+(32)+(33)	34	31,798,480
当期償却額	35	0
償却不足額 (34)-(35)	36	0
償却超過額 (35)-(34)	37	31,798,480
前期からの繰越額	38	外 31,798,480
当期損金認容額 償却不足によるもの	39	31,798,480
積立金取崩しによるもの	40	
差引合計翌期への繰越額 (37)+(38)-(39)-(40)	41	0
翌期に繰り越すべき特別償却不足額	42	
当期において切り捨てる特別償却不足額又は合併等特別償却不足額	43	
差引翌期への繰越額 (42)-(43)	44	
翌期への繰越額	45	
当期分不足額	46	
適格組織再編成により引き継ぐべき合併等特別償却不足額	47	外

売却による減損認容

4 リース会計を適用した場合

1 リース取引とは

●金融取引の性質を持つ賃貸借

リース取引とは、賃貸借のうち金融取引としての側面を持つものをいい、次のように分類されます。

$$\text{リース取引} \begin{cases} \text{ファイナンス・リース取引} \begin{cases} \text{所有権移転ファイナンス・リース取引} \\ \text{所有権移転外ファイナンス・リース取引} \end{cases} \\ \text{オペレーティング・リース取引} \end{cases}$$

現実には、リース取引のほとんどはファイナンス・リースで、オペレーティング・リースとは、レンタルとか賃貸借と呼ばれる取引が該当します。

平成19年３月に企業会計基準委員会から公表された「リース取引に関する会計基準」によれば、次の要件をすべて満たすリース取引をファイナンス・リース取引とし、それ以外のものをオペレーティング・リース取引としています。

① リース期間の中途において契約を解除できないこと
② リースの経済的利益を借り手が実質的に享受できること
③ リース物件の使用に伴う費用を借り手が実質的に負担すること

ファイナンス・リース取引は、リース物件の所有権が借り手に移転する取引（所有権移転リース取引）と、それ以外の取引（所有権移転外リース取引）に分類されています。

●現在価値基準と経済的耐用年数基準

どの分類のリース取引であるかで、会計処理や税務処理が違ってきます。そこで上記の分類が重要となりますが、両者の区分について会計基準で具体的な判定ルールが設けられ、次のいずれかに該当する場合にはファイナンス・リース取引とされます。

①	現在価値基準	解約不能のリース期間中のリース料総額の現在価値が、当該リース物件の見積現金購入価額のおおむね90％以上であること
②	経済的耐用年数基準	解約不能のリース期間が、当該リース物件の経済的耐用年数のおおむね75％以上であること

●所有権移転リース判定の3要件

　また、ファイナンス・リースを2分類する基準として、次の3要件のいずれかを満たすものが所有権移転リース取引、すべて該当しないものは所有権移転外リース取引とされます。

①	所有権移転条項付リース	リース期間の中途または終了時に、リース物件の所有権が借り手に移転するもの
②	割安購入選択権条項付リース	リース期間の中途または終了時に、名目的価額または著しく有利な価額で買い取る権利が借り手に与えられているもの
③	特別仕様のリース物件	用途や設置状況等に照らして、リース物件が使用可能期間を通じて借り手によってのみ使用されることが明らかなもの

2　リース取引の会計処理

　ファイナンス・リース取引は「売買処理」、オペレーティング・リース取引は「賃貸借処理」となります。また、ファイナンス・リースのうち“所有権移転”と“所有権移転外”のいずれであるかによって、減価償却計算のしかたが異なります。

　以下、ファイナンス・リース取引における会計処理について説明します。

（1）借り手の会計処理

●リース資産とリース債務の計上

　リース取引の開始時に、リース料総額からこれに含まれている利息相当額の合理的な見積額を控除した金額で、資産と負債を両建て計上します。

　　（借）リース資産　×××　　　（貸）リース債務　×××

　リース資産計上額は、減価償却により費用化します。また、リース債務はリース料の支払時に取り崩します。その際、リース料総額から控除した利息相当額の総額を、リース期間中の各期間に原則として「利息法」で配分します。

（借）リ ー ス 債 務　　×××　　（貸）現 金 預 金　　×××

　　　 支 払 利 息　　×××

　利息法とは、リース債務の未返済元本残高に一定の利率を乗じて計算するやり方で、その利率は、リース料総額の現在価値がリース取引開始日のリース債務計上額と等しくなる利率として求められます。

●リース資産の減価償却

　リース資産について、リース期間を耐用年数として減価償却を行います。償却方法は、所有権移転リースについては自己所有の固定資産と同様の方法を適用しますが、所有権移転外リースの場合には、定額法、級数法、生産高比例法等の中から企業の実態に応じたものを選択します。

（借）減 価 償 却 費　　×××　　（貸）リ ー ス 資 産　　×××

　　　（注）"所有権移転"の場合は有形資産の移転、"所有権移転外"の場合は無形資産たる使用権の移転という観点から、両者の償却方法に違いを設けています。

設例1

・リース期間　　5年
・リース料　　総額60,000千円（毎月1,000千円支払い）
・リース物件の貸し手の購入価額　　54,000千円
・適用利率　　年2％

仕訳

〈開始時〉

（借）リ ー ス 資 産　54,000千円　　（貸）リ ー ス 債 務　54,000千円

〈第1回支払時〉

（借）リ ー ス 債 務　　910千円　　（貸）現 金 預 金　1,000千円

　　　支 払 利 息　　90千円

　　　（注）支払利息の金額は、利息法により次のように計算します。

$$54,000千円 \times 2\% \times \frac{1月}{12月} = 90千円$$

〈第1回決算時〉

（借）減 価 償 却 費　10,800千円　　（貸）リ ー ス 資 産　10,800千円

　　　（注）リース期間を耐用年数とし、残存価額を0として計算します。

$$54,000千円 \times \frac{1年}{5年} = 10,800千円$$

●簡便的な取扱いがある

リース資産の総額に重要性が乏しい場合には、次のいずれかの方法を適用することが認められます。

(a)　リース料総額から利息相当額を控除しない方法

(b)　利息相当額の配分を定額法で行う方法

　　(注)　重要性が乏しい場合とは、次の割合が10％未満であることとされています。

$$\frac{未経過リース料の期末残高}{未経過リース料の期末残高＋有形・無形固定資産の期末残高}$$

(a)の方法を採用した場合、リース資産およびリース債務はリース料の総額で計上され、支払利息は計上されません。減価償却費のみ計上されます。

たとえば、 設例1 に関しては、それぞれ次のような処理になります。

(a)の場合：

〈開始時〉

　　(借) リ ー ス 資 産　60,000千円　　　(貸) リ ー ス 債 務　60,000千円

〈第１回支払時〉

　　(借) リ ー ス 債 務　1,000千円　　　(貸) 現 金 預 金　1,000千円

〈第１回決算時〉

　　(借) 減 価 償 却 費　12,000千円　　　(貸) リ ー ス 資 産　12,000千円

　　　　(注)　$60,000千円 \times \dfrac{1}{5} = 12,000千円$

(b)の場合：

〈開始時〉

　　(借) リ ー ス 資 産　54,000千円　　　(貸) リ ー ス 債 務　54,000千円

〈第１回支払時〉

　　(借) リ ー ス 債 務　900千円　　　(貸) 現 金 預 金　1,000千円

　　　　支 払 利 息　100千円

　　　　(注)　支払利息の計算は、次のようになります。

$$(60,000千円 - 54,000千円) \times \frac{1年}{5年} \times \frac{1}{12} = 100千円$$

●少額リースは賃貸借処理でもいい

また、次のいずれかのケースに該当し、個々のリース資産に重要性が乏しいと認められる場合には、オペレーティング・リース取引の会計処理に準じて、賃貸借処理を行うことができます。

① 1物件あたりのリース料総額が購入時に費用処理する基準額以下のもの

② リース期間が1年以内のもの

③ リース契約1件あたりのリース料総額が300万円以下のもの

この場合、上記 設例1 における処理は、次のようになります。

〈開始時〉 仕訳なし

〈支払時〉

　（借）賃　　借　　料　　1,000千円　　　　（貸）現　金　預　金　　1,000千円

〈決算時〉 仕訳なし

（2）貸し手の会計処理

●3通りの経理処理

　ファイナンス・リース取引の貸し手の経理処理については、次の3通りのうちいずれかの方法を選択し、継続適用することとされています。

> 第1法：リース取引開始日に売上高と売上原価を計上するやり方
> 第2法：リース料の受取り時に売上高と売上原価を計上するやり方
> 第3法：売上高を計上せず利息相当額を各期に配分するやり方

　なお、貸し手側のリース資産の科目として、所有権移転ファイナンス・リースでは「リース債権」、所有権移転外ファイナンス・リースは「リース投資資産」を使用することになっています。リース投資資産は、将来のリース料を収受する権利に加えて、見積残存価額をも含んだ複合的な項目です。

設例2

・リース期間　　　5年

・リ ー ス 料　　総額60,000千円（毎月1,000千円支払い）

・リース物件の購入価額　　54,000千円

・適 用 利 率　　年2％

仕訳

〔第1法〕

〈開始時〉

　（借）リース投資資産　　60,000千円　　　（貸）売　　　上　　　高　　60,000千円
　　　（リ ー ス 債 権）

売　上　原　価　54,000千円　　　　　買　　掛　　金　54,000千円

〈第1回受取時〉

（借）現　金　預　金　1,000千円　　（貸）リース投資資産　1,000千円
　　　　　　　　　　　　　　　　　　　　（リース債権）

〈第1回決算時〉

（借）繰延リース利益繰入　4,920千円　（貸）繰延リース利益　4,920千円
　　　　（費　　用）　　　　　　　　　　　　（負　　債）

（注1）利息相当額のうち期末日後の期間に対応する利益は繰り延べます。

54,000千円×2％＝1,080千円（当期分利息）

（60,000千円－54,000千円）－1,080千円＝4,920千円

本来は利息を月割計算すべきですが、便宜的に年計算しています。

（注2）貸借対照表上、「リース投資資産」（または「リース債権」）と「繰延リース利益」は相殺して表示します。

〔第2法〕

〈開始時〉

（借）リース投資資産　54,000千円　　（貸）買　　掛　　金　54,000千円
　　　（リース債権）

〈第1回受取時〉

（借）現　金　預　金　1,000千円　　（貸）売　　上　　高　1,000千円

売　上　原　価　910千円　　　　　リース投資資産　910千円
　　　　　　　　　　　　　　　　　　　　（リース債権）

（注）当月分の利息相当額が利益となります。

$54,000千円 \times 2\％ \times \dfrac{1月}{12月} = 90千円（受取利息）$

1,000千円－90千円＝910千円（売上原価）

〔第3法〕

〈開始時〉

（借）リース投資資産　54,000千円　　（貸）買　　掛　　金　54,000千円
　　　（リース債権）

〈第1回受取時〉

（借）現　金　預　金　1,000千円　　（貸）リース投資資産　910千円
　　　　　　　　　　　　　　　　　　　　（リース債権）

受　取　利　息　90千円

●重要性が小なら定額法で利息配分できる

リース取引に重要性が乏しい場合は、利息相当額の総額を、利息法によらずリース

期間中の各期に定額で配分することができます。

重要性が乏しい場合とは、次の割合が10%未満であることとされています。

$$\frac{未経過リース料の期末残高＋見積残存価額の期末残高}{未経過リース料の期末残高＋見積残存価額の期末残高＋営業債権の期末残高}$$

3　税務上の取扱いと申告調整

●原則として会計基準と同じ取扱い

リース会計基準との整合性を図るため、ファイナンス・リース契約については、所有権移転リース取引だけでなく所有権移転外リース取引も、貸し手から借り手への引渡しがあった時にリース資産の売買があったものとして、所得計算を行うこととされています（法64の2①）。

（注）法人税法でいう「リース取引」はファイナンス・リース取引であり、オペレーティング・リース取引はリース取引から除外され、通常の賃貸借取引として扱われます。

その際、ファイナンス・リースに該当するか、所有権移転リース取引と所有権移転外リース取引の区別、リース料に含まれる利息相当額の処理、減価償却の計算方法などについて、税務と会計で取扱いは原則として一致しています。

●若干の食い違いは残る

ただし、細部の取扱いには次のような食い違いが残されています。

① 税務には例外規定がない

会計上は300万円基準を設けて、重要性の乏しい場合に賃借料処理を認めていますが、税務上は例外規定がなく、ファイナンス・リース取引に該当すればすべて売買処理が要求されます。

② 減価償却方法の違い

所有権移転外リース取引にかかるリース資産について、会計上は定額法以外の償却方法が認められていますが、税務上は「リース期間定額法」しか認めていません（令48の2①六）。

③ 賃貸借処理をした場合の取扱い

賃借人がリース料を"賃借料"として費用計上した場合、税務上は償却費として損金経理した金額に含まれます（令131の2③）。

④ 受取利息に関する20%基準

利息相当額が明らかでない場合には、リース譲渡対価から原価を控除した金額の20%相当額を、貸し手の利息とみなして収益計上する税務上の取扱いが設けら

　れています（令124③）。

　そこで、両者に食い違いが生じたとき、ケースによっては申告調整が必要となることがあります。

設 例3

・リース期間　　5年
・リ ー ス 料　　総額60,000千円（毎月1,000千円支払い）

　この所有権移転外ファイナンス・リース取引について、次のように経理処理しました。

〈開始時〉　仕訳なし

〈毎月の支払時〉

　（借）賃　借　料　　1,000千円　　（貸）現　金　預　金　　1,000千円

〈決算時〉

　（借）前　払　費　用　　1,000千円　　（貸）賃　借　料　　1,000千円

　　（注）リース料は当月分を前月末に支払うため、決算月の1か月分を前払い計上しました。

申告調整

●所得金額は変わらない

　税務上、所有権移転外リース取引において損金に算入される金額は、原則としてリース料の総額を「リース期間定額法」により計算した償却限度額とされています。さらに、リース料の支払額を賃借料として費用計上したときは、償却費として処理したものとみなす取扱いも設けられています。

　本設例の場合、賃借料として当期に費用計上した金額と、リース期間定額法による償却限度額は一致しますから、別表4の加減算は不要です。

●別表5⑴の記入も省略できる

　なお、本設例のように賃借料の処理をしていると、貸借対照表において"リース資産"と"リース債務"が簿外となっています。そこで厳密に考えれば、リース債務の期末未払額で次の税務仕訳を行ったものとして、別表5⑴に両者を両建て計上すべし、ということになります。

　　（借）リ ー ス 資 産　　×××　　（貸）リ ー ス 債 務　　×××

I　利益積立金額の計算に関する明細書				
区　　　　分	期 首 現 在 利益積立金額	当　期　の　増　減		差引翌期首現在 利益積立金額 ①－②＋③
		減	増	
	①	②	③	④
リ ー ス 資 産			×××	×××
リ ー ス 債 務			△×××	△×××

　ただし、この設例の場合には両者がまったくの同額で、利益積立金の期末残高には影響しないため、別表5⑴の記載を省略したとしても、とくに問題はないと思われます。

設 例 4

・リース期間　　５年

・リ ー ス 料　　総額60,000千円（毎月1,000千円支払い）

・リース物件の貸し手の購入価額　　54,000千円

・リース物件の耐用年数　　６年

・適 用 利 率　　年２％

　当期首にリース取引を開始したこの所有権移転外ファイナンス・リース取引について、次のように経理処理しました。

〈開始時〉

　　（借）リ ー ス 資 産　54,000千円　　　（貸）リ ー ス 債 務　54,000千円

〈第１回支払時〉

　　（借）リ ー ス 債 務　　910千円　　　（貸）現 金 預 金　1,000千円

　　　　　支 払 利 息　　 90千円

　　　（注）支払利息の金額は、利息法により次のように計算します。

$$54,000千円 \times 2\% \times \frac{1月}{12月} = 90千円$$

〈第１回決算時〉

　　（借）減 価 償 却 費　22,140千円　　　（貸）リ ー ス 資 産　22,140千円

　　　（注）リース期間を耐用年数とし、旧定率法の償却額に $\frac{10}{9}$ をかける方法（後述）で計算しています。

$$54,000千円 \times \underset{\substack{耐用年数５年\\の 償 却 率}}{0.369} \times \frac{10}{9} = 22,140千円$$

申告調整

〈別表4〉

区　　　　分		総　　　額	処　　　　　　　分			
			留　　保		社　外　流　出	
		①	②		③	
加算	減価償却の償却超過額	6	11,340,000	11,340,000		

〈別表5(1)〉

I　　利　益　積　立　金　額　の　計　算　に　関　す　る　明　細　書					
区　　　　分	期　首　現　在 利益積立金額	当　期　の　増　減		差引翌期首現在 利益積立金額 ①－②＋③	
		減	増		
	①	②	③	④	
減価償却超過額			11,340,000	11,340,000	

●税務上はリース期間定額法しか認めない

　会計上、所有権移転外ファイナンス・リース取引については、定額法以外に旧定率法の償却額に $\frac{10}{9}$ をかける方法も、妥当な償却方法とされています。

　しかし、リース取引に関する税務上の償却方法は、定額法しか認められていません。そこで、「リース期間定額法」により計算すると、下記の計算により10,800千円が償却限度額となります。そこで、この金額をオーバーして計上した償却費11,340千円を、減価償却超過額として別表4で加算し、同額が別表5(1)において利益積立金として計上されます。

　　　54,000千円×0.200＝10,800千円（償却限度額）

　　　22,140千円－10,800千円＝11,340千円（償却超過額）

5 有価証券評価差額を計上した場合

1 有価証券評価差額とは

●会計基準で時価評価を導入

平成11年1月に企業会計審議会より「金融商品に係る会計基準の設定に関する意見書」が公表され、時価会計が導入されました。これを受けて会社法上も、株式等を時価で評価することが認められています（計規5⑥）。

金融商品会計基準では、市場価格のある有価証券を4種類に分類し、それぞれ次のように処理すべきこととしています。なお、市場価格のない有価証券は取得価額で評価します。

	評価基準	評価差額の処理
売買目的の有価証券	時　価	損益に計上
満期保有目的の債券	償却原価	受取利息に計上
関 係 会 社 株 式	原　価	——
その他の有価証券	時　価	純資産の部に直接計上

（注）償却原価法とは、債券を額面金額より低い（または高い）価額で取得した場合に、その差額を償還期限にいたるまで毎期一定の方法で受取利息に計上し、取得価額に加減算する方法をいいます。

●2通りの時価法

取得原価主義のもとでは"含み益"や"含み損"が貸借対照表に反映されておらず、企業経営の実態をタイムリーにディスクローズすることができません。そこで、「売買目的の有価証券」と「その他の有価証券」に対して時価評価を適用することとされましたが、評価損益の計上のしかたが両者で異なります。

売買目的有価証券の評価損益は、次の仕訳により当期の損益計算に計上します。

（借）有 価 証 券　×××　　（貸）有価証券評価益　×××
　　　　　　　　　　　　　　　　　（営 業 外 収 益）

　一方、市場性のある「その他有価証券」については、次の2通りの処理方法があり、いずれかを選択適用することとされています。

　　①　貸借対照表の純資産の部に計上（全部純資産直入法）

　　②　評価益は純資産の部に計上し、評価損は当期の損失に計上（部分純資産直入法）

　実務では①の「全部純資産直入法」が一般的ですが、その際の仕訳は次のようにします。

　　　（借）有　価　証　券　　×××　　（貸）その他有価証券評価差額金　　×××
　　　　　　　　　　　　　　　　　　　　　　　　（純　資　産　の　部）

●税務ではその他有価証券の時価評価を認めない

　上記の取扱いに対し法人税法では、有価証券の評価方法について次のように定めています（法61の3）。

売買目的の有価証券	時価法
満期保有目的の有価証券	償却原価法
その他の有価証券	原価法

　税務と会計の取扱いを比較すると、市場性のある「その他有価証券」に対する評価方法が食い違っています。会計上は時価法ですが、税務ではそれを認めていません。そこで、両者の食い違いを埋めるため申告調整が必要となります。

2　有価証券評価差額と申告調整

●純資産に計上した評価損益は別表4の調整が不要

　有価証券評価差額に対する申告調整は、上記①または②のいずれの処理を行っているかで違ってきます。

　まず、①の「全部純資産直入法」によっているとき、評価差額は当期の損益計算に影響しないので、別表4の調整は不要です。ただし、有価証券の帳簿価額を修正する必要があるので、別表5(1)への記入は必要です。

　つぎに、②の「部分純資産直入法」で処理している場合で評価損を計上したときは、当期純利益がその分減少し、これは損金不算入なので別表4において加算することになります。評価益の場合は、純資産に直接計上され当期損益に影響しないので、①と同様、別表5(1)における調整のみ行います。

設例1-1　（全部純資産直入法の場合）

　S社では、当期から市場性のある「その他有価証券」について時価評価を行うこと

になりました。当期末において、該当する株式の評価差額は次のとおりです。

	取得価額	期末時価	評価差額	税効果額 （評価差額の30％）
Ａ社株式	14,752,000円	21,536,000円	6,784,000円	2,035,200円
Ｂ社株式	9,338,000円	7,126,000円	△ 2,212,000円	△ 663,600円
Ｃ社株式	10,374,000円	11,225,200円	851,200円	255,360円
合　計	34,464,000円	39,887,200円	5,423,200円	1,626,960円

以上の評価差額に対して、次のように処理しました。

仕 訳

（借）有 価 証 券　5,423,200　　　（貸）その他有価証券評価差額金　3,796,240
　　　　　　　　　　　　　　　　　　　　　　繰 延 税 金 負 債　　　1,626,960

　　（注）評価差額を純資産の部に計上するときは、税効果会計を適用し評価差額金のうち
　　　　税効果相当額を負債の部に計上することとされています。

申告調整

〈別表4〉

　評価差額は純資産の部に計上し、当期の所得金額に影響を与えないので別表4の処理は不要です。

〈別表5⑴〉

Ⅰ　利益積立金額の計算に関する明細書				
区　　　分	期 首 現 在 利益積立金額	当　期　の　増　減		差引翌期首現在 利益積立金額 ①−②+③
		減	増	
	①	②	③	④
その他有価証券			△5,423,200	△5,423,200
有価証券評価差額金			3,796,240	3,796,240
繰 延 税 金 負 債			1,626,960	1,626,960

●利益積立金額に影響しない

　別表5⑴への記入はプラス・マイナス同額なので、結果的に、利益積立金の期末残高の合計額には影響しません。わざわざこの記載が要求されるのは、その他有価証券の税務上の評価額を明らかにするためです。

会計上の評価額（時価）	39,887,200円
税務上の評価額（原価）	34,464,000円
差　　引	5,423,200円

　貸借対照表に計上した「有価証券」勘定は、税務上の評価額と比べて5,423,200円だけ過大となっており、これはマイナスの利益積立金となります。また、貸借対照表の貸方で計上されている次の2項目は、税務上は認められないので、これらはプラスの利益積立金ということになります。

繰延税金負債（負債の部）	1,626,960円
その他有価証券評価差額金（純資産の部）	3,796,240円
合　　計	5,423,200円

　総額5,423,200円の評価差額が貸借対照表の貸方で、負債と純資産の区分に分割して計上されており、これを借方とともに取り消す、それが上記の申告調整の意味するところです。

設例1−2　（部分純資産直入法の場合）

　S社では、当期から市場性のある「その他有価証券」について時価評価を行うことになりました。当期末において、該当する株式の評価差額は次のとおりです。

	取得価額	期末時価	評価差額	税効果金額（評価差額の30%）
A社株式	14,752,000円	21,536,000円	6,784,000円	2,035,200円
B社株式	9,338,000円	7,126,000円	△ 2,212,000円	△ 663,600円
C社株式	10,374,000円	11,225,200円	851,200円	255,360円
合　計	34,464,000円	39,887,200円	5,423,200円	1,626,960円

以上の評価差額に対して、次のように処理しました。

仕訳

評価益：（借）有　価　証　券　7,635,200　（貸）その他有価証券評価差額金　5,344,640

　　　　　　　　　　　　　　　　　　　　　　繰　延　税　金　負　債　2,290,560

評価損：（借）有価証券評価損　2,212,000　（貸）有　価　証　券　2,212,000

　　　　　（借）繰　延　税　金　資　産　663,600　（貸）法人税等調整額　663,600

税効果勘定の相殺：

　　　　（借）繰　延　税　金　負　債　663,600　（貸）繰　延　税　金　資　産　663,600

　（注）評価益（A社株式・C社株式）は貸借対照表の純資産の部に計上し、評価損（B社株式）は損益計算書に費用として計上しています。なお、ともに税効果会計を適用しています（税効果会計については本章の**1**参照）。

〈別表4〉

区　　　　分	総　　額	処　　　　分		
		留　　保	社　外　流　出	
	①	②	③	
加算 有価証券評価損否認	2,212,000	2,212,000		
減算 繰延税金資産認容	663,600	663,600		

〈別表5(1)〉

	I　利益積立金額の計算に関する明細書			
区　　　　分	期　首　現　在 利　益　積　立　金　額	当　期　の　増　減		差引翌期首現在 利益積立金額 ①-②+③
		減	増	
	①	②	③	④
有　価　証　券			2,212,000	2,212,000
その他有価証券			△7,635,200	△7,635,200
有価証券評価差額金			5,344,640	5,344,640
繰　延　税　金　負　債		663,600	2,290,560	1,626,960

●評価損は別表4の調整が必要

　まず評価損について考えると、これは新会計基準とは関係なく、通常の場合の「評価損の損金不算入」の話です。企業会計で費用計上しても、税務上は損金算入が認められない、そこで別表4において加算しそれが別表5(1)で利益積立金になる、ということです。

　つぎに、評価益に関しては、 設例1−1 とまったく同様の考え方で、プラスとマイナスの利益積立金が両建てで計上されているだけのことです。

　なお、税効果会計では、繰延税金資産と繰延税金負債は相殺して純額で貸借対照表に計上することとされています。そこで上記の別表5(1)は、貸借対照表の残高と一致させた記載となっていますが、評価益と評価損のそれぞれの取扱いを明確に示すためには、次のような書き方も考えられます。

〈別表5⑴〉

I　利益積立金額の計算に関する明細書				
区　　　分	期　首　現　在利益積立金額	当　期　の　増　減		差引翌期首現在利益積立金額①－②＋③
		減	増	
	①	②	③	④
有　価　証　券			2,212,000	2,212,000
繰 延 税 金 資 産			△663,600	△663,600
その他有価証券			△7,635,200	△7,635,200
有価証券評価差額金			5,344,640	5,344,640
繰 延 税 金 負 債			2,290,560	2,290,560

設例2

設例1-1 の翌期末における、市場性のある「その他有価証券」の評価差額は、次のようになりました。

	取得価額	期末時価	評価差額	税効果金額（評価差額の30％）
A株式	14,752,000円	20,832,000円	6,080,000円	1,824,000円
B株式	9,338,000円	9,226,000円	△ 112,000円	△ 33,600円
C株式	10,374,000円	11,837,000円	1,463,000円	438,900円
合　計	34,464,000円	41,895,000円	7,431,000円	2,229,300円

前期末と当期末の評価差額に対して、全部純資産直入法により次のように洗替え処理をしました。

仕 訳

（借）その他有価証券評価差額金　3,796,240　　（貸）有　価　証　券　5,423,200
　　　繰 延 税 金 負 債　　　　1,626,960

（借）有　価　証　券　7,431,000　　（貸）その他有価証券評価差額金　5,201,700
　　　　　　　　　　　　　　　　　　　　　繰 延 税 金 負 債　　　　2,229,300

申告調整

〈別表4〉

評価差額は純資産の部に計上され、当期の所得金額に影響を与えないので別表4の処理は不要です。

〈別表5⑴〉

I 利益積立金額の計算に関する明細書				
区　分	期　首　現　在 利益積立金額 ①	当　期　の　増　減		差引翌期首現在 利益積立金額 ①－②＋③ ④
		減 ②	増 ③	
その他有価証券	△5,423,200	△5,423,200	△7,431,000	△7,431,000
有価証券評価差額金	3,796,240	3,796,240	5,201,700	5,201,700
繰 延 税 金 負 債	1,626,960	1,626,960	2,229,300	2,229,300

● **経理処理のとおり洗替えで記入**

　別表5⑴において、経理処理のとおりに洗替えで記入します。期首の評価差額を全額、減少欄で取り消して、改めて当期分の評価差額を計上します。別表5⑴の期末現在高は、貸借対照表の金額どおりです。

6 ストック・オプション会計を適用した場合

1　ストック・オプションとは

◉ある特定の価格で株式を買うか買わないかを選択できる権利

　ストック・オプションとは、ある一定の期間（権利行使期間）内に、あらかじめ定められた株価（権利行使価格）で株式を購入するかしないかを選択できる権利です。

　この権利を役員や従業員に無償で付与し、その後株価が上昇した時点で権利を行使して、株式を取得し売却すれば株価上昇分の利益が得られるという、一種の報酬制度です。報酬額が企業の業績向上による株価の上昇と直接連動することから、権利を付与された役員や従業員の株価に対する意識が高まり、業績向上への動機付け（インセンティブ）となります。

　ストック・オプションは新株予約権の一種で、一般には、新株予約権のうち役員や従業員に対するインセンティブ目的で発行されるものをストック・オプションと呼んでいます。

◉権利付与 → 権利確定 → 権利行使 → 株式売却

　ストック・オプションの取引は、次の流れで行われます。

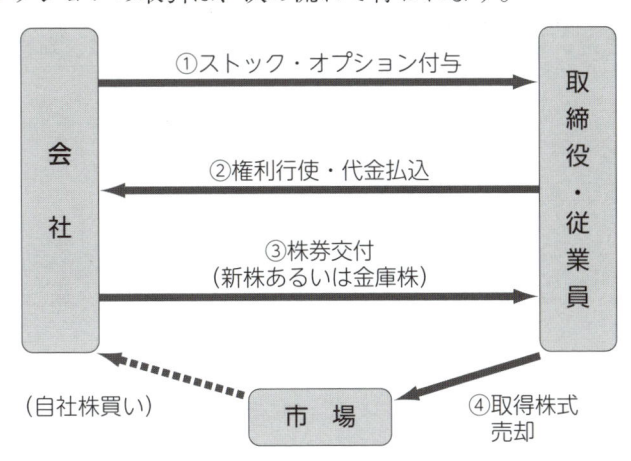

① 会社（子会社を含む）の役員や従業員に対し、新株予約権を無償で発行

② 一定期間を経て、役員・従業員は会社に対して代金を払い込んで権利を行使

③ 会社は役員・従業員に対して新株または金庫株（自己株式）を交付

④ 役員・従業員は取得した株式を時価で売却し譲渡益を獲得

2　ストック・オプションの会計処理

●企業会計基準委員会が会計基準を公表

　平成17年12月に企業会計基準委員会が、「ストック・オプション等に関する会計基準」を公表しています。この基準ではストック・オプションを、新株予約権のうち企業が従業員等に労働や業務執行等のサービスの対価として付与するもの、と定義しています。さらに会計処理については、次のように定めています。

① 権利確定日以前の会計処理

　ストック・オプションの「公正な評価額」を、付与日から権利確定日（権利行使期間の開始日の前日）までの期間に費用化し、それに対応する金額を権利が行使されるまで、または失効が確定するまで貸借対照表の純資産の部に「新株予約権」の科目で計上します。

　　（借）株 式 報 酬 費 用　　×××　　（貸）新 株 予 約 権　　×××

　　　（注）公正な評価額とは、ストック・オプションの親株式の市場価格に基づき合理的に算定した価額をいい、市場関係者の間で広く受け入れられている算定技法（ブラック・ショールズ式、二項モデルなど）を利用して計算します。

② 権利確定日後の会計処理

　権利が行使されたとき、新株予約権を払込資本（資本金および資本準備金）に振り替えます。また、権利行使されないことが確定したときは、新株予約権を利益に振り替えます。

　　（借）現 金 預 金　　×××　　（貸）資　　本　　金　　×××
　　　　　新 株 予 約 権　　×××

　　または

　　（借）新 株 予 約 権　　×××　　（貸）新株予約権戻入益　　×××

設 例

　A社は、X1年6月の株主総会において、取締役に対して、次の条件でストック・オプション（新株予約権）を与えることを決議し、同年7月1日に無償で付与しました。

① 付与株式の数　　　10,000株

② 権 利 確 定 日　　Ｘ３年６月30日

③ 行 使 期 間　　　Ｘ３年７月１日～Ｘ５年６月30日

④ 権 利 行 使 価 格　　１株あたり3,000円

⑤ 付与日における公正な評価額　　１個あたり300円

⑥ 年度ごとの権利行使の状況

	行使株数	未行使残株数	摘　　要
Ｘ２年３月期		10,000株	
Ｘ３年３月期		10,000株	
Ｘ４年３月期	5,000株	5,000株	新株発行
Ｘ５年３月期	3,000株	2,000株	自己株式（取得価額は１株あたり2,800円）を処分
Ｘ６年３月期	1,000株	1,000株	新株発行

仕 訳

〈Ｘ２年３月期〉

（株式報酬費用の計上）

（借）役 員 給 与　1,125,000　　（貸）新 株 予 約 権　1,125,000

（注）$300円 \times 10,000株 \times \dfrac{9月}{24月} = 1,125,000円$

〈Ｘ３年３月期〉

（株式報酬費用の計上）

（借）役 員 給 与　1,500,000　　（貸）新 株 予 約 権　1,500,000

（注）$300円 \times 10,000株 \times \dfrac{12月}{24月} = 1,500,000円$

〈Ｘ４年３月期〉

（株式報酬費用の計上）

（借）役 員 給 与　375,000　　（貸）新 株 予 約 権　375,000

（注）$300円 \times 10,000株 \times \dfrac{3月}{24月} = 375,000円$

（新株を発行）

（借）現 金 預 金　15,000,000　　（貸）資　　本　　金　16,500,000
　　　新 株 予 約 権　1,500,000

　　　　（注1）払込金額：3,000円×5,000株＝15,000,000円

　　　　（注2）行使金額：300円×5,000株＝1,500,000円

〈X5年3月期〉

（自己株式の処分）

　（借）現 金 預 金　　9,000,000　　（貸）自 己 株 式　　8,400,000

　　　　新 株 予 約 権　　900,000　　　　　自己株式処分差益　1,500,000

　　　　（注1）払込金額：3,000円×3,000株＝9,000,000円

　　　　（注2）取得価額：2,800円×3,000株＝8,400,000円

　　　　（注3）行使金額：300円×3,000株＝900,000円

〈X6年3月期〉

（新株を発行）

　（借）現 金 預 金　　3,000,000　　（貸）資 　 本 　 金　　3,300,000

　　　　新 株 予 約 権　　300,000

　　　　（注1）払込金額：3,000円×1,000株＝3,000,000円

　　　　（注2）行使金額：300円×1,000株＝300,000円

（新株予約権の失効）

　（借）新 株 予 約 権　　300,000　　（貸）新株予約権戻入益　　300,000

　　　　（注）失効金額：300円×1,000株＝300,000円

3　税務上の取扱い

●有償払込みは課税なし

　新株予約権を有償で発行する場合は、払込金額を新株予約権として純資産の部に計上し、この権利が行使されたとき、計上された新株予約権と権利行使による払込み金の合計額を資本金（および資本準備金）に振り替えます。

　　付与時：（借）現 金 預 金　　×××　　（貸）新 株 予 約 権　　×××

　　行使時：（借）現 金 預 金　　×××　　（貸）資 　 本 　 金　　×××

　　　　　　　　　新 株 予 約 権　　×××

　以上の取引は資本取引で、払込金額が時価として妥当であれば損益は発生しないので、税務上も課税所得は生じません。

●無償発行で権利行使前に費用計上すれば加算処理

　ところが、ストック・オプションとして無償発行を行った場合、次のような経理処理を行うと申告調整の必要が生じます。

　　付与時：（借）株 式 報 酬 費 用　　×××　　（貸）新 株 予 約 権　　×××

行使時：（借）現　金　預　金　　×××　　（貸）資　　本　　金　　×××

　　　　　　　　新　株　予　約　権　　×××

失効時：（借）新　株　予　約　権　　×××　　（貸）新株予約権戻入益　×××

　会計基準では、ストック・オプションの「公正な評価額」を、付与時から権利確定時までの期間に費用化することとされています。ところが法人税法では、新株引受権を対価として個人から役務の提供を受ける場合には、個人側で給与所得等としての課税を受ける時点を法人側の損金算入時期としています（法54の2①）。

　（注）個人がその会社の従業員なら給与所得または退職所得ですが、外部のコンサルタント等の場合は事業所得または雑所得として課税されます。

　所得税の取扱いでは、役員や使用人などに付与するストック・オプションの経済的利益については、原則として「権利行使時」に給与所得等としての課税を行います（所基通23〜35共−6・6の2）。

　そこで、法人側はその時点で役務の提供を受けたものとして、権利行使日を含む事業年度で損金算入することになります。

　したがって、会計上、付与日から権利確定日にかけて費用処理すれば、それは損金不算入とされ別表4において加算し、個人が給与所得課税を受けた時点でその受けた金額を減算します（法54の2①）。また、権利が失効し利益に振り替えたとき、その金額は益金不算入なのでやはり減算することになります（法54の2③）。

●税制適格なら売却時まで課税を繰延べ

　ストック・オプションは会社法に基づいて発行されますが、そのうち以下に掲げる一定の要件（税制適格要件）を満たすもの（「税制適格ストック・オプション」）については、付与者側に税務上のメリットが与えられています（措法29の2①）。

　①　無償発行の新株予約権であること

　②　対象者が会社（子会社を含む）の役員・使用人であること

　　（注）一定の大口株主は除かれます。

　③　権利行使期間が付与決議の日から2年以上10年以内であること

　④　権利行使価額が付与契約時の株価を上回ること

　⑤　年間の権利行使価額が1,200万円以下であること

　これらの要件を満たすストック・オプションについては、本来、権利行使時に課税されるものが課税されず、権利行使で取得した株式を売却した時点で初めて、譲渡所得として課税することになっています。

　（注）権利行使時に給与所得等として総合課税されるのと比べ、分離課税の譲渡所得扱いされることで通常、大きな節税メリットが得られます。

◉**税制適格なら株式報酬費用は永久に損金不算入**

　法人税法上、税制適格ストック・オプションには特別の取扱いが設けられ、付与時から権利確定時までの期間に「株式報酬費用」を計上したとき、その費用は法人にとって永久に損金となりません（法54の2②）。

　非適格の場合には、権利行使時に個人側の課税問題が生じ、その時点で法人側では損金算入が認められます。ところが税制適格の場合、権利行使時に個人側の課税が見合わせられ、その後、個人が株式を売却して譲渡所得課税を受けたとしても、その時点ではもはや発行法人が役務提供を受けたこととはならず、ストック・オプション費用は損金算入の対象外となってしまうからです。

　したがって、税制適格の場合には、株式報酬費用を別表4で加算する際、留保項目ではなく社外流出項目となりますのでご注意ください。

4　ストック・オプションと申告調整

設例

①　**新株予約権の発行**

　・株式の時価　　　　　100

　・新株予約権の適正時価　20
　　（公正な評価額）

②　**新株予約権の権利行使**

　・権利行使価格　　100

　・株式時価　　　　150

③　**取得株式の売却**

　・売却価額　　　　180

仕訳および申告調整

（1）税制非適格の場合

〔会計上〕

発行時：（借）株式報酬費用　20　　（貸）新株予約権　20

行使時：（借）現金預金　100　　（貸）資本金　120

　　　　　　新株予約権　20

〔税務上〕

発行時：

〈別表4〉

区　　　分	総　　額	処　　　　　分	
		留　　保	社　外　流　出
	①	②	③
加算　株式報酬費用否認	20	20	

〈別表5⑴〉

I　利益積立金額の計算に関する明細書				
区　　　分	期 首 現 在 利 益 積 立 金 額	当 期 の 増 減		差引翌期首現在 利 益 積 立 金 額 ①－②＋③
		減	増	
	①	②	③	④
新 株 予 約 権			20	20

権利行使時：

〈別表4〉

区　　　分	総　　額	処　　　　　分	
		留　　保	社　外　流　出
	①	②	③
減算　株式報酬費用認容	20	20	

〈別表5⑴〉

I　利益積立金額の計算に関する明細書				
区　　　分	期 首 現 在 利 益 積 立 金 額	当 期 の 増 減		差引翌期首現在 利 益 積 立 金 額 ①－②＋③
		減	増	
	①	②	③	④
新 株 予 約 権	20	20		0

●付与時から権利行使時まで食い違いを調整

　付与時に計上する株式報酬費用は、税務上は権利行使がなされるまで損金となりません。そこで、付与した期間の別表4で加算（留保）し、それが権利行使の期間に認容され減算（留保）されます。

　なお、個人の側の課税関係は、次のようになります。

```
発　行　時：課税なし
        ↓
権利行使時：給与所得等　150−100＝50
        ↓
売　却　時：譲渡所得　180−150＝30
```

（2）税制適格の場合

〔会計上〕

発行時：（借）株 式 報 酬 費 用　20　　（貸）新 株 予 約 権　20

行使時：（借）現 金 預 金 100　　（貸）資　　本　　金 120

　　　　　　　　新 株 予 約 権　20

〔税務上〕

発行時：

〈別表4〉

区　　　　　　分	総　　額	処		分	
		留　　保		社 外 流 出	
	①	②		③	
加算 株式報酬費用否認	20			その他	20

●株式報酬費用は永久に損金不算入

　税制適格の場合もやはり、付与時に計上する株式報酬費用は損金不算入なので、別表4で加算します。ただし、非適格の場合と違ってこの加算は「社外流出」欄で行い、この食い違いは永久に解消（認容）されません。

　参考までに、税制適格の場合の個人側の課税は、次のようになります。

```
発　行　時：課税なし
        ↓
権利行使時：課税なし
        ↓
売　却　時：譲渡所得　180−100＝80
```

7　資産除去債務会計を適用した場合

1　資産除去債務とは

●除却の際の解体・撤去・処分費用

　企業が有する固定資産を除却する際、解体、撤去、処分等のために費用がかかることがあります。この費用は、固定資産の使用に伴い不可避的に発生するものであれば、除却時点の費用ではなく、それを使用する各期間の費用として処理すべきです。このような考え方により、平成20年３月に企業会計基準委員会が「資産除去債務に関する会計基準」を定め、平成22年４月１日以後開始する事業年度から資産除去債務の会計処理が適用されています。

　ここで「資産除去債務」とは、有形固定資産の解体、撤去、処分等のためにかかる費用の見込額で、有形固定資産の購入時に固定負債として計上されます。そして、同額を有形固定資産の帳簿価額に加算し、資産除去債務に対応する金額が、減価償却を通じて各期間に費用として配分されることになります。以下、具体例で説明します。

設 例 1

　A社は、X１年４月１日に機械装置1,000を購入しましたが、この機械装置を処分する際に100の費用がかかると見込まれます。機械装置の償却方法は定額法（耐用年数５年）であるとして、購入から除却に至る一連の仕訳を示しなさい。

仕 訳

(1)　**購入時**

　　（借）機 械 装 置　1,000　（貸）現　　　　金　1,000
　　　　　機 械 装 置　　100　　　　資 産 除 去 債 務　　100

(2)　**各期末時**

　　（借）減 価 償 却 費　　220　（貸）機 械 装 置　　220
　　　　　（注）（1,000 ＋ 100）÷ 5 ＝ 220

⑶　除却時

（借）資産除去債務　　100　　（貸）現　　　　　　金　　　100

●除却費用を耐用年数で按分計上

　資産除去債務を計上しない場合、機械装置の取得原価は1,000なので、各期の減価償却費は200（＝1,000÷5）となります。また、最終年度は減価償却費に加えて、機械装置の処分費用100が計上されるので、最終年度の費用計上額は300（＝200＋100）となります。

　以上により、資産除去債務を計上しない場合の各期の費用計上額は、次のようになります。

年　　度	X1年度	X2年度	X3年度	X4年度	X5年度
費用計上額	200	200	200	200	300

一方、資産除去債務を計上する場合の各期の費用計上額は以下のとおりです。

年　　度	X1年度	X2年度	X3年度	X4年度	X5年度
費用計上額	220	220	220	220	220

　上表の比較で分かるように、両者の差は機械装置の処分費用100について、最終年度に一括して費用計上するか、5年間で均等に費用計上するかにあります。処分費用が機械装置の取得・使用に伴い不可避的に発生するのであれば、これを各期間に配分する処理の方が、適正な期間損益計算の観点から望ましいといえます。

2　資産除去債務の会計処理

●資産除去債務の範囲は限定的

　有形固定資産を処分する際、多かれ少なかれ費用はかかりますが、そのすべてが資産除去債務計上の対象となるわけではありません。

　資産除去債務の対象となるのは、資産の除去が法令や契約で要求される「法律上の義務」およびそれに準ずるものとされています。したがって、企業の自発的な計画による処分費用は資産除去債務には該当せず、資産の除去が特定の法令や契約で定められている場合に計上が要求されます。例としては、資産の使用により発生する有害物質の除去が法令により定められている場合や、土地の定期借地契約の中で原状回復義務が定められている場合などがあります。

　このように資産除去債務の範囲が限定されるのは、対象となる処分費用が"負債"としての要件を満たすかどうかが問題となるためです。すなわち、法令や契約により資

産の除去が強制される場合、その費用はほぼ確実に発生することから、現時点で企業の負債であるといえます。しかし、企業の自発的な計画による場合には、費用の発生が確実ではないので負債とはいえず、これを資産除去債務として計上することは認められません。

●見積り変更処理も必要

　資産除去債務は、資産の購入時点で処分費用を見積もって計算しますが、当初の見積りを変更する必要が生じることがあります。この場合、変更による修正額を資産除去債務および関連する有形固定資産の帳簿価額に加算または減算する処理を行います。

　たとえば、購入時点では100の処分費用を見込んでいたが、3年後に再度見積ったところ処分費用は80と見込まれる場合、処分費用の見積りは100から80に変更され、差額20については以下のように処理します。

　　　（借）資 産 除 去 債 務　　20　　　　　（貸）有 形 固 定 資 産　　20

　逆に、処分費用の見積りが100から120に変更される場合は、以下のように処理します。

　　　（借）有 形 固 定 資 産　　20　　　　　（貸）資 産 除 去 債 務　　20

　このように処理することにより、資産除去債務の金額は最終的な支払金額と一致することになります。また、修正額を有形固定資産の帳簿価額に加減することにより、処分費用の増減がその後の減価償却計算に反映されることになります。

●割引計算が必要

　資産除去債務は、有形固定資産を購入した時点で計上しますが、実際に支払いが発生するのは当該資産の耐用年数が経過し処分する時点ですから、負債の計上から支払いまでの期間が長期にわたります。その際、長期性の資産や負債を評価するには、貨幣の時間価値を考慮して評価額を決定する必要があります。また、債務には時間の経過とともに利息費用がかかり、正確な期間損益計算の観点から、その費用は時の経過に従って計上すべきです。このため、資産除去債務の計算にあたっては"割引計算"が必要となります。

　具体的な計算方法は「退職給付会計」（本章の**2**）で説明したのと同じです。有形固定資産の購入時に計上する資産除去債務を、将来の処分費用の見込額を現在価値に割り引いた金額で計上します。また、各期首の資産除去債務の帳簿価額に割引率を乗じて「利息費用」を計算し、これを費用として計上するとともに、資産除去債務の帳簿価額に加算することになります。

◉割引計算はＷＡＣＣで行う

　将来の処分見込費用を現在価値に割り引く際の利子率について、少し詳しく説明します。

　「減損会計」（本章の **3**）で紹介しましたが、実務では割引率として$\overset{\text{ワック}}{\text{ＷＡＣＣ}}$（加重平均資本コスト）を使用するのが一般的で、これは"負債コスト"と"株主資本コスト"を、負債総額と自己資本総額で加重平均した利回りのことです。

$$\text{WACC} = \frac{\text{負債コスト}}{\text{負債合計}} + \frac{\text{株主資本コスト}}{\text{株主資本合計}}$$

　「負債コスト」は、企業が借入れや社債発行で資金調達する際の金利です（支払利息は損金算入されるので、実効税率相当額を控除します）。

　また、「株主資本コスト」は、$\overset{\text{キャップエム}}{\text{ＣＡＰＭ}}$（資本資産価格モデル）の算式を使って、次のように計算するのが一般的です。

$$\text{リスクフリーレート}^{(注1)} + \text{株式の}\beta\text{値}^{(注2)} \times \text{マーケットリスクプレミアム}^{(注3)}$$

（注1）貨幣の時間価値のみを反映する割引率（通常、国債の利子率を使用）

（注2）対象企業の株価の変動が、株式市場全体の株価の変動にどれだけ連動するかを示す指標（株式市場と全く同じ動きをする場合は「1」、市場全体が100値上がりするときに50だけ値上がりする場合は「0.5」）

（注3）すべての上場銘柄に投資したと仮定した場合の収益率（通常、TOPIXで計算）とリスクフリーレートとの差

◉エクセルで計算可能だが外部から入手する場合も多い

　上記算式の"β値"は各企業に固有の値で、TOPIX（東証株価指数）と対象企業の株価を基に、エクセルで計算することができます。ただし、現実には外部（東証やBloomberg（本社が米国の大手総合情報会社））から、有料で入手する場合も多いようです。

　また、監査法人がＷＡＣＣの妥当性を検証する場合は、バリュエーション（株価計算）を行う部署（大手監査法人にはどこでもあります）に問い合わせて検討してもらいます。余談ながら、企業買収の際にもＷＡＣＣを使いますが、そういうときは外部の専門家（会計事務所、Ｍ＆Ａコンサル会社等）を利用することが多いようです。

設 例 2

　B社は、X1年4月1日に機械装置10,000を購入しましたが、この機械装置を処分する際に2,000の費用がかかると見込まれます。機械装置の償却方法は定額法（耐用年数3年）、割引率は2％とします。なお、X3年3月31日時点で処分費用を再度見積もったところ、1,500と見込まれました。

　以上により、購入から除却に至る一連の仕訳を示しなさい。

仕 訳

(1)　X1年4月1日（購入時）

（借）機 械 装 置 11,885　（貸）現　　　　　金　　10,000

　　　　　　　　　　　　　　　　資 産 除 去 債 務　　　1,885$^{(注)}$

　　　（注）2,000÷（1＋0.02）^{3}＝1,885

(2)　X2年3月31日

（借）減 価 償 却 費　3,962$^{(注1)}$（貸）機 械 装 置　3,962

（借）利 息 費 用　　　37$^{(注2)}$（貸）資 産 除 去 債 務　　37

　　　（注1）11,885÷3＝3,962

　　　（注2）1,885×0.02＝37

(3)　X3年3月31日

（借）減 価 償 却 費　3,962　（貸）機 械 装 置　　3,962

（借）利 息 費 用　　　38　（貸）資 産 除 去 債 務　　　38

　　　（注）（1,885＋37）×0.02＝38

(4)　X3年3月31日（見積り変更 2,000→1,500）

（借）資 産 除 去 債 務　489　（貸）機 械 装 置　　489

　　　（注）資産除去債務の帳簿価額：1,885＋37＋38＝1,960 …… ①

　　　　　　変更後の処分費用：1,500÷（1＋0.02）＝1,471 …… ②

　　　　　　①－②＝489

(5)　X4年3月31日

（借）減 価 償 却 費　3,472$^{(注1)}$（貸）機 械 装 置　3,472

（借）利 息 費 用　　　29$^{(注2)}$（貸）資 産 除 去 債 務　　29

　　　（注1）11,885－3,962－3,962－489＝3,472

　　　（注2）1,471×0.02＝29

(6)　除却時

（借）資 産 除 去 債 務　1,500　（貸）現　　　　　金　　1,500

（注）　1,885 + 37 + 38 − 489 + 29 = 1,500

3　税務上の取扱いと申告調整

●実際の資産除去時点で損金算入

　法人税法上、損金は債務確定主義によって計上され、「債務の確定しないものを除く」（法22③）と規定されています。この観点からすれば、除却費用は資産の購入時点で債務確定しているとは認めがたく、実際の資産除去の時点において損金に算入されます。したがって、資産除去債務相当額に対する減価償却は認められず、また、割引計算による利息費用にも損金性はありません。会計上これらを費用に計上したときは、いずれも別表4において加算することとなります。

　また、貸借対照表において計上される資産除去債務および資産の帳簿価額の上乗せ額についても、税務上は認められないので、別表5(1)で調整しなければなりません。

設例3

　設例2 に関する各期の申告調整を示しなさい。

(1)　X2年3月期

〔調整仕訳〕

　税務上の取扱いに合致するよう会計処理を修正するとすれば、次の仕訳を行うことになります。

　　（借）資 産 除 去 債 務　　　1,885　　（貸）機 械 装 置　　　1,885

　　（借）機 械 装 置　　　629　　（貸）減 価 償 却 費　　　629
　　　　　（注）3,962 − 10,000 ÷ 3 = 629

　　（借）資 産 除 去 債 務　　　37　　（貸）利 息 費 用　　　37

以上の調整仕訳に基づき、別表4と別表5(1)の記入は次のようになります。

〈別表4〉

区　　分		総　額	処	分		
			留　保	社　外　流　出		
		①	②	③		
加算	減価償却の償却超過額　6	629	629			
	利息費用否認額	37	37			

〈別表5⑴〉

Ⅰ　利益積立金額の計算に関する明細書				
区　　　分	期首現在利益積立金額	当　期　の　増　減		差引翌期首現在利益積立金額①－②＋③
		減	増	
	①	②	③	④
機　械　装　置		△ 629	△ 1,885	△ 1,256
資　産　除　去　債　務			1,885 37	1,922

⑵　X3年3月期

〔調整仕訳〕

（借）機　械　装　置　　629　　（貸）減　価　償　却　費　　629

（借）資　産　除　去　債　務　　38　　（貸）利　息　費　用　　38

（借）機　械　装　置　　489　　（貸）資　産　除　去　債　務　　489

〈別表4〉

区　　　分		総　　額	処		分
			留　　保	社　外　流　出	
		①	②	③	
加算	減価償却の償却超過額　6	629	629		
	利息費用否認額	38	38		

〈別表5⑴〉

Ⅰ　利益積立金額の計算に関する明細書				
区　　　分	期首現在利益積立金額	当　期　の　増　減		差引翌期首現在利益積立金額①－②＋③
		減	増	
	①	②	③	④
機　械　装　置	△ 1,256	△ 629 △ 489		△ 138
資　産　除　去　債　務	1,922	489	38	1,471

⑶　X4年3月期

〔調整仕訳〕

（借）機　械　装　置　　138　　（貸）減　価　償　却　費　　138

　　　（注）3,472－10,000÷3＝138

（借）資　産　除　去　債　務　　29　　（貸）利　息　費　用　　29

（借）除　却　損　失　　1,500　　（貸）資　産　除　去　債　務　　1,500

<別表4>

区　　　分		総　　額 ①	処　　　分	
			留　保 ②	社　外　流　出 ③
加算	減価償却の償却超過額　6	138	138	
	利息費用否認額	29	29	
減算	除却損失認容額	1,500	1,500	

<別表5(1)>

I　　利益積立金額の計算に関する明細書				
区　　　分	期首現在利益積立金額 ①	当　期　の　増　減		差引翌期首現在利益積立金額 ①-②+③ ④
		減 ②	増 ③	
機　械　装　置	△138	△138		0
資　産　除　去　債　務	1,471	1,500	29	0

8 過年度遡及会計を適用した場合

1　財務諸表の遡及処理

●期間比較可能性を確保するため財務諸表を遡及修正

　財務諸表は事業年度ごとに確定しますが、「過年度遡及会計基準」（平成21年12月制定）によれば、次の場合には、会計処理も含め過去の財務諸表を修正（遡及処理）することとされています。

　　①　会計方針の変更があったとき

　　②　表示方法の変更があったとき

　　③　過去の誤謬を訂正するとき

　財務諸表を利用する際、過去の財務諸表と比較して分析を行うことがよくあります。その分析を適切に行うには、期間比較可能性の確保が重要で、当期と前期の財務諸表が同じ条件（会計方針）で作成されていることが前提となります。会計方針が変更されるとその前提が崩れ、単純に財務諸表を比較しても、業績を正確に分析することができません。そこで、会計方針を変更したときは、前期の財務諸表も変更後の会計方針に基づいて作成し直すことが必要となり、修正処理が行われます。この修正処理は、実務上可能なかぎり遡って会計方針を変更したものとして行います。

●見積り変更は修正しない

　財務諸表の作成にあたり、ある会計事実が将来発生する事象に左右され、あるいは発生時期や金額が未確定の場合に、現時点で入手可能な情報に基づき、将来の結果を予測して会計処理を行うことがあります。この"会計上の見積り"についても、事後に入手した情報により当初の予測を修正する必要がありますが、この場合は遡及処理を要求されません。

区　　分	遡及処理の要否
会計上の変更	
会計方針の変更	要
表示方法の変更	要
会計上の見積りの変更	否
過年度の誤謬の訂正	要

◉税務計算は確定決算主義で行う

　以上の会計基準に対し、税務上の取扱いは異なります。すなわち、法人税の確定申告は"確定した決算"に基づき行うこととされています（確定決算主義）。上記の遡及処理は、あくまでも財務諸表の期間比較可能性を確保するための処理であり、過去に確定した決算を修正するものではありません。したがって、会計上その処理が行われても、税務上は過年度における所得計算が誤っていた場合を除き、過去の課税所得の金額や税額には影響を及ぼしません。

2　会計方針の変更

◉過去に遡った修正が必要となる

　財務諸表を作成する際、いくつかのケースで複数の処理方法からの選択が認められますが、一度選択した会計処理（会計方針）は、原則として変更が認められません。ただし、企業を取り巻く環境や法令等の変化により、会計方針を変更したほうが企業の実態をより適切に財務諸表に反映させることができる（正当な理由がある）場合は、変更が認められます。

　会計方針を変更したときは遡及処理が必要とされ、企業の設立時に遡って変更後の会計方針を適用したものと仮定して、財務諸表を再作成しなければなりません。この処理によって、前期以前に確定済みの財務諸表が、遡って修正されることとなります。

　金融商品取引法による開示が必要とされる上場企業等では、有価証券報告書において当期を含めた2期分の財務諸表を開示することが要求されています。そこで当期に遡及適用を行った場合、当期の有価証券報告書に掲載する前期分の財務諸表が、前期に公表したものと異なることとなります。

◉当期の損益計算に影響する場合もある

　また、会社法に基づく計算書類は、当期分の財務諸表のみ開示が求められますが、

この場合においても、遡及適用の有無により違いが生じることがあります。すなわち、遡及適用を行うと、前期以前から変更後の会計方針を適用していたと仮定するので、前期以前の財務諸表の金額が変化します。そこで、当期の期首時点の貸借対照表の数字が前期末のものと異なり、結果的に当期の損益計算書の金額に影響を及ぼす場合があります。

設　例

　E社は、当期において商品の評価方法を、先入先出法から総平均法に変更しました。当期における期首棚卸高等の金額は次のとおりです。

　　①　期首棚卸高

　　　・前期末棚卸高を先入先出法で計算した場合　　　1,400,000円

　　　・前期末棚卸高を総平均法で計算した場合　　　1,150,000円

　　②　当期仕入高　　　　　　　　　　　　　263,400,000円

　　③　期末棚卸高（総平均法で計算）　　　　　860,000円

　この変更に対して、遡及処理を(a)行わない場合と(b)行う場合とで、当期の商品勘定の受払い金額は次のように変わります。

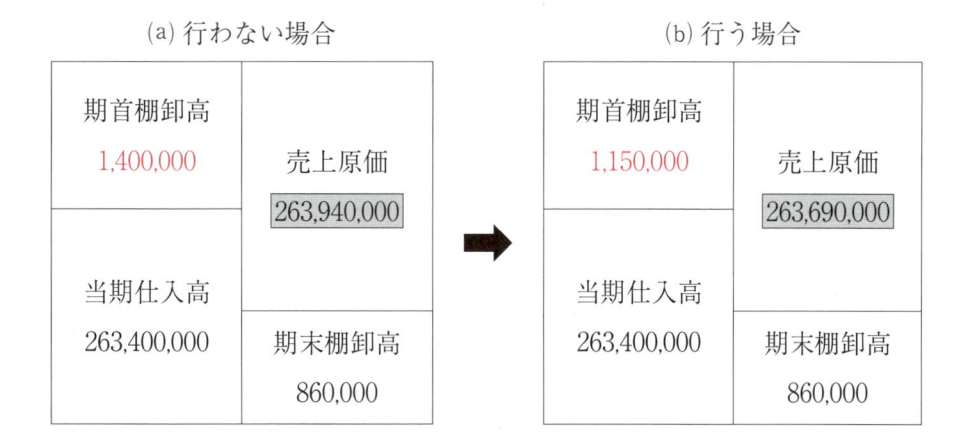

申告調整

（前期分）

〈別表4〉

　前期の所得計算に誤りはないので、申告調整は不要

〈別表5(1)〉

I 利益積立金額の計算に関する明細書				
区　　　　分	期首現在 利益積立金額 ①	当　期　の　増　減		差引翌期首現在 利益積立金額 ①－②+③ ④
		減 ②	増 ③	
繰　越　損　益　金　25				10,000,000

（当期分）

〈別表4〉

区　　　　分	総　　　額 ①	処　　　　　　分		
		留　　保 ②	社　外　流　出 ③	
加算				
減算　売上原価認容	250,000	250,000		

〈別表5(1)〉

I 利益積立金額の計算に関する明細書				
区　　　　分	期首現在 利益積立金額 ①	当　期　の　増　減		差引翌期首現在 利益積立金額 ①－②+③ ④
		減 ②	増 ③	
商品（過年度遡及）	250,000	250,000		0
繰　越　損　益　金　25	9,750,000			

●売上原価の認容により減算

　過年度遡及会計基準を適用して遡及処理を行った結果、会計上の当期首の商品勘定は1,150,000円（総平均法）となります。他方、税務上の当期首の商品勘定は、前期に確定した決算における1,400,000円（先入先出法）のままで、差引き250,000円だけ食い違います。

　その結果、当期の売上原価の金額が、会計上は263,690,000円、税務上は263,940,000円となり、やはり250,000円の食い違いが生じます。

	税務上	会計上	差　引
期首商品	1,400,000	1,150,000	250,000
売上原価	263,940,000	263,690,000	250,000

　そこで、当期における会計上の費用が263,690,000円、税務上の損金は263,940,000円ということですから、別表4の申告調整で、差額の250,000円を減算（留保）することになります。

●繰越損益金も会計数値と一致

　また、別表5(1)の「繰越損益金」を考えたとき、期首現在高が会計上の金額と250,000円だけ食い違っています。すなわち、遡及処理前の「繰越利益剰余金」の前期末残高が仮に10,000,000円だとすれば、会計上は期首棚卸高の修正により、当期首の繰越高が9,750,000円（10,000,000円−250,000円）に修正されていますが、税務上は10,000,000円のままです。

　そこで、税務上の繰越損益金の額を会計上の数字と一致させるため、別表5(1)において次のような書き方をします。まず期首繰越高を、繰越利益剰余金と同額の9,750,000円に直します。ただし、利益積立金期首繰越高の合計額は、前期末残高と同額でなければならず、その連続性を保つために差額の250,000円を別行で計上します（「商品（過年度遡及）」等の表示）。なお、この別掲した金額は、別表4の減算額の転記によって当期中の減少欄に計上され、残高はゼロとなります。

3　過去の誤謬の訂正

●過去に遡った修正が必要となる

　財務諸表の作成にあたり、意図的かどうかは別として、誤った会計処理を行ってしまうことがあり、このような財務諸表の誤りを「誤謬」といいます。たとえば、仕訳を行う際の金額誤り、資料の見落としによる経理処理洩れ等が考えられますが、場合によっては、会社の業績を良く見せるため、意図的に虚偽の会計処理を行うことがあるかもしれません。

　過去の財務諸表に誤謬が存在することが判明したとき、これをどのように処理するかが問題となり、その際にまず考えられるのは、誤謬が判明した事業年度で「前期損益修正」として処理するやり方です。しかしこのやり方では、当期の業績に関係のない数値が当期の財務諸表に含まれることとなり、当期純利益が当期の業績成果を表さないものとなってしまいます。そのため過年度遡及会計基準では、誤謬が判明したときは、過去の財務諸表に遡って修正する処理（修正再表示）を行うこととされています。

　当期中に行われたＦ社の税務調査において、前期に計上すべき売上げ500万円（売価）が計上洩れとなっていることが判明しました。この売上計上洩れは、会計上の誤謬に該当することから前期の財務諸表を修正し、当期首の利益剰余金を500万円増額する修正再表示を行いました。

申告調整

（前期分）

　　次の「修正申告」により所得計算を是正します。

〈別表４〉

区　　　分	総　額		処　　　　分	
			留　保	社 外 流 出
	①		②	③
加算　売上計上洩れ	5,000,000		5,000,000	
減算				

〈別表５(1)〉

Ⅰ　利益積立金額の計算に関する明細書				
区　　　分	期首現在利益積立金額	当 期 の 増 減		差引翌期首現在利益積立金額①−②+③
		減	増	
	①	②	③	④
売　掛　金			5,000,000	5,000,000
繰 越 損 益 金　25				30,000,000

（当期分）

　　次の内容の「確定申告」を行います。

〈別表４〉

　会計上、前期の誤謬を修正再表示することで、税務と会計の差異は解消します。

　したがって、別表４における加減算は不要です。

〈別表5(1)〉

I　利益積立金額の計算に関する明細書				
区　　分	期首現在利益積立金額	当期の増減		差引翌期首現在利益積立金額①−②+③
		減	増	
	①	②	③	④
繰越損益金　25	35,000,000			

●修正再表示により税務と会計の食い違いは解消

　会計において修正再表示を行う際、税務上も所得計算の是正を要する場合と要しない場合とがあります。この設例では、前期の所得計算に誤りがあったので修正申告が必要であり、それを行わない場合は職権更正がなされます。

　税務上、売上計上洩れを是正するため前期分の所得計算において、別表4で500万円を加算（留保）し、別表5(1)では同額だけ利益積立金額が増加します。この是正に伴い、税務上、次の受入れ仕訳を要求されます。

　　（借）売　掛　金　　　5,000,000　　（貸）売　　　上　　　5,000,000
　　　　　　　　　　　　　　　　　　　　　　　　（利益積立金）

　過年度遡及会計基準を適用して修正再表示を行うのは、ちょうどこの修正仕訳を行ったことを意味します。

●繰越損益金と繰越利益剰余金の金額を一致させる

　前期分の決算および申告に関し、会計上は修正再表示、税務上は修正申告を行うことで、両者の差異は解消しています。したがって、当期の確定申告では、別表4の所得計算における調整は不要です。なお、別表5(1)において、会計上の「繰越利益剰余金」の金額に一致させるため、期首現在高の欄の「繰越損益金」を、修正再表示による売掛金を含んだ金額に直すことが必要とされます。

4　会計上の見積りの変更

●遡及修正は行わず将来に向けて修正する

　1で説明したように、会計上の見積りとは、財務諸表の作成にあたり将来の結果を予測して会計処理を行うことをいいます。たとえば、引当金の設定における将来の費用発生額の予測、固定資産の耐用年数決定における使用可能期間の予測などが挙げられ、その他、減損会計における将来キャッシュ・フローや貸倒懸念債権に対する貸倒

見積高の予測など、新会計基準にあっては様々な場面で将来事象の予測が求められています。

　会計処理を行う際に将来事象の予測を行うので、状況に変化が生じたときは、当初の予測と異なる結果となるケースも当然想定されます。当初に行った会計上の見積りについて、状況の変化などで新たに入手した情報に基づき修正を行うことを「会計上の見積りの変更」といいます。

　会計上の見積りも会計方針と同様、財務諸表作成の前提条件ですが、次の理由により、それを変更した場合に遡及修正はしません。すなわち会計上の見積りは、見積り時点で入手可能な情報に基づき行うものであり、事後的に新たな情報を入手しても、当初の情報により見積りが適切に行われていたのであれば、修正する必要はありません。

　事後的に入手した情報は、見積り時点では入手できなかったもので、その修正が必要となると、新たな情報を入手するたびに遡って修正しなければならず、それでは見積りを行うこと自体に意味がなくなってしまいます。このため、会計上の見積りの変更については、会計方針の変更のように過去に遡って修正することはせず、変更した時点から将来に向けた修正を行うこととされています。

設例

　3月決算会社であるG社は、X1年4月1日に機械装置を購入し、使用可能期間を10年と見積もって、以下の条件で減価償却を行うこととしました。

　　　取得価額：1,000万円
　　　残存価額：0
　　　耐用年数：10年
　　　償却方法：定額法

　X3年4月1日において、新たな情報の入手により、上記機械装置の使用可能期間が7年であることが判明し、耐用年数を10年から7年に変更しました。

計算

●見積りの変更時点から変更による影響を反映させる

　まず、X2年3月期とX3年3月期の減価償却費は、次のように計算します。

　　　1,000万円÷10年＝100万円

　このため、X3年3月31日における機械装置の帳簿価額は、次の金額となります。

　　　1,000万円－100万円×2年＝800万円

X3年4月1日において、機械装置は既に2年間使用されています。変更後の耐用年数は7年ですから、残りの耐用年数は5年（7年－2年）となり、X4年3月期以降の減価償却費は次のように計算します。

800万円÷5年＝160万円

結論として、各事業年度の減価償却費は、次のようになります（単位：万円）。

X2年	X3年	X4年	X5年	X6年	X7年	X8年	合計
100	100	160	160	160	160	160	1,000

このように、会計上の見積りの変更による場合は、会計方針の変更と異なり、X3年3月期以前に遡って会計処理を修正することはせず、変更を行ったX4年3月期以降の会計処理に、変更による影響を反映させることとなります。

●税務上の申告調整は特になし

税務上の償却計算は、選択した償却方法により法定耐用年数に基づいて行います。したがって、毎期の所得計算において償却超過額は加算し、償却不足額は原則として切り捨てられます。上記の会計処理に対し、格別の申告調整が行われることはありません。

〈著者紹介〉

鈴木　基史
（すずき　もとふみ）

　　公認会計士・税理士
　　神戸大学経営学部卒業
　　平成15〜17年　税理士試験委員
　　平成21〜24年　公認会計士試験委員（租税法）
　著　書　「対話式　法人税申告書作成ゼミナール」「法人税
　　　　　申告の実務」「わたしは税金」「根拠法令から見た
　　　　　法人税申告書」「消費税申告書作成ゼミナール」「鈴
　　　　　木基史のキーワード法人税法」「相続税・贈与税の
　　　　　実践アドバイス」（以上　清文社）、「最新法人税法」
　　　　　「条文で学ぶ法人税申告書の書き方」（以上　中央
　　　　　経済社）、「やさしい法人税」（税務経理協会）他
　事務所　大阪市北区中之島5-3-68
　　　　　リーガロイヤルホテル1453号室

令和6年10月改訂

法人税申告書別表4・5ゼミナール
（ほうじんぜいしんこくしょべっぴょう）

2024年11月5日　発行

著　者　　鈴木 基史（すずき もとふみ）ⓒ

発行者　　小泉 定裕

発行所　　株式会社 清文社

東京都文京区小石川1丁目3－25（小石川大国ビル）
〒112-0002　電話 03（4332）1375　FAX 03（4332）1376
大阪市北区天神橋2丁目北2－6（大和南森町ビル）
〒530-0041　電話 06（6135）4050　FAX 06（6135）4059
URL https://www.skattsei.co.jp/

印刷：㈱大村印刷

■著作権法により無断複写複製は禁止されています。落丁本・乱丁本はお取り替えします。
■本書の内容に関するお問い合わせは編集部までFAX（06-6135-4056）又はメール（edit-w@skattsei.co.jp）でお願いします。
■本書の追録情報等は、当社ホームページ（https://www.skattsei.co.jp）をご覧ください。

ISBN978-4-433-70704-0